BIBLIOTHÈQUE DU VOYAGEUR

LE GRAND GUIDE DES PAYS-BAS

Traduit de l'anglais et adapté
par Hugues Festis

GALLIMARD

CEUX QUI
ONT FAIT CE GUIDE

Coordinateur éditorial de ce guide, **Christopher Catling** arriva à Amsterdam pour la première fois en 1987, par une glaciale journée d'hiver. S'étant précipité dans le «café brun» le plus proche, il y trouva le réconfort d'un poêle ronronnant, mais aussi de la chaleur humaine. De retour l'année suivante pour y écrire une série d'articles, il s'attacha à la ville au point d'y retourner si souvent qu'elle est maintenant sa deuxième patrie.

Déjà auteur d'un guide d'Amsterdam, **Derek Blyth**, de nationalité américaine, réside aux Pays-Bas depuis de longues années. Pour y avoir travaillé, il s'est chargé des pages concernant Maastricht et Utrecht.

Écrivain et journaliste, **Lisa Gerard-Sharp** a vécu trois ans à Bruxelles et connaît bien les Flandres belges et néerlandaises. Elle a apporté à cet ouvrage sa connaissance des questions religieuses, indispensable à la compréhension des comportements quotidiens.

Journaliste américain résidant à Londres, **Tim Harper** collabore régulièrement à l'*International Herald Tribune*, au *Time*, au *Washington Post* et au *Chicago Tribune*. Spécialiste des questions de société, il apporté toute sa compétence à la rédaction des chapitres relatifs à la toxicomanie, à la prostitution et à l'euthanasie ainsi qu'aux politiques publiques menées dans ces domaines. En outre, sa passion pour les cartes le conduit souvent à Amsterdam.

Catling

Originaire du Minnesota, **Michael Gray** découvrit les Pays-Bas au cours d'un long voyage autour du monde. Entre-temps devenu journaliste, il y est revenu enquêter sur les problèmes d'environnement, les polders et la bulbiculture.

Bien connue des lecteurs anglais, **Joan Corcoran-Lonis** est correspondante du *Daily Telegraph* à La Haye. Elle a, pour cet ouvrage, délaissé ses centres d'intérêt habituels pour nous faire partager sa passion pour des régions méconnues des Pays-Bas.

Blyth

Gerard-Sharp

Harper

Gray

McDonald

Ancien rédacteur en chef adjoint du magazine de la compagnie aérienne KLM, *Holland Herald*, **George McDonald** a longtemps vécu à Amsterdam. Nommé directeur du journal de la Sabena, *Sphère*, et désormais installé à Bruxelles, c'est en voisin qu'il s'est rendu en Zélande, dont il apprécie particulièrement la gastronomie.

Pour ce guide, **Yvonne Newman** a parcouru les musées, testé les auberges, goûté les spécialités locales, et amassé le plus d'informations pratiques possible.

Plusieurs photographes ont collaboré à ce guide. De sensibilités différentes, ils ont, chacun à leur manière, illustré les Pays-Bas sous leurs multiples aspects : sérieux, insolites, pittoresques, et parfois tragiques.

Eddy Posthuma de Boer a apporté une contribution déterminante à l'illustration de ce guide. Né à Amsterdam – il y réside encore –, il y a longtemps travaillé pour la presse, avant de se spécialiser dans la photographie de voyage. Il collabore notamment aux magazines des compagnies aériennes KLM et Sabena.

Passionné de jazz, **Paul Van Riel** a commencé sa carrière de photographe en couvrant des événements musicaux pour des journaux et des magazines. Il s'est ensuite intéressé à des domaines aussi variés que les prises de vue sous-marines ou la photographie de mode, ce qui lui a valu une réputation internationale.

Après vingt ans de journalisme photographique, **Dirk Buwalda** conserve un plaisir intact à faire ce métier.

George Wright, photographe indépendant, habite dans le Dorset, en Angleterre. Il travaille indifféremment pour la presse et l'édition. D'Amsterdam – où il se rend régulièrement – il a cherché à saisir la vitalité et l'anticonformisme.

D'autres photographes, collaborateurs réguliers des éditions APA, ont prêté leur regard à ce livre : **Christine Osborne**, **Lyle Lawson** et **Bodo Bondzio**.

La traduction et l'adaptation du présent ouvrage, pour l'édition française, ont été menées à bien par **Hugues Festis**.

TABLE

T A B L E

TABLE

L'IMPÔT DE LA MER

En dépit de conditions de vie particulièrement difficiles sur ces terres constamment envahies par les eaux, des peuples celto-germaniques occupèrent durablement le territoire actuel des Pays-Bas à partir du VIIe siècle av. J.-C. Venus du Nord, les Frisons s'établirent dans les provinces actuelles de Frise et de Groningue, tandis que les Bataves occupèrent l'espace compris entre le Rhin et la Meuse. En 57 av. J.-C., les légions romaines conquirent le sud du pays, établissant les limites de l'empire sur la rive sud du Rhin. Le long de cette frontière, des places fortes – Utrecht, Nimègue – furent édifiées de manière à contenir la poussée des tribus germaniques.

Les Frisons construisirent les premiers ouvrages destinés à les mettre hors de portée des marées de la mer du Nord. Incapables d'arrêter l'eau, ils entreprirent de surélever le niveau des habitations. Le sol, composé de tourbe, de sable et d'argile, étant instable, ils commençaient par y enfoncer des pieux, puis ils élevaient un remblai de terre au sommet duquel les huttes étaient bâties. Un bon nombre de ces tertres, appelés *terpen* (Antwerpen à l'origine du nom d'Anvers), sont encore visibles.

Le plat pays

A l'exception des collines du Limbourg et des provinces orientales, Brabant-Septentrional, Utrecht, Gueldre, Overijssel et Drenthe, une grande partie du territoire néerlandais est formée de plaines alluviales situées au niveau de la mer ou au-dessous. De plus, trois grands fleuves – le Rhin, la Meuse et l'Escaut – traversent la Zélande en direction de la mer du Nord et forment un vaste ensemble deltaïque. Ces caractéristiques, combinées aux variations du niveau de la mer (une hausse de 65 m au cours des dix derniers millénaires) et à des phénomènes irréguliers, tels que les tempêtes ou les marées d'amplitude exceptionnelle, expliquent que la géographie des Pays-Bas se soit considérablement transformée au cours des deux derniers millénaires.

A titre d'exemple, l'actuel lac d'IJssel, l'ancienne baie marine de la Zuiderzee, n'est apparu qu'au IVe siècle, à la suite d'une transgression (montée du niveau de la mer) coupant la Frise en deux. Il fut d'abord connu sous le nom de lac Flevo, puis, sous l'effet de l'élévation du niveau des eaux – liée à un réchauffement de l'atmosphère et à la fonte des calottes glaciaires – il s'agrandit et fut rebaptisé Almere (Grand Lac). Ce n'est qu'au cours du Moyen Age, à la suite de plusieurs transgressions occasionnées par des tempêtes, que la taille de cette étendue d'eau justifia son nom de Zuiderzee, mer du Sud.

La conquête des terres

Au XIe siècle, la mer du Nord amorça un mouvement de recul le long du littoral néerlandais. C'est à cette époque que, à l'initiative de moines cisterciens et prémontrés, les premiers grands travaux d'endiguement et d'assèchement furent entrepris. La superficie des terres cultivables ou propres à l'élevage représentaient alors un peu moins de la moitié du chiffre actuel. Au cours des siècles, les Néerlandais, grâce à des réalisations sans cesse plus performantes et à un entêtement à toute épreuve, sont parvenus à contenir les assauts de la mer et à lui arracher des milliers de kilomètres carrés. Sans ces efforts patients, fréquemment réduits à néant, les vagues s'avanceraient sans doute jusqu'à Utrecht et la moitié du pays, c'est-à-dire 27 000 km2 – où se concentre plus de 60 % de la population –, serait immergée, ou menacée de fréquentes inondations. « Dieu a créé la terre, mais il a laissé aux Hollandais le soin de créer les Pays-Bas. », dit un célèbre proverbe hollandais.

La première digue de grande envergure fut réalisée en 1320 par les habitants de Schardam, au nord-ouest d'Amsterdam. Ceux-ci édifièrent un remblai à travers le bassin de Beemster afin d'empêcher la Zuiderzee d'inonder leur région.

Pages précédentes : un chalutier hollandais, avec, à l'arrière-plan, l'étendue plate du littoral côtier ; le canal de Beemster ; le Begijnhof (béguinage) à Amsterdam, un petit village clos formé de vieilles maisons ; un « café brun » : ce type de bistrot tire son nom du décor en bois foncé ; à gauche, le costume traditionnel des pêcheurs de l'IJsselmeer.

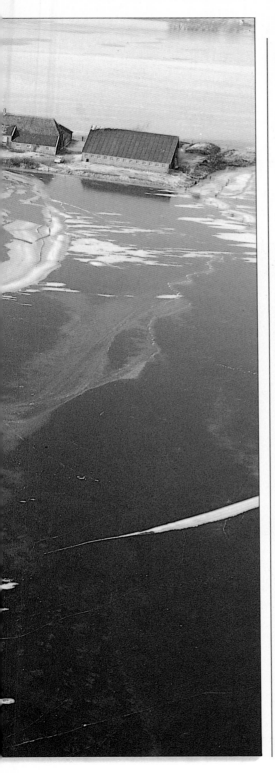

A nouveau, en 1380, des paysans de la même région élevèrent à Monnikendam une digue séparant le lac Purmer de la Zuiderzee. Ces ouvrages, et d'autres similaires, étaient rendus particulièrement nécessaires par les campagnes d'assèchement qui entraînaient un affaissement des sols. De plus, les marais du Waterland, situés au nord-ouest d'Amsterdam, n'offraient aucune résistance aux assauts de la mer du Nord.

Les polders

Le terme polder dérive d'un vieux mot allemand, *pol*, désignant les pieux de retenue des remblais de sable et d'argile qui entouraient les polders. Si les machines modernes se sont substituées aux moulins à vent et à la force humaine, la technique utilisée pour leur aménagement a, dans l'ensemble, peu changé en six siècles.

Une fois la digue construite et le canal de décharge creusé, des techniques performantes de pompage achèvent d'assécher le terrain. Il est ensuite ensemencé de roseaux qui complètent le processus d'assèchement, contribuent à désaliniser le sol et à le protéger contre les mauvaises herbes et l'érosion éolienne. Plusieurs années sont nécessaires pour transformer les polders en zones cultivables de bonne qualité. Autrefois, un tel résultat n'était d'ailleurs que rarement atteint. Au terme des cinq années que dure le processus de bonification, l'État – qui en contrôle les étapes avant de confier ces surfaces à des agriculteurs privés – dote les polders des infrastructures (eau, électricité, routes) nécessaires à leur mise en valeur.

A l'origine, ces ouvrages étaient principalement défensifs. Mais l'important accroissement démographique qui suivit le formidable essor économique d'Amsterdam exigea de nouvelles terres. Phénomène relativement marginal avant le XVe siècle, le rachat des terres prit un élan considérable autour du XVIe siècle. Outre les nécessités économiques, cette évolution correspond à la mise au point et à la multiplication des moulins de pompage. Comme partout en Europe, les moulins à vent servaient à moudre le grain et ce n'est que

A gauche, crue de l'IJssel, près de Doesburg.

progressivement que la force éolienne fut utilisée pour entraîner une roue munie d'écopes ou d'une vis d'Archimède destinées à l'assèchement des marais et des polders. En effet, à mesure qu'un terrain est drainé, il s'affaisse. L'évacuation de l'eau vers les canaux de décharge qui ceinturent le polder ne peut alors se faire que par pompage. Disposés en « paliers », les moulins refoulent l'eau dans un collecteur situé à un niveau supérieur. Depuis le XVIᵉ siècle, les polders sont parcourus par un réseau de chenaux qui alimentent des canaux de plus en plus larges. Au bout de ce chemin, l'eau de drainage est rejetée soit vers la mer, soit

Pendant presque un siècle et demi – de la fin du XVIIᵉ siècle jusque vers 1830 –, les Pays-Bas connurent une période de déclin. Les travaux d'assèchement et de bonification – sorte d'indice de la vigueur de la société hollandaise – furent pratiquement interrompus. Leur renouveau, dans les années 1850, s'accompagna d'innovations technologiques décisives, la machine à vapeur puis le moteur à explosion prenant la relève des moulins à vent. L'assèchement et la bonification du lac de Haarlemmermeer, entrepris en 1852, constituèrent le premier grand chantier employant la machine à vapeur pour le pompage. Sur

vers des réservoirs d'eau douce. Nombreux autour d'Amsterdam, ces réservoirs servent d'aire de loisirs et de provision d'eau en cas de sécheresse.

L'apparition des moulins orientables – la partie supérieure de l'édifice (la calotte) portant l'axe des ailes pouvant effectuer une rotation de manière à suivre les variations du vent – représenta un progrès décisif. C'est grâce à l'utilisation d'une vingtaine de ces moulins que, vers 1620, les polders de Beemster, de Purmer et de Wormer, créés trois siècles plus tôt, purent enfin être suffisamment drainés pour permettre une agriculture rentable. Aujourd'hui, il reste environ 1 000 moulins, dont 200 en activité.

l'emplacement de ce vaste marais situé à l'ouest d'Amsterdam, à 4,5 m au-dessous du niveau de la mer, s'étendent aujourd'hui l'aéroport de Schiphol – dont le nom signifie le « creux des bateaux » – et la zone industrielle qui l'entoure.

Désastres

Mais la mer du Nord est sujette aux tempêtes et les grandes marées d'équinoxe sont puissantes, de sorte que, à côté des constants progrès réalisés pour dominer la nature, l'histoire des Pays-Bas est jalonnée de désastres. Une riche documentation historique, dont les éléments les plus anciens remontent au XIIIᵉ siècle, nous apprend qu'aucun siècle n'a échappé à son lot de catastrophes.

En 1404, plusieurs milliers de personnes disparurent, emportées par les flots. Quatorze ans plus tard, dans la nuit du 19 novembre, une mer déchaînée franchit le delta du bassin rhénan et remonta jusqu'à Dordrecht, puis jusqu'à Gorkum. Les eaux engloutirent plusieurs dizaines d'agglomérations et firent plus de 100 000 morts, un bilan démesuré pour l'époque.

Le jour de la Toussaint 1570, les flots balayèrent les blocs de granit qui protégeaient les digues et firent disparaître trois

par de nouveaux matériaux : la pierre, le plus souvent importée, puis le métal et le ciment.

En plusieurs occasions, l'histoire se substitua à la nature pour réduire à néant des décennies de labeur. Il y eut les inondations volontaires devant les troupes du duc d'Albe. Ensuite, à deux reprises, en 1942 et en 1944, pour des raisons tactiques, les troupes allemandes puis les bombardiers anglais détruisirent de nombreuses digues, dont celle de Westkapelle, la plus importante d'Europe, livrant à nouveau la Zélande aux flots. La dernière catastrophe se produisit pendant l'hiver 1953. Un oura-

des polders les plus peuplés de Zélande. Vers 1700, un péril d'une autre nature, mais tout aussi dangereux, menaça la Hollande. Les renforts de bois des digues subirent l'assaut d'un termite aquatique particulièrement vorace, bien connu des marins. A peine mis en place, les nouveaux pieux étaient immédiatement infectés. Il fallut progressivement remplacer le bois

A gauche, ces hunebedden *que l'on rencontre dans la région de Drenthe – œuvres de tribus originaires de la région baltique – datent de 3000-2000 ans av. J.-C.; ci-dessus, la route traversant le polder de Beemster, avec, de part et d'autre, les canaux de décharge.*

gan venu des confins de la mer du Nord déferla sur les côtes néerlandaises pendant une marée de vive-eau, submergea la Zélande et menaça même Rotterdam. En une nuit, 1 800 personnes périrent et près de 100 000 autres se retrouvèrent sans abri.

De tels événements ont naturellement engendré de nombreuses légendes, dans lesquelles entre bien peu de vérité, mais qui laissent deviner la farouche détermination des Néerlandais à ne jamais baisser les bras. Symbole de leur courage et de leur vigilance, ce gamin qui, selon la légende, sauva la Hollande en colmatant avec son doigt une fissure dans une digue. On peut voir une statue de ce personnage imaginaire dans le village de Spaarndam, entre Haarlem et Halfweg. On tient en revanche pour véridique l'histoire de ce capitaine qui, pendant le désastre de l'Ignatiusvloed, en 1953, non loin de Rotterdam, remarquant qu'une brèche importante menaçait une digue, manœuvra son bateau de telle sorte que les vagues le plaquèrent contre la digue, obturant la brèche.

L'accès à la mer

Le percement du canal de la mer du Nord, réalisé entre 1824 et 1876, fut à la fois la réaffirmation du «génie» néerlandais en marine marchande, et a été notamment élargi à plusieurs reprises. Autre avantage, le canal s'écoule d'est en ouest en direction de la mer du Nord, et peut donc recevoir les eaux de drainage des polders et les rejeter au-delà des lignes de dune.

La grande digue de la Zuiderzee

Très tôt, les Néerlandais réalisèrent que le principal risque d'inondation ne venait pas du littoral, mais bien de la montée des eaux situées à l'intérieur des terres : l'ancienne Zuiderzee menaçait directement Amsterdam, et la Zélande était fréquemment sub-

matière de grands travaux et un ouvrage d'une importance économique déterminante. En effet, depuis le milieu du XVIIIe siècle, les bateaux à fort tirant d'eau ne pouvaient plus traverser la Zuiderzee, trop peu profonde. Avec l'ouverture du canal, les bateaux à vapeur et, dans leur sillage, un important trafic commercial reprirent le chemin du port d'Amsterdam.

De plus, il ne fallait pas plus de quatre heures pour remonter le canal tandis que le contournement du nord de la Hollande et la traversée de la Zuiderzee pouvaient, selon les conditions météorologiques, nécessiter un jour ou deux. Depuis, le canal n'a cessé de s'adapter aux évolutions de la marine marchande, et a été notamment mergée par les eaux du Rhin, de la Meuse et de l'Escaut. Les deux grands projets du génie hydraulique du XXe siècle, le plan Lely et le plan Delta, ont, en principe, définitivement écarté ces dangers.

Dès 1667, un ingénieur du nom de Hendrik Stevin proposait d'ailleurs de fermer la Zuiderzee et d'en assécher une partie. La poldérisation de la Zuiderzee et même de la Waddenzee (le bras de mer compris entre la grande digue du Nord et les îles de la Frise occidentale) demeura un thème récurrent au cours des siècles.

Il fallut cependant attendre la grande inondation de 1916, qui faillit engloutir l'île de Marken, pour que soit envisagée la

réalisation du plan que l'ingénieur Cornelis Lely (1854-1929) avait proposé en 1891.
Mais les Néerlandais ont la réputation de
ne pas s'engager à la légère, surtout
lorsque le projet en question atteint des
proportions colossales, et les travaux ne
commencèrent qu'en 1923. Pas moins de
neuf années furent nécessaires pour élever
la digue monumentale, longue de 32 km et
large de 90 m, qui sépare désormais
l'ancienne Zuiderzee, devenue un lac
d'eau douce d'environ 125 000 ha – l'IJsselmeer –, de la haute mer.

Une île artificielle faite de caissons de
ciment immergés et dotée d'un port fut

ralentir le courant devenu trop fort pour
que les blocs de pierre puissent être cor-
rectement positionnés.

L'Afsluitdijk, la digue de fermeture,
comporte plusieurs écluses et des vannes
permettant de régulariser le niveau de
l'eau de l'IJsselmeer et le passage de
bateaux à faible tirant d'eau ainsi que la
migration de certaines espèces de poissons,
notamment les anguilles.

Les polders de l'IJsselmeer

Si le lac d'IJssel n'a pas été asséché, quatre
grands polders ont toutefois vu le jour: le

même construite à mi-chemin de manière
à lancer les travaux dans les deux sens à la
fois. A mesure que l'espace séparant les
deux bras de la digue se réduisait, la pression de l'eau s'engageant dans la brèche
augmentait de manière inquiétante, au
point que les ingénieurs doutèrent un ins-
tant de la faisabilité du projet. Les derniers
mètres furent réalisés en un temps record,
dans des conditions météorologiques difficiles et à la veille d'une grande marée. Une
barrière de fortune fut dressée afin de

*A gauche, la construction d'un canal dans les
années 1930; ci-dessus, une digue en cours de
réalisation.*

polder de Wieringermeer (20 000 ha), en
1927-1930; le polder du Nord-Est
(48 000 ha), en 1937-1942; le Flevoland,
constitué de deux polders, l'un au nord-est
(54 000 ha), en 1950-1957, l'autre au sud-
ouest (43 000 ha), en 1959-1968. Au total,
près de 220 000 ha ont été drainés, aménagés et cultivés.

Quant à la poldérisation du Markerwaard
(60 000 ha), également imaginée par Cornelis Lely, et prévue pour 1980, elle est
aujourd'hui exclue. Ce projet, qui devait
aboutir à la création du plus grand polder
de l'IJsselmeer, a suscité en effet de nombreuses critiques. D'une part, les experts du
gouvernement en sont venus à se demander

si la réalisation de ce projet ne présentait pas des risques pour les polders déjà existants. D'autre part, une baisse du niveau des eaux aurait sans doute fait émerger les fondations en bois de certains quartiers d'Amsterdam, les exposant à une rapide dégradation. Enfin, le projet était également décrié par les amateurs de sports nautiques qui ne voulaient pas voir disparaître ce vaste plan d'eau. Mais c'est aussi pour sauvegarder la valeur écologique (et notamment la faune aquatique) de cette zone que le projet d'assèchement a finalement été abandonné, en 1991, après de nombreux remaniements.

Le plan Delta

Le plan Delta, décidé dès 1954 et dont le budget fut approuvé par le Parlement en 1958, fut la réponse énergique des Néerlandais au désastre du 1er février 1953, qui avait coûté des milliers de vies humaines et anéanti l'économie prospère de la Zélande. Quelques chiffres donnent la mesure de cet ensemble d'ouvrages qui n'a pas d'équivalent dans l'histoire de l'humanité : les travaux se sont étalés sur trente-deux années et ont coûté environ 36 milliards de francs. Plus difficile à évaluer est la somme d'innovations technologiques et de savoir-

Le cas du Markenwaard résume assez bien les données essentielles du débat plus général concernant le bien-fondé de l'aménagement de nouveaux polders, qui agite régulièrement la scène politique. Certains mettent en avant les coûts considérables de tels projets, dont le financement pèse lourdement sur la fiscalité dans une période de conjoncture économique peu favorable. D'autres, et notamment le puissant lobby écologiste, dénoncent les destructions de sites naturels que ces travaux impliquent. Mais les Pays-Bas, l'un des pays au monde dont la densité de population est la plus forte (431 hab./km²), ont-ils le choix ?

faire (dragage, drainage, remorquage, mécanique hydraulique, etc.) qu'il a fallu imaginer et mettre en œuvre à une échelle jamais envisagée auparavant.

Le principe directeur du plan Delta consistait à fermer tous les estuaires – du Rhin, de l'Escaut, de la Meuse et de leurs affluents – qui découpaient la Zélande en îles et en presqu'îles, en ne préservant que l'accès aux ports de Rotterdam et d'Anvers. Au total, neuf barrages ont été élevés. Dans la plupart des cas, les problèmes rencontrés dépassèrent en proportion ce que les études les plus pessimistes avaient laissé entrevoir.

Le barrage de Haringvliet, achevé en 1971, possède la plus grande écluse d'évacuation du monde, sa capacité s'élève à 1 200 millions de litres par seconde. Chacune des 17 vannes mesure 12 m de hauteur et autant de profondeur et ne pèse pas moins de 543 t. De puissants moteurs commandent leur ouverture et leur fermeture, selon le niveau du lac de retenue alimenté par le Rhin, la Meuse et leurs affluents. Pour la construction du barrage de Brouwershavense qui ferme l'étendue d'eau salée sans marées de Grevelingen, les ingénieurs mirent au point des caissons flottants de taille colossale. Ces derniers sont ajustés les uns aux autres par des remorqueurs, puis on y injecte du béton.

nant la disparition des installations ostréicoles et mytilicoles en amont. Dès le début des années 1970, un puissant lobby d'ostréiculteurs, de pêcheurs et d'écologistes mena campagne pour la sauvegarde de ce site et, après plusieurs années d'étude, le gouvernement arrêta un projet de compromis : un barrage antitempête dont les vannes, laissées ouvertes en temps normal pour laisser passer la marée, se ferment en cas de violente tempête (soit, en moyenne, deux fois par an).

En 1997, une nouvelle intervention est venue modifier le plan Delta : un barrage antitempête a été construit en complément

Mais la réalisation la plus impressionnante du plan Delta est sans conteste le barrage à portes coulissantes qui ferme l'Escaut oriental et dont la construction ne s'est achevée qu'en 1986. Cet ouvrage reliant l'île de Schouwen à celle du Noord Beveland, devait consister en une puissante digue. Cependant, un tel projet aurait transformé l'estuaire maritime de l'Escaut oriental en un bassin d'eau douce, entraî-

A gauche, la réalisation du plan Delta (sur la photo le barrage de Oosterschelde) a exigé la mise au point de nouveaux équipements; ci-dessus, la visite de Delta Expo donne une vue synoptique des travaux du plan Delta.

des digues dans le Nieuwe Waterweg, canal qui relie le port de Rotterdam à la mer du Nord.

Au moment de la réalisation du plan Delta, la priorité était de protéger la population de tout risque d'inondation, d'améliorer les liaisons routières et de minimiser la salinisation des terres. Aujourd'hui, avec la montée en puissance du courant écologiste, une nouvelle approche domine : protéger la nature et, notamment, la grande diversité biologique de la région du Delta. Si bien que, même dans les endroits les plus exposés, on privilégie le recours au renforcement « naturel » au moyen de sable.

JAARLYKSE OMMEGANK DER LEPROOZEN. OP

PERTIES MAANDAG OPGEHOUDE INT JAAR 1005

REPÈRES CHRONOLOGIQUES

IVe et Ve siècles. A l'issue des invasions barbares, la répartition ethnique est la suivante : les Francs au sud des grands fleuves, les Saxons dans l'Est et les Frisons au nord.

695. Willibrord, un moine anglais, est consacré évêque d'Utrecht ; mais la christianisation du pays est lente et difficile ; saint Boniface, le successeur de Willibrord, subit le martyre en 754, à Dokkum (en Frise).

Vers l'an mil. La Lotharingie est démembrée au profit de puissantes entités féodales : les comtés de Hollande, de Flandre, de Gueldre, le duché de Brabant et l'évêché d'Utrecht ; cette dispersion du pouvoir renforce l'indépendance des villes.

XIIIe siècle. Les villes connaissent un véritable essor économique ; les ports adhèrent à la Ligue hanséatique ; ce monde urbain, dynamique et autonome, tente de se détacher du système féodal.

1384. L'union de Philippe le Hardi, duc de Bourgogne, et de Marguerite de Flandre amorce le passage des Pays-Bas, à l'exception de la Gueldre, sous l'autorité des ducs de Bourgogne ; ce procesus s'achève en 1428 avec Philippe le Bon ; le duché de Bourgogne est alors de loin l'État le plus riche d'Europe.

Fin du XVIe siècle. Les villes démantèlent les institutions centralisatrices mises en place par Charles le Téméraire et recouvrent leur indépendance et leurs privilèges.

1515. Charles Quint, héritier de la maison de Bourgogne par son père Philippe le Beau et de la maison d'Espagne par sa mère Jeanne la Folle, devient le souverain des Pays-Bas, auxquels il ajoute la Frise, la Groningue et la Gueldre, et dont il centralise l'administration.

1520-1530. La pression fiscale, l'absolutisme politique et idéologique de l'Espagne, ses choix diplomatiques – notamment l'hostilité à la France contraire aux intérêts commerciaux néerlandais – alimentent une perpétuelle contestation aux Pays-Bas.

1555. Abdication de Charles Quint ; son successeur, Philippe II, champion de la Contre-Réforme, s'attire l'hostilité des Pays-Bas par sa politique religieuse.

1566. Révolte des Gueux de Flandre ; le sac des églises par les iconoclastes calvinistes radicalise le conflit et divise les provinces néerlandaises.

1567. Répression espagnole menée par le duc d'Albe ; début de la guerre de Quatre-Vingts Ans ; le prince allemand Guillaume d'Orange, dit le Taciturne, prend la tête des villes insurgées.

1572. Le conflit s'est étendu à tous les Pays-Bas ; Haarlem capitule devant les troupes espagnoles ; le Taciturne parvient à sauver Leyde.

1579. L'union d'Utrecht donne naissance aux Provinces-Unies, une fédération de sept provinces protestantes (Hollande, Gueldre, Zélande, Utrecht, Overijssel, Groningue, Frise).

1581. Les Provinces-Unies déposent le roi Philippe II et forment une république ; l'Union d'Arras groupe les pays wallons et flamands fidèles à l'Espagne ; Guillaume le Taciturne est assassiné (1584).

1595-1597. Première expédition d'Houtman ; celui-ci double le cap de Bonne-Espérance et découvre l'Indonésie.

1602. Création de la Compagnie des Indes orientales (VOC) ; cet établissement, financé par une souscription publique d'actions, a pour but de coordonner les relations commerciales et militaires entre les Provinces-Unies et les territoires situés à l'est du cap de Bonne-Espérance.

1609. Fondation de la Banque d'Amsterdam, qui consacre la ville comme l'une des plus importantes places financières d'Europe ; signature de la trêve de Douze Ans avec l'Espagne.

1621. Création de la Compagnie des Indes occidentales qui détient le monopole du commerce avec l'Amérique et l'Afrique de l'Ouest.

1625. Peter Minuit fonde La Nouvelle-Amsterdam sur l'île de Manhattan.

1637. Des explorateurs hollandais vont au Brésil, en Guinée et au Japon, qui leur accorde le monopole du commerce d'outre-mer.

1650-1654. Le parti des Régents, qui représente la grande bourgeoisie marchande des villes, écarte du pouvoir la maison d'Orange et supprime le stathoudérat, une sorte de chef d'état-major qui jouait un rôle politique considérable en s'appuyant sur le peuple.

1648. Traité de Westphalie : l'Espagne reconnaît l'indépendance des Provinces-Unies.

1652. La puissance et économique des Pays-Bas gêne les intérêts anglais ; début des guerres avec l'Angleterre.

1667. La paix de Breda met fin au conflit anglo-néerlandais, confirme les possessions hollandaises en Insulinde et au Surinam, mais cède la Nouvelle-Amsterdam aux Anglais.

1672-1674. Les troupes de Louis XIV envahissent le sud des Pays-Bas ; le stathoudérat est rétabli ; Guillaume III repousse les Français.

xviiie siècle. Ce siècle marque le déclin économique et politique des Provinces-Unies, qui, par le jeu des alliances, épuisent leurs forces dans les guerres européennes liées à la succession d'Espagne : contre la France, en 1689 ; puis alliées avec la France et l'Angleterre contre l'Espagne, en 1717 ; enfin, à nouveau contre la France, en 1740 et en 1748.

1794. A l'issue de la bataille de Fleurus, les Français occupent les Pays-Bas ; la République batave est proclamée et dotée d'une constitution à la française.

1806. Napoléon Ier créée le royaume de Hollande et place son frère Louis Bonaparte sur le trône.

1815. Le congrès de Vienne réunit les provinces belges et néerlandaises en un royaume des Pays-Bas gouverné par Guillaume Ier d'Orange.

1830-1839. Trop d'antagonismes opposent le Sud, libéral, catholique et en partie francophone, au Nord, conservateur, calviniste et néerlandophone ; les Belges se soulèvent ; création du royaume de Belgique.

1845-1848. Des émeutes réclamant un régime démocratique éclatent ; Guillaume Ier promulgue une nouvelle constitution, instaurant un parlement élu.

1848-1914. Les Pays-Bas retrouvent le chemin de la croissance économique et entreprennent de grands travaux (canaux, digues, etc.) ; querelle scolaire (opposant les défenseurs de la laïcité à ceux d'une école confessionnelle) ; émergence du mouvement socialiste.

1890. La reine Wilhelmine succède à Guillaume III et règne sous la régence de sa mère jusqu'à son couronnement (1898).

1914-1918. Les pays belligérants respectent la neutralité des Pays-Bas.

1930-1940. Le pays est secoué par la crise économique mondiale ; des émeutes éclatent dans des quartiers populaires.

1940. L'Allemagne ignore la neutralité néerlandaise et envahit le pays le 10 mai.

1941. 25 et 26 février : les employés des transports et les dockers protestent contre la déportation des Juifs.

1944. Anne Frank est arrêtée le 14 juillet, elle meurt en déportation ; l'opération des Alliés sur Arnhem, échoue ; les Pays-Bas dévastés ne seront libérés qu'en mai.

1945. La vie politique est de nouveau dominée par les deux courants traditionnels : les sociaux-démocrates du PvdA (Parti du travail), et les chrétiens démocrates du KVP (Parti populaire catholique).

1948. Juliana accède au trône après l'abdication de sa mère Wilhelmine.

1949. Indépendance de l'Indonésie.

1957. Signature du traité de Rome.

1958. Signature du traité de création du Benelux réunissant la Belgique, le Luxembourg et les Pays-Bas.

1975. Province autonome depuis 1954, le Suriname devient une république indépendante.

1980. La reine Juliana abdique en faveur de sa fille Beatrix.

1992. Signature du traité de Maastricht.

1995. La Meuse déborde, provoquant des inondations et l'évacuation de 250 000 habitants.

2000. Légalisation du mariage entre homosexuels ; légalisation de l'euthanasie.

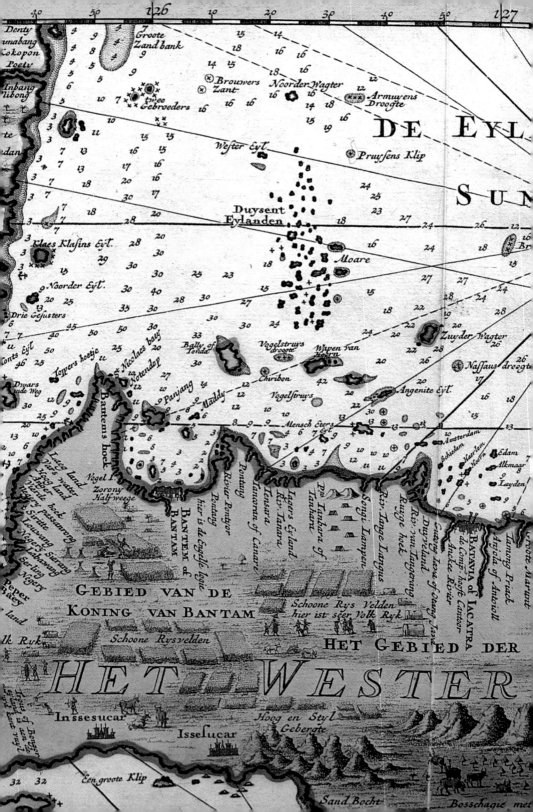

LE SIÈCLE D'OR DES PROVINCES-UNIES

Vers la fin du XVIᵉ siècle, la Méditerranée – c'est-à-dire essentiellement l'Espagne, les grandes villes italiennes (Venise, Gênes, Milan et Florence) et les ports turcs formait le centre incontesté de l'économie européenne. Le formidable essor des Provinces-Unies y puisa l'essentiel de ses ressources, et l'on peut même situer les premiers signes de déclin de cette période dans les années qui suivirent la profonde crise économique – autour de 1650 – qui frappa l'Espagne, puis toute l'Europe.

Pour autant, la prospérité, l'audace et la créativité de cette nation d'à peine deux millions d'habitants restent un phénomène historique d'une intensité exceptionnelle. En moins d'un demi-siècle, Amsterdam devint la capitale commerciale, financière, industrielle, artistique et intellectuelle de l'Europe et la métropole d'un vaste empire colonial allant du Brésil au Japon.

Les fondements de la prospérité

Les bateaux hollandais firent leur apparition en Méditerranée au cours des deux dernières décennies du XVIᵉ siècle. Les années 1586-1590 furent en effet marquées par une succession de mauvaises récoltes de blé en Italie, obligeant l'Espagne et l'Italie à importer la précieuse denrée.

Or, qui, mieux que les Hollandais – installés aux portes des grandes régions productrices de céréales (France, Flandre, Allemagne et Pologne) et déjà experts dans la maîtrise des rouages du négoce international –, pouvait se charger de ce commerce de grain resté par la suite l'un des pivots de l'économie néerlandaise. Anvers, qui jusqu'alors dominait l'économie des Pays-Bas (du nord et du sud), eut

Pages précédentes : La monumentale Procession annuelle des lépreux le lundi après l'Épiphanie *d'Adriaen Van Nieulandt (1587-1658) peinte en 1633 ; une tombe de marin dans l'île de Wadden ; l'ancien hôtel de ville d'Amsterdam peint par J. A. Beerstraten. A gauche, une carte hollandaise de l'Indonésie datant du* XVIIᵉ *siècle ; à droite,* Homme écrivant une lettre *de Gabriel Metsu (1629-1667).*

sans doute pu jouer ce rôle si les troupes du duc d'Albe n'avaient bloqué son accès à la mer dès 1584.

C'est là un des éléments clés pour comprendre le succès des Provinces-Unies. En effet, en dépit de l'hostilité politique et religieuse qui l'opposa à l'Espagne (lire pages 34 et 35), l'économie du pays demeura très étroitement associée à l'argent apporté par les galions d'Amérique, en quantité sans cesse croissante, entre 1580 et 1620, notamment par l'intermédiaire des Flandres restées fidèles à l'Espagne. Paradoxalement, les sommes colossales engagées pour lever et entrete-

nir l'armée du duc d'Albe en Flandre étaient inévitablement attirées par les hauts rendements de l'économie des Pays-Bas du Nord. De même, la contrepartie financière du négoce avec les ports espagnols arrivait légalement à Anvers, puis prenait le chemin de la Hollande. Il était alors bien difficile aux agents de Philippe II de déterminer l'origine exacte des marchandises et la destination des sorties d'argent, en principe interdites vers les Provinces-Unies.

Fernand Braudel y voit d'ailleurs la raison majeure pour laquelle les Provinces-Unies se sont imposées pendant un siècle au détriment de l'Angleterre pourtant victorieuse de l'Invincible Armada, en 1588, mais à l'écart des flux monétaires venant d'Espagne.

Le goût du risque et une supériorité navale

En cette fin du XVIᵉ siècle, l'essor de l'économie hollandaise s'explique également par le retrait des « capitalistes » italiens et espagnols des affaires commerciales au profit d'activités strictement financières, ou d'investissements fonciers, laissant aux compagnies néerlandaises le soin de prendre des risques, mais aussi celui

fiabilité des bateaux hollandais accrut d'autant leur compétitivité. En outre, ces navires se révélèrent particulièrement adaptés à la piraterie, cette « industrie ancienne et généralisée », dans laquelle les Néerlandais se taillèrent une sérieuse réputation. Les historiens estiment que, dès 1570, les Pays-Bas possédaient la première flotte d'Europe.

Une économie intégrée

Comme Venise, et un siècle avant Londres, la puissance des Provinces-Unies, et singulièrement celle d'Amsterdam, reposait non

d'empocher les bénéfices. Le négoce des céréales rapportait jusqu'à quatre fois la mise, et le blé se payait alors comptant.

Certaines transformations techniques ont joué à cette époque un rôle capital. Dans le domaine de la construction navale et du pilotage, c'est le triomphe du voilier nordique sur les galères de Méditerranée et les lourds galions des lignes atlantiques. Plus légers (100 à 200 t), manœuvrant facilement et bien armés, ces voiliers transportaient moins de charge mais offraient une sécurité plus grande. Or, au début du XVIIᵉ siècle, l'extrême précarité des voyages maritimes demeurait la règle, et les assurances pesaient lourd dans le coût du transport. La

seulement sur sa flotte marchande et ses infrastructures portuaires, mais également sur son industrie et la qualité de ses services bancaires.

A cet égard, le conflit religieux joua un rôle déterminant. En effet, Amsterdam accueillit de nombreuses communautés protestantes chassées de France – les huguenots après la révocation de l'édit de Nantes, en 1685 – d'Allemagne, de Bohême, de Flandre – et notamment d'Anvers – par les persécutions de la Contre-Réforme. Les Juifs portugais – les Marranes – et allemands trouvèrent également refuge dans la capitale hollandaise. Parmi ces immigrés se trouvaient beaucoup de commerçants, d'artisans qualifiés et de banquiers qui y apportèrent des capitaux et tout un précieux réseau de relais dans les villes espagnoles, italiennes et jusque dans le Levant. Ne dit-on pas que ce sont justement les banquiers marranes, enrichis par le commerce du poivre, qui financèrent les premières exportations de céréales vers l'Italie ? Parfois, les entrepreneurs néerlandais se procurèrent un savoir-faire en débauchant à prix d'or les artisans de Venise et de Florence.

Fortes de cette compétence et d'une main-d'œuvre moins chère qu'en Italie, les industries lainières de Leyde et les indus-

blé, le tabac, le houblon, le lin et déjà les fameux fromages de Hollande.

Compte tenu de la durée des voyages, par mer comme par terre, toute la difficulté du commerce international consistait, pour les négociants, à avancer le prix des marchandises et du transport et à ne récupérer leur mise augmentée d'un profit que des mois, voire parfois une année plus tard. Un tel système exigeait une importante mobilisation de capitaux, ainsi qu'un système d'assurances et de courtage performant. Très tôt, les Provinces-Unies se dotèrent d'institutions financières adéquates, les plus modernes de l'époque :

tries linières de Haarlem produisaient des articles bon marché destinés à l'exportation. Implantée à Amsterdam, Haarlem et Utrecht, l'industrie de la soie connut son apogée plus tardivement, autour de 1650. Parmi les secteurs qui, dès cette époque, firent le renom des Pays-Bas, citons les faïences de Delft, la construction navale, dont la réputation attirera, en 1697, la visite du tsar Pierre le Grand, et des produits agricoles à haute valeur marchande : le

création de la Banque de change amstellodamoise en 1609, puis celles de Deft, de Middlebourg et de Rotterdam, inauguration, en 1611, de la «nouvelle bourse» des changes et des grains d'Amsterdam. Ironie de l'histoire, à partir des années 1620, derrière les intermédiaires portugais, ce furent les financiers hollandais qui prêtèrent l'argent dont l'État espagnol avait le plus grand besoin.

Le commerce européen

Une fois le trafic amorcé, dans les années 1590, la voie océane – d'Amsterdam vers le Portugal, l'Espagne, l'Italie et le Levant –

A gauche, la Bataille de Gibraltar *peinte par Hendrick Cornelisz Vroom ; ci-dessus,* De Veerpont *du grand paysagiste Salomon Van Ruysdael (vers 1600-1670).*

devint la propriété presque exclusive des flûtes hollandaises (un navire de commerce à deux mats) transportant, outre le blé, du bois, du poisson séché ou salé, du plomb, de l'étain, du cuivre, de la toile, du drap et de la quincaillerie. Au retour, elles rapportaient du sel, du vin, des épices et surtout des métaux précieux.

Vers 1597, les Hollandais s'enfoncèrent plus profondément en Méditerranée, allant à la recherche des produits exotiques (la soie, les épices et le coton). On les voit de plus en plus souvent en Syrie et dans les ports turcs, leurs navires battant pavillon français, comme le leur a accordé

Les grandes expéditions

En 1595-1597, Cornelis Van Houtman (1550-1598) entreprit une expédition vers les Indes orientales, il occupa Java en 1597 et y fonda le premier comptoir hollandais à Bantam. L'année suivante, il reconnut l'île de Sumatra, y installa un comptoir, mais trouva la mort peu après au cours d'un combat l'opposant au sultan de Sumatra. En 1598, les Néerlandais enlevèrent aux Portugais l'île Maurice, relais précieux sur la route de l'Asie du Sud-Est.

Après des voyages aux Moluques, aux Philippines, au Japon, Abel Janszoon

François Ier. En outre, ils s'étaient déjà emparés, dès la fin du XVe siècle, des deux tiers du commerce de la Baltique. Là encore, les céréales, comptant pour la moitié des chargements, constituèrent le moteur de l'échange. Venaient ensuite le fer, le cuivre, le lin, le chanvre, le salpêtre, le goudron, la poix, la potasse et le bois. Pauvres en forêts, les Pays-Bas importaient le bois de Norvège pour alimenter leurs chantiers navals.

C'est grâce aux revenus de ce commerce européen hautement profitable que les Néerlandais purent lancer d'ambitieuses mais coûteuses expéditions tout autour du monde.

Tasman (1603-1659) entreprit, en 1642, une grande traversée du Pacifique qui le conduisit en Tasmanie, baptisée terre de Van Diemen – du nom du gouverneur des Indes orientales –, en Nouvelle-Zélande, dans l'archipel des Tonga et à Fidji.

Henry Hudson (1550-1611), navigateur anglais au service des Provinces-Unies, commanda plusieurs expéditions ayant pour mission de découvrir un passage maritime vers les Indes et la Chine. En 1609, il reconnut le site de la future Nouvelle-Amsterdam et remonta le fleuve qui porte son nom. En 1614, les Hollandais construisirent un fort au sud de l'île de Manhattan. Onze plus tard, Peter Minuit acheta aux Indiens la totalité de l'île pour le compte de la Compagnie des Indes occidentales, puis il y fonda une ville, Nieuw Amsterdam, qui devint la capitale d'une colonie baptisée la Nouvelle-Hollande. Peter Stuyvesant en fut le gouverneur de 1647 à 1664.

Également à la recherche d'un passage maritime vers la Chine, Willem Barents (1550-1597) entreprit deux expéditions vers le nord-est, à travers les mers arctiques. En 1594, il découvrit la Nouvelle-Zemble, puis l'île aux Ours et, en 1596, le Spitzberg qui sera ensuite fréquenté par les chasseurs de baleine néerlandais.

héros des expéditions septentrionales, qui trouva la mort devant Gibraltar en lançant une offensive contre les Espagnoles.

L'épopée des compagnies

En fondant, en 1602, la Compagnie des Indes orientales, le Grand Pensionnaire de Hollande – la plus haute autorité du pouvoir exécutif – Jan van Oldenbarnevelt (1547-1619) dota son pays du premier instrument moderne d'Europe destiné à exploiter rationnellement les ressources des colonies. Née de la fusion de multiples sociétés commerciales, la *Verenigde Oost-*

D'autres explorateurs associèrent leur nom à cette épopée néerlandaise : W. Janz fut le premier hollandais à longer les côtes nord de l'Australie, en 1606 ; Willem Schouten, le premier marin à doubler le cap méridional du continent américain auquel il donna le nom de sa ville natale, Hoorn ; Dirk Hartog reconnut les côtes est et sud de l'Australie, en 1616, puis en 1627 ; parti de Taïwan, en 1643, David De Vries contourna le Japon par l'est en direction du nord ; l'amiral Van Heemmskerck (1567-1607),

A gauche, plaque représentant le canal de l'Oude Scans, à Amsterdam; ci-dessus, plan d'Amsterdam vers 1640.

Indische Compagnie (la VOC), financée par des souscriptions publiques d'actions, reçut des pouvoirs très étendus en matières commerciale et militaire. Son premier objectif fut de s'emparer des possessions portugaises dans l'océan Indien et en Asie. Elle implanta ensuite des comptoirs au Japon, dans les Indes orientales, à Ceylan, en Malaisie, en Indonésie et en Tasmanie. Dans ces quatre derniers pays, elle possédait même des plantations et des manufactures. Jusqu'en 1639, date à laquelle le Japon se ferma au monde extérieur, les Néerlandais furent les seuls étrangers, avec les Chinois, à disposer d'un comptoir, dans l'île de Deshima, au large de Nagasaki.

LE NÉERLANDAIS

Le néerlandais est issu de dialectes du Moyen Age parlés le long de la mer du Nord : le flamand, le brabançon et le hollandais. La langue se développa à partir du flamand, puis se répandit progressivement à l'est en s'enrichissant d'éléments brabançons et s'épanouit au XVIIe siècle en Hollande. Le néerlandais est donc la synthèse de ces trois dialectes germaniques.

Au Moyen Age, ces idiomes étaient appelés, dans les dialectes locaux, *dietsch*, ou encore *duutsch*. Ce terme a donné *deutsch*, la langue allemande, et *dutch,* qui est le terme anglais pour nommer le néerlandais d'aujourd'hui. Le mot *dietsch* signifie «ce qui appartient au peuple» par opposition au latin, la langue savante. Mais ce terme cache la diversité des dialectes dans les régions littorales. Les dialectes flamands joueront un rôle de premier ordre dans ces régions à partir du XIIIe siècle. Il faut se remémorer la grandeur de Bruges ou de Gand pour comprendre le prestige du flamand, qui nous a légué de brillants monuments littéraires, comme *Le Roman de Renart*.

Au XVe siècle, l'hégémonie passe de la Flandre au Brabant (Bruxelles, Anvers et Bois-le-Duc), qui se transforme en un grand centre politique et économique. Grâce à ce rayonnement, l'élément brabançon occupe désormais une grande place au sein de ces dialectes. Les troubles politiques et religieux des XVIe et XVIIe siècles provoquent la séparation de l'actuelle Belgique des provinces septentrionales, et conduisent bon nombre de Flamands et de Brabançons à émigrer vers le nord. La langue châtiée et cultivée de ces émigrants méridionaux exercera une grande influence sur les dialectes hollandais.

Ce fut donc dans une Hollande terre d'asile que le néerlandais prit sa forme définitive. Au sommet de sa gloire, Amsterdam fonctionna alors comme un creuset linguistique dans lequel s'élabora la langue néerlandaise – on a dit le hollandais jusqu'au XIXe siècle – que nous connaissons aujourd'hui. En dehors des Pays-Bas, il est, avec quelques nuances régionales, parlé dans la moitié de la Belgique, dans les Flandres françaises, et il demeure quelques îlots néerlandophones dans les Antilles néerlandaises, au Surinam et en Indonésie. Issu du néerlandais, l'afrikaans, parlé en Afrique du Sud, a subi de nombreuses influences, du bantou, de l'anglais, de l'allemand, du français.

Le néerlandais a joué un rôle non négligeable dans l'échange linguistique européen. Si les termes français fourmillent en néerlandais, les emprunts faits au néerlandais par notre langue sont bien plus nombreux qu'on ne l'imagine. La puissance économique hollandaise a laissé des traces dans notre lexique comme l'attestent les termes suivants : colza vient de *koolzaad* (graine de chou) ; pamplemousse, de *pompelmoes* (gros citron) ; bivouac, de *bijwake* ; frelater, de *verlaten* (transvaser). Mais c'est avant tout par des centaines de termes maritimes que la langue française reconnaît sa dette au néerlandais.

Voici, parmi bien d'autres, quelques-uns des emprunts les plus cocasses : ainsi flibustier a-t-il pour origine *vrijbuiter* (celui qui obtient librement un butin) ; matelot, *mattenoot* (compagnon de hamac) ; scorbut, *scheurbuik* (ce qui déchire le ventre) ; amarrer, *aanmaren* (attacher) ; yacht, *jacht* (chasseur). Les marins fréquentent les tavernes, on ne s'étonnera pas d'y rencontrer quelques vocables d'origine néerlandaise tels que bière (de *bier*), houblon (de *hoppe*), brandy (de *brandewijn*, «vin cuit»), ou bitter (de *bitter*, «liqueur amère»).

Le commerce du thé, du sucre, de la soie, des laques et des porcelaines – notamment des boîtes à sel fabriquées par des potiers chinois – rapporta des fortunes à la Compagnie, qui versa, en moyenne, des dividendes de 18 à 20 % à ses actionnaires.

En 1621, le Parlement accorda à la Compagnie des Indes occidentales le monopole du commerce et de la navigation pour l'Amérique et l'Afrique occidentale. La *West-Indische Compagnie* (la WIC) opéra principalement dans trois domaines : l'exploitation de la colonie de Nouvelle-Hollande, le commerce triangulaire, et surtout la piraterie à l'encontre des vaisseaux

dans la course aux galéasses ibériques. Parmi les nombreux hauts faits des flibustiers hollandais, le plus célèbre est sans conteste la capture de la « flotte d'argent » espagnole, la Zilvervloot, par l'amiral Piet Heyn, en 1628. Le butin en pièces d'argent arraché aux galions espagnols s'éleva à 11,5 millions de florins. Mais, en dépit de ce succès, le coût de l'armement des navires dépassait constamment la valeur des prises.

Enfin, la signature de la paix avec l'Espagne, en 1648, mit un terme à cette activité peu rentable. La présence de la Compagnie au Brésil (à Recife, Olinda et Maurisstad) fut assez brève, moins d'une

et des colonies portugais et espagnols. Le commerce triangulaire consistait à transporter des esclaves des côtes occidentales de l'Afrique vers les plantations des Caraïbes, puis de charger des produits tropicaux – principalement du sucre – à destination de l'Europe. C'est ce trafic qui, associé au commerce de l'or, permit à la WIC de survivre jusqu'en 1674, date de sa faillite. Infiniment moins prospère que la VOC, la WIC conquit ses lettres de noblesse

A gauche, une plaque murale en Frise ; ci-dessus, la place du Dam et le nouvel hôtel de ville d'Amsterdam, représentés en 1673 par le peintre G. A. Berckheyde.

trentaine d'années, et s'acheva avec la révolte des Portugais, en 1654.

Moins célèbre que les deux précédentes, la Compagnie septentrionale contribua pourtant à la prospérité du pays. Fondée en 1612, elle bénéficia du monopole de la chasse à la baleine jusqu'en 1642. Or, de toutes les formes de pêche, la chasse à la baleine était de loin la plus profitable. En outre, la Compagnie dirigeait le commerce avec les comptoirs du Grand Nord.

Plus marchands que colonisateurs, les Néerlandais ne créèrent, en dehors de l'Indonésie, que deux colonies de peuplement : le Surinam, la Guyane hollandaise, cédée par l'Angleterre en 1667, et la colonie du cap. A la suite d'un naufrage, quelques colons s'établirent dans la région du Cap de Bonne-Espérance, en 1648. A cet endroit stratégique, à mi-chemin entre la métropole et les colonies, la VOC établit un poste de ravitaillement en 1652. Avec l'arrivée de fonctionnaires et de «colons libres» s'organisa peu à peu une véritable colonie.

L'amorce du déclin

Plusieurs événements concomitants expliquent le déclin relatif de la république des Provinces-Unies. Plus dépendante des échanges extérieurs que ses partenaires, l'économie néerlandaise souffrit davantage de la récession économique qui frappa l'Europe à partir des années 1650. Crise économique dont les politiques mercantilistes anglaises et françaises contribuèrent grandement à aggraver les effets. En France, le colbertisme éleva des barrières douanières contre les importations de biens manufacturés et encouragea la création de manufactures nationales.

Sur les mers, l'expansionnisme anglais entra en conflit avec les intérêts néerlandais. Une première guerre navale éclata en 1652, et se solda en 1654 par la désastreuse paix de Westminster, incluant la reconnaissance par les Provinces-Unies de l'Acte de navigation. Cette loi, votée en 1651, réservait le commerce extérieur anglais aux seuls navires britanniques, excluant ainsi les «transporteurs» hollandais d'un marché en pleine croissance. A l'issue de la deuxième guerre anglaise, la république perdit la Nouvelle-Amsterdam (qui devint alors New York).

Ces conflits, suivis de ceux qui l'opposèrent à la France – les troupes de Louis XIV envahirent le pays en 1672 – épuisèrent financièrement le pays. Redevenus une puissance de second rang, les Pays-Bas s'engagèrent dans une politique de neutralité massivement souhaitée par les pouvoirs provinciaux, mais fréquemment interrompue par les conflits qui, tout au long du XVIIIᵉ siècle, opposèrent la France et l'Angleterre. Si les Provinces-Unies perdirent leur position dominante, toute la richesse accumulée continua d'y favoriser un brillant art de vivre.

A droite, le musée Huis Doorn, à Rotterdam.

PORTRAIT D'AMSTERDAM

XIIe siècle. La légende veut que le site d'Amsterdam ait été découvert par deux pêcheurs frisons, accompagnés d'un chien, dont l'embarcation aurait échoué au confluent de l'IJ et de l'Amstel ; la construction d'une digue (*dam*) sur l'Amstel, destinée à empêcher les inondations, est à l'origine du nom de la ville : Amstellodamme. C'est là que, vers le XIIIe siècle, fut fondée la ville.

1275. Floris V, comte de Hollande accorde aux habitants d'Amstellodamme une exemption de taxe ; c'est le premier document faisant mention d'Amsterdam.

1300. La ville reçoit une charte d'autonomie du prince-évêque d'Utrecht ; six ans plus tard commence la construction de l'Oude Kerk, la Vieille Église.

1345. Le miracle de l'hostie retrouvée intacte dans un brasier fait d'Amsterdam un lieu de pèlerinage.

XIVe siècle. Rattachée à la Ligue hanséatique depuis 1358, la ville, plaque tournante du commerce avec la Baltique, perçoit d'importants droits de péage sur les mouvements de marchandises.

1395. Construction du premier hôtel de ville, sur le Dam.

1408. L'évêque d'Utrecht autorise la construction de la Nieuwe Kerk, la Nouvelle Église ; à la même époque, de nouveaux canaux sont creusés : Geldersekade et Kloveniersburgwal du côté est, Singel à l'ouest.

1421 et 1452. Deux incendies, le second d'une grande ampleur, détruisent presque toutes les habitations de bois de la ville ; les autorités décident d'imposer l'utilisation de la brique et de la tuile.

1480. Amsterdam s'entoure de fortifications.

1578. Demeurée jusque-là neutre, Amsterdam s'engage aux côtés des calvinistes dans le conflit qui oppose les Provinces-Unies à l'Espagne.

XVIIe siècle. Démographie et croissance économique exigent l'extension de la ville.

1610. La municipalité arrête un plan d'urbanisme ambitieux (le Grachtengordel) ; Hendrick Staets conçoit le plan d'extension de la ville le long de trois nouveaux canaux : le Herengracht, le Keizersgracht et le Prinsengracht. Vers le milieu du XVIIe siècle, l'architecte Daniel Stalpaert entreprend les travaux destinés à protéger ces nouveaux quartiers grâce à un canal défensif – le Singelgracht –, muni de remparts.

1630. La ville compte 120 000 habitants contre 105 000 en 1622. Elle en dénombre 200 000 en 1675.

1632. Création de l'Atheneum Illustre, l'ancêtre de l'université d'Amsterdam.

1658. Les nouveaux canaux sont reliés aux eaux extérieures par un canal transversal, le Bouwergracht, puis, sont prolongés jusqu'à l'Amstel et, au-delà, vers l'IJ.

XVIIIe siècle. Malgré le net déclin des Provinces-Unies, la cité conserve une certaine prospérité grâce à son commerce colonial ; mais le démantèlement de sa flotte, à la fin du siècle, puis le blocus imposé par Napoléon et l'ensablement de l'IJ achèvent de réduire son importance économique.

1825. Avec la construction du canal de Hollande-Septentrionale, Amsterdam retrouve une certaine vitalité économique.

1860-1880. La ville, demeurée dans ses limites du XVIIe siècle, ne peut accueillir un développement industriel ; plusieurs projets d'agrandissement voient le jour, dont celui de l'ingénieur J. Van Niftrik, combinant harmonieusement logements, industries et parcs ; c'est finalement le projet de Kalf, moins ambitieux, qui est inauguré.

1876. Ouverture du canal de la mer du Nord.

1877. Inauguration du Vondelpark, au sud-ouest de la ville, autour duquel s'articule un nouveau quartier résidentiel.

1917. Le plan de H. P. Berlage pour le sud d'Amsterdam est approuvé par la municipalité et réalisé entre 1920 et 1930.

1963. Avec 868 000 habitants, Amsterdam atteint son maximum de population ; l'insuffisance des logements engendre de nombreux mouvements de protestations, dont celui des Provos (provocation), qui entrent au conseil municipal en 1966.

1970-1979. La législation libérale en matière de drogue fait d'Amsterdam la capitale européenne du mouvement hippie ; la construction du métro, qui nécessite la destruction du vieux quartier juif, déclenche de violentes manifestations.

Aujourd'hui, Amsterdam s'étend sur 20 000 ha et son agglomération compte environ 940 000 habitants.

Amsterdam est la seule métropole européenne dont l'expansion, constamment planifiée, soit restée entre les mains de ses habitants. En outre, l'art de vivre y est emprunt de tolérance. Rien d'étonnant dès lors à ce que, en matière de politique de la ville, elle soit fréquemment citée en modèle.

Amsterdam vue par les écrivains

« Je me vais promener tous les jours parmi la confusion d'un grand peuple, avec autant de liberté et de repos que vous sauriez faire dans vos allées, et je n'y considère pas autrement les hommes que j'y vois, que je ferais les arbres qui se rencontrent en vos forêts, ou  les animaux qui y paissent. [...] Que s'il y a du plaisir à voir croître les fruits en vos vergers, et à y être dans l'abondance jusqu'aux yeux, pensez-vous qu'il y en ait pas bien autant à voir venir ici des vaisseaux qui nous apportent abondamment tout ce que produisent les Indes, et tout ce qu'il y a de rare en l'Europe ? Quel autre lieu pourrait-on choisir au reste du monde, où toutes les commodités de la vie, et toutes les curiosités qui peuvent être souhaitées, soient si faciles à trouver qu'en celui-ci ? », écrivait Descartes, le 5 mai 1631, à son ami l'écrivain Guez de Balzac (1595-1654).

« Les rues d'Amsterdam sont belles, propres, larges. Il y a de grands canaux avec des rangées d'arbres. Dans les grandes rues de la ville, les barques viennent devant les maisons. J'aimerois mieux Amsterdam que Venise : car à Amsterdam on a l'eau sans être privé de la terre. Les maisons sont propres en dedans, et proprement bâties en dehors, égales ; les rues, droites, larges ; enfin, cela fait une des plus belles villes du monde », notait Montesquieu (1689-1755) dans le carnet de route – *Voyages* – rédigé au cours du périple européen qui, entrepris en 1728, le conduisit à Amsterdam.

De ses nombreux voyages en Hollande, Henry Havard (1838-1921), inspecteur des Beaux-Arts et critique d'art, a rapporté des descriptions d'une grande précision. Voici le portrait d'un intérieur typique : « Les salons et la salle à manger ont accès sur ce long couloir et, dès qu'on franchit leur seuil, on sent qu'on pénètre dans le sanctuaire de la famille. On devine du premier coup d'œil que les vertus qu'on honore surtout en ces lieux sont l'ordre et la régularité.

Ne cherchez pas, dans ces pièces de réception, cet encombrement fantaisiste, ce désordre apparent dont nos Parisiennes raffolent ; mais partout vous trouverez, méthodiquement disposés, ces petits objets qui indiquent la présence de la femme, qui révèlent ses aimables travaux et le gracieux souvenir des anniversaires : sièges brodés à la main, coussins en tapisseries, housses en guipure. »

« Les eaux stagnantes de ces canaux que l'on aimerait peindre ont toujours exercé sur moi une fascination inquiétante. Les rats, à ce qu'on m'a dit, vivent en masse dans leurs profondeurs huileuses. C'est une eau empoisonnée, une eau mortelle ; si l'on y tombait et si l'on en avalait une grande quantité, on mourait, comme un lépreux du Moyen Age, de bubons horribles et du meilleur effet pictural. » Ces lignes, extraites du roman *Le Tournant*, sont signées de Klaus Mann, qui, comme beaucoup d'artistes allemands, trouva refuge à Amsterdam dans les années 1930.

LA PEINTURE NÉERLANDAISE

Du XVe au XVIIe siècle, l'art néerlandais a connu un développement exceptionnel tout en conservant une grande continuité. La peinture néerlandaise – ou flamande, la nuance ne prendra sa véritable signification que deux siècles plus tard – commence à se distinguer avec l'introduction de la peinture à l'huile vers 1420 et décline progressivement avec l'avènement du provincialisme et la montée en puissance du rayonnement culturel français, au-delà de 1680.

Naissance d'un art nouveau

Tant dans la peinture murale que dans le vitrail ou la miniature, l'art néerlandais comptait déjà des artistes de renom. Les frères Van Limburg (début du XVe siècle), les célèbres enlumineurs des *Très Riches Heures du duc de Berry*, et d'autres, au service des cours royales et ducales, étaient les représentants de ce que l'on a appelé le style gothique international.

Dans la première moitié du XVe siècle, les frères Van Eyck amorcèrent plusieurs ruptures avec l'art gothique. D'abord, la miniature s'effaça au profit de la peinture sur tableau (sur chevalet). Celle-ci, réalisée avec la nouvelle technique à l'huile ne consistait pas en une simple modification des proportions. Il s'agissait d'un nouvel art, avec ses propres lois de composition, son équilibre particulier entre le sujet et les détails. L'apparition du réalisme (dans les détails, ou dans le sujet lui-même) exigeait une construction en perspective exacte.

En outre, les symboles gagnèrent en indépendance. Plutôt que de représenter la Vierge avec un lys (symbole de pureté) à la main, le peintre place Marie dans un décor quotidien où un bouquet de lys occupe à la fois une place propre d'accessoire du tableau et rappelle le symbole. Loin de n'être qu'une astuce d'artiste, ce procédé fait de la création tout entière le reflet de la parole divine.

Pages précédentes : la Munttoren, tour de la Monnaie, vue en 1751 par J. Ten Compe, et la Zuiderkerk. A gauche, bon nombre des 879 tableaux peints par Van Gogh appartiennent aux collections d'Amsterdam.

Mais cette autonomisation de l'objet annonce également sa forme extrême : la nature morte. De même, en cherchant à donner aux paysages d'arrière-plan une beauté propre, les artistes flamands de cette première moitié du XVᵉ siècle ont-ils préparé le terrain des paysagistes.

Renaissance et humanisme

Ces mutations fondamentales, dont la peinture néerlandaise est sortie, ont été menées à bien par trois maîtres. Jan Van Eyck a mis son exceptionnel talent du détail au service d'un grand perfectionnement technique qui

dans la composition des visages, jetant ainsi les bases de l'art du portrait où tant de successeurs néerlandais vont s'illustrer. Jusque vers 1500, toute la peinture flamande est circonscrite dans l'espace et les limites définis par ces artistes.

Quelques exceptions cependant, et non des moindres, restent à l'écart de ce mouvement. Natif de Bois-le-Duc, dont il porte le nom, Jérôme Bosch (vers 1450-1516), conserve, au moins par ses sujets et son imagination, une verve mystique toute médiévale. Mais par d'autre aspects, notamment le fait de s'être spécialisé dans certains sujets et de puiser abondamment dans

atteignit parfois ce que l'on a qualifié de « super-réalisme ». « Il transpose sur le panneau les modèles qui posent devant lui, avec une acuité de ressemblance qu'aucun peintre ne dépassera jamais » (Germain Bazin). Comme les peintres italiens du Quattrocento, les frères Van Eyck explorent la profondeur de l'espace, mais ils le rendent par l'utilisation de la perspective aérienne, qui consiste à dégrader les tons selon l'éloignement.

Le grand peintre bruxellois Rogier Van der Weyden (1400-1464) et ses disciples Dirk Bouts (vers 1415-1475), Hugo Van der Goes (mort en 1482) et Hans Memling (vers 1433-1494) ont fait pénétrer l'émotion

la vie quotidienne, l'artiste se rattache à la profonde métamorphose qui anime l'art de son époque.

Quentin Massys (vers 1466-1530) est, à bien des égards, un peintre charnière. Aux acquis de la période précédente, il ajouta l'influence de l'art italien (notamment celle de Léonard de Vinci). Chez cet artiste, toutes les innovations trouvent leur équilibre et, partant, leur élégance. Dans ses tableaux de grande taille, l'expression des visages s'anime et, sous l'effet de la connaissance du corps qui s'élabore en Italie, les gestes se font plus précis, tandis que les paysages d'arrière-plan soulignent et répètent l'idée générale de la toile. La renommée de

Massys a elle-même pour toile de fond la montée en puissance d'Anvers et le déclin de Bruges. Plus qu'un déplacement géographique, cette transition reflète la conquête du pouvoir par une nouvelle élite, celle du négoce, où se recrutent également les autorités communales. Loin de chercher à imiter les cours aristocratiques, ces bourgeois imposent leurs goûts, et plus encore, une conception du monde partagée par les artistes, et dont on a rassemblé les traits fondamentaux dans le terme d'humanisme.

A l'image d'Érasme, dont les travaux visent la synthèse du christianisme et de l'esprit de l'Antiquité, la nouvelle classe

La peinture de genres

Amorcée un siècle plus tôt, l'émancipation du tableau de genre, trait majeur de ce XVIe siècle, constitue sans doute l'apport le plus considérable de la peinture néerlandaise à l'histoire de l'art. Jadis discrètement représenté sous les traits d'un pénitent, pieusement agenouillé au pied d'une croix ou dans une adoration, le mécène (prince ou grand seigneur) a laissé la place au notable, dont les portraits « psychologiques », ornent désormais les demeures.

Influencés par Andrea Mantegna et Michel-Ange, Massys, Jan Gossaert (vers

dirigeante conçoit les affaires, la vie publique et la vie privée selon une éthique où la foi et la raison se mêlent. Témoin de cette transformation, la mythologie et les allégories supplantent progressivement les sujets bibliques et se veulent la représentation d'une doctrine morale. De même, les évocations de la nature sont autant de rappels de la vanité des choses. Quant aux kermesses paysannes, elles montrent ce qu'il advient de la vie et des êtres qui s'adonnent aux plaisirs plutôt qu'à la sagesse.

A gauche, Les Syndics des drapiers, *peint en 1662 par Rembrandt; ci-dessus, une scène d'hiver de Hendrick Avercamp.*

1478-1532) et Jan Van Scorel (1495-1562) se sont illustrés dans cette discipline par leur souci d'exprimer la personnalité du modèle grâce à une expression ou un geste. Van Scorel se rendit en Italie, où il entra en contact avec l'école de Raphaël et en subit l'influence tout en en atténuant le formalisme excessif. Ce style nordique traversa les frontières, et Antoon Mor d'Utrecht (1517-1576) connut la gloire comme portraitiste officiel de la cour d'Espagne, sous le nom d'Antonio Moro. Enfin, le peintre et graveur Lucas de Leyde (1494-1533) développa une œuvre originale, un peu en marge des courants italianisants, qui fit de lui un rival de Dürer.

A son tour, le paysage quitta l'arrière-plan pour devenir un sujet à part entière. Parmi les artistes qui se spécialisèrent alors dans ce domaine – comme Joachim Patinir (vers 1480-1524) –, Pieter Bruegel l'Ancien (vers 1525-1569) manifesta sans doute le plus le sens profond des lois de la nature. Étranger à «l'inquiétude maniériste» d'origine italienne qui s'empare de la peinture flamande dans cette seconde moitié du XVIe siècle, Bruegel créa une peinture universelle mêlant les paysages et les scènes de mœurs.

La peinture flamande n'échappe pas à la crise de dépression qui affecte toute

etc.), le maître de la peinture baroque conçut, pour le compte des princes et de l'Église, l'une des œuvres les plus fécondes de l'histoire de la peinture.

Avec Rubens, la peinture flamande rompit avec le souci du détail, héritage des frères Van Eyck, et accéda au monumental. «L'énergie de la vie parcourt toutes ces formes, fait exploser gestes et expressions ; un tableau de Rubens est un enchaînement de mouvements qui traverse l'espace en tourbillon ou en oblique et dont l'élan se poursuit en dehors du cadre [...]» écrit le grand historien de l'art Germain Bazin. Artiste par excellence de la Contre-

l'Europe à la fin du XVIe siècle. Après les vagues d'italianisme qui avaient agi sur elle comme autant de traumatismes (lombardisation, romanisation, maniérisme), l'École anversoise semblait exténuée.

Rubens, le génie du baroque

Au cours de son séjour en Italie, Pierre-Paul Rubens (1577-1640) reçut l'influence des Vénitiens, de Michel-Ange, des Bolonais et du Caravage. A son retour, il fit d'Anvers l'un des centres artistiques d'Europe. Dans son atelier, entouré de nombreux assistants tous spécialisés dans un domaine précis (ciel, animaux, arbres,

Réforme, Rubens fut l'interprète génial de la volonté de l'Église de reconquérir les fidèles par la puissance de l'image, intentionnellement dramatique. L'influence de Rubens sur la peinture flamande fut considérable, presque tyrannique. De ce puissant courant seront issus encore deux artistes majeurs, Jacob Jordaens (1593-1678) et Anton Van Dyck (1599-1641).

La peinture hollandaise

Sans contenu jusqu'au début du XVIIe siècle, la distinction entre peinture flamande et peinture hollandaise (ou néerlandaise) ne cessa, au-delà de 1609 (lire pages 34-35), de s'approfondir. Privé des commandes de l'aristocratie et du clergé, le « marché » de l'art des Pays-Pas du Nord, qui se réduisait alors à celui de la peinture, se détourna des sujets religieux et mythologiques pour se consacrer au seul style « commercialisable » à Amsterdam ou à Haarlem, le réalisme.

Bien qu'isolés, les peintres hollandais reçurent, par l'intermédiaire de ceux d'entre eux qui séjournèrent à Rome (les « romanisants »), l'essentiel de ce que l'Italie et le caravagisme avaient à leur apprendre : l'éclairage latéral qui donne de la vie aux matières, la science des compositions à plusieurs personnages et l'audace,

toute nouvelle, de choisir des sujets triviaux (scènes de tripot ou de corps de garde).

Destinée à la bourgeoisie et, répondant à son goût pour une représentation simple et honnête des multiples aspects de la vie – et notamment de la sienne –, la peinture hollandaise du XVIIᵉ siècle produisit une immense quantité de toiles thématiques de petite taille. La spécialisation par sujets se renforça – Germain Bazin évoque à ce propos le « dénombrement minutieux des

A gauche, un Autoportrait *de Rembrandt et la* Jeune Fille au turban bleu *de Vermeer ; ci-dessus,* Le Coup de canon *de W. Van der Velde de Jonge.*

objets » –, donnant naissance à de nouveaux genres : la nature morte ; le portrait de groupe ; la peinture animalière avec Paul Potter (1624-1642) ; les scènes de mœurs et les sujets intimistes avec Jan Steen (1626-1679), Gérard Ter Borch (1617-1681), Pieter De Hooch (1629-1683) ; l'architecture d'église avec Pieter Saenredam (1597-1665). Les paysages se subdivisèrent en marines, vues champêtres et urbaines, paysages animés et ruines, où excellèrent Hendrick Avercamp (1585-1634), Jan Van Goyen (1596-1656), Salomon (1600-1670) et Jacob Ruisdael (1628-1682), Aert Van der Neert (1603-1677).

Artistes géniaux et artistes appliqués

Il n'est pas simple de rendre compte d'une production considérable par le volume, mais inégale par la qualité. Depuis Élie Faure et Germain Bazin, il est devenu traditionnel de distinguer les peintres hollandais en deux courants : ceux qui se sont contentés de reproduire aussi fidèlement que possible ce qu'ils avaient sous les yeux, et ceux qui, grâce à leur art propre, leur sens de la composition, le respect de l'équilibre des proportions, l'usage de la lumière, en un mot leur génie, ont été les interprètes d'un art qui, selon l'expression d'André Malraux, « ne reproduit pas le réel mais en est le rival ».

Cette coupure traverse tous les genres. Dans le domaine de la nature morte, par exemple, les peintres de l'école d'Utrecht (R. Savery, ou A. Boschaert) représentent chaque élément indépendamment des autres, comme s'il était tout le tableau à lui seul, tandis que Pieter Claesz (1591-1661), Willem Heda (1594-1680), ou Willem Kalf (1622-1693) recherchent de subtils accords entre les objets qui forment l'essence de la composition picturale et lui donnent sa force. D'un point de vue technique, ces artistes subordonnent le rendu des choses à la qualité picturale.

Le portrait de groupe offre également une illustration saisissante de ce qui sépare les artistes appliqués des « colosses », comme les appelait Malraux. La plupart des portraitistes de groupe se sont heurtés à la difficulté de « mettre en scène » ces tableaux corporatifs et beaucoup se sont bornés à modifier, pour chaque personnage, l'angle sous lequel il se présente, sans se soucier de donner un sens à l'ensemble. Au contraire, chez Frans Hals, dans le *Banquet du corps des archers de Saint-Georges*, et chez Rembrandt (lire page 175), dans *Les Syndics des drapiers*, ou *La Ronde de nuit*, c'est précisément l'intensité du caractère dramatique – comique ou grave – qui accroche d'abord le regard. Le portrait de groupe devient alors le prétexte à une étude de l'âme humaine. Du *Syndics des drapiers*, peint en 1661, G. Bazin écrit : « [...] la réalité physique des personnages s'efface, l'intensité expressive de leurs âmes fait des membres de ce conseil d'administration une assemblée de philosophes. »

me (vers 1625-1630), il exécuta de truculents portraits (*La Bohémienne, Les Joyeux Buveurs*), dans lesquels la liberté de son pinceau prend une dimension révolutionnaire. Peut-être sous l'influence de Rembrandt, il se tourna à la fin de sa vie vers des thèmes plus graves (*Portrait des régentes de l'hospice des vieillards*). Épurée, exclusivement tendue vers l'expression à rendre, sa technique, l'une des plus impressionnantes de son époque, se mit à fouiller les âmes et livra des œuvres d'une extrême intensité dramatique.

De Jan Vermeer de Delft (1632-1675), on ne sait presque rien et on ne connaît qu'une

Les « colosses »

Beaucoup d'incertitudes entourent la vie de Frans Hals. On ignore s'il est né à Anvers ou à Malines, en 1580, en 1581 ou en 1585. De sa vie privée, on retiendra qu'il se maria deux fois, eut huit enfants, quelques démêlés avec la justice pour des affaires de dettes, et qu'il mourut pauvre, en 1666, à Haarlem, la ville où il fit toute sa carrière.

Trois étapes rythment l'œuvre du peintre. Portraitiste prolixe et talentueux, Hals fut d'abord celui qui hissa le portrait de groupe au rang de genre majeur, lui insufflant une vitalité et un dynamisme qui lui faisaient auparavant défaut. Séduit par le caravagis-

trentaine de toiles. Oublié pendant deux siècles et redécouvert en 1866, son œuvre passe aujourd'hui pour l'un des plus mystérieux et des plus passionnants de l'histoire de la peinture. La « profondeur limpide » (Paul Valéry) qui émane de ses toiles semble le résultat d'une fusion parfaite de la technique italienne et du génie nordique des Van Eyck. De la *Lettre d'amour*, A. Malraux écrivit : « [...] la lettre n'a pas d'importance, les femmes non plus. Ni le monde où l'on apporte les lettres : le monde est devenu peinture. »

Ci-dessus, une nature morte de Pieter Claesz ; à droite, Mata Hari.

PORTRAITS DE CÉLÉBRITÉS

Bien que de dimensions modestes, les Pays-Bas ont produit un nombre important de personnalités célèbres. Dans cette catégorie, les peintres se taillent indiscutablement la part du lion.

Entre le XVe et le XVIIe siècle, la peinture néerlandaise connut un essor prodigieux, jalonné de noms illustres : Jan Van Eyck (vers 1385-1441), Jérôme Bosch (vers 1455-1516), Pierre Bruegel l'Ancien (vers 1525-1569), Pieter-Paul Rubens (1577-1640), Frans Hals (1581 ou 1585-1666), Rembrandt (1606-1669), Jan Vermeer (1632-1675) et une multitude d'artistes de grand talent. Seul sans doute, si l'on en juge par l'importance des manifestations organisées à l'occasion du centenaire de sa mort et par les prix astronomiques qu'atteignent ses œuvres, le nom de Vincent Van Gogh (1853-1890) rivalise avec la gloire des peintres du siècle d'or. La plupart des grands noms de l'art moderne originaires des Pays-Bas ont fait l'essentiel de leur carrière hors de leur pays d'origine : Van Dongen (1877-1968) naturalisé français, Piet Mondrian (1872-1944) qui résida à Paris entre 1919 et 1938, et Willem De Kooning (né en 1904) devenu citoyen américain.

Si les peintres sont, dans l'esprit du public, clairement associés aux Pays-Bas, qui se souvient qu'Érasme, Grotius ou Spinoza étaient néerlandais ? Né à Rotterdam, Desiderius Erasmus (vers 1469-1536) fut la figure intellectuelle la plus représentative de l'humanisme. Infatigable voyageur, esprit mesuré et tolérant, il s'attacha à réconcilier les partisans de la philosophie grecque et les défenseurs de l'Évangile. Natif de Delft, Hugo de Groot (1583-1645), dit Grotius, historien, diplomate et théoricien du droit, et surtout connu des juristes. Précurseur dans bien des domaines (liberté des mers, droit des personnes), il est considéré comme le fondateur du droit international public. Baruch Spinoza (1632-1677) est né à Amsterdam dans une famille juive ayant fui les persécutions de l'inquisition portugaise. Disciple de Descartes et théoricien de « l'amour de Dieu », il combattit tous les dogmatismes théologiques opposant les différentes communautés.

Un peu de la renommée de René Descartes (1596-1650) revient de droit au pays, la Hollande, dans lequel il séjourna près de vingt ans (1628-1648), y rédigeant et y publiant toutes ses œuvres.

Bien que d'origine allemande, la famille des Orange-Nassau est indissociablement liée à l'histoire des Pays-Bas et quelques-uns des membres de cette dynastie ont joué des rôles éminents dans l'histoire européenne. Guillaume III (1650-1702) fut à la fois un brillant stratège et un fin diplomate. Marié à Marie II Stuart, il monta sur le trône d'Angleterre en 1689.

De son vrai nom Margaretha Gehrtruida Zelle, Mata Hari, née à Leeuwarden (en Frise) en 1876, fut l'une des figures les plus romanesques du début du XXe siècle. Mariée à un officier de l'armée coloniale néerlandaise, elle s'initia aux danses orientales en Indonésie. Danseuse et « aventurière », elle fut accusée d'espionnage au profit de l'Allemagne et fusillée en 1917.

Née en Allemagne le 12 juin 1929, Anne Frank vécut presque dix ans à Amsterdam – où sa famille avait trouvé refuge en 1933 – avant d'être arrêtée puis déportée par la Gestapo, le 4 août 1944. Seul survivant de la famille, son père publia après la guerre le journal qu'elle avait rédigé, en néerlandais, entre 1942 et 1944.

Mais les Néerlandais les plus connus dans le monde sont probablement ces quelques footballeurs d'exception : Johan Cruyff capitaine d'une équipe légendaire, l'Ajax d'Amsterdam, et meneur de la formation nationale qui affronta l'Allemagne en finale de la Coupe du monde, en 1974, ou, plus près de nous, Marco Van Basten ou Ruud Gullit.

LES ANNÉES
DE GUERRE

Conservateurs, politiquement stables – certains historiens parlent même d'immobilisme –, les Pays-Bas se tenaient, à la veille de la Seconde Guerre mondiale, à l'écart de l'effervescence politique qui agitait l'Europe. Plusieurs facteurs économiques et sociaux expliquent en partie ce caractère distinctif.

Le particularisme néerlandais

Dans les années 1930, les Pays-Bas présentaient un degré d'industrialisation plus faible qu'ailleurs, même si le pays possédait déjà quelques établissements de taille internationale. Fondée en 1891 par les frères Philips, la firme d'Eindhoven était, dans le secteur du matériel électrique, la plus importante entreprise européenne. En 1907, la fusion de la société exploitant les gisements pétroliers des Indes néerlandaises et de la Shell Company de Londres donna naissance à un géant dans le domaine pétrolier, alors en pleine expansion.

Le pays était également présent dans le domaine de la chimie, avec la société AKU (future AKZO), et celui des charbonnages, avec les houillères du Limbourg, mises en exploitation depuis le début du XXe siècle. Mais ces quelques fleurons de l'industrie ne doivent pas cacher que l'agriculture employait encore environ un quart de la population active.

Sur le plan social, le pays était en avance sur ses voisins. Dès les années 1920, des lois avaient institué la journée de huit heures et la retraite obligatoire. En outre, il existait un Conseil supérieur du travail, instance d'arbitrage et de négociation entre salariés et employeurs.

La grande dépression économique des années 1930 frappa les Pays-Bas tardivement, autour de 1935-1936, mais tout aussi violemment, le taux de chômage atteignant près de 18 % de la population active. Dans

Pages précédentes : des soldats allemands sur le Dam, à Amsterdam, au milieu des vélos et d'une foule inquiète. A gauche, rations de guerre dans une école catholique ; à droite, Rotterdam en feu.

l'industrie, le gouvernement appliqua – sans grands résultats – des mesures macroéconomiques interventionnistes influencées par le planisme du théoricien socialiste belge Henri de Man.

En revanche, les structures coopératives mises en place dans l'agriculture pour réguler la production et les prix se révélèrent un succès. Et l'abandon, en 1936, de l'étalon-or ainsi que la dévaluation consécutive du florin accrurent la compétitivité d'un secteur agricole déjà très tourné vers l'exportation. Au total, si l'on ajoute les revenus de la flotte de commerce et du transport fluvial, l'économie néerlandaise présentait déjà les

principales caractéristiques qu'on lui connaît aujourd'hui.

D'autre part, et cet élément joua un rôle considérable, les Pays-Bas n'avaient pas vécu le traumatisme de la Grande Guerre, qui, à bien des égards, alimenta la montée en puissance des fascismes. Les partis extrémistes, le CPN (Parti communiste) et le NSB (Alliance national-socialiste), ne disposaient que de quelques sièges au Parlement et leur audience était très faible.

Enfin, comme la Belgique, le royaume des Pays-Bas souhaitait à tout prix préserver sa neutralité dans le conflit qui se préparait. Les deux nations n'avaient d'ailleurs pas cessé de rejeter les projets alliés visant à déployer le dispositif défensif anglo-français sur leurs frontières orientales.

Animosité germano-néerlandaise

Derrière le protocole et la prudence de la diplomatie néerlandaise, une série d'événements survenus en 1935-1937 nous renseignent sur la méfiance des Néerlandais à l'égard de leur puissant voisin allemand. En 1935, le prince Bernard de Lippe-Biesterfeld, de nationalité allemande, s'éprit de la jeune princesse Juliana à l'occasion d'un week-end dans la résidence autrichienne de la famille royale hollandaise.

passeports des Allemands invités au mariage. Au bord de la crise diplomatique, les deux gouvernements engagèrent des négociations et trouvèrent un compromis. Les autorités allemandes recommandèrent à leurs ressortissants de ne pas porter la croix gammée en public. En contrepartie, les autorités néerlandaises acceptèrent que l'hymne allemand soit joué à l'occasion du mariage royal.

L'invasion

Dans la matinée du 10 mai 1940 débuta la grande offensive allemande sur le front

D'emblée, sa nationalité déclencha un courant d'hostilité dans l'opinion publique. Le prince dut se démarquer publiquement du mouvement nazi et prendre, en 1936, la nationalité néerlandaise. Malgré cela, l'annonce de son mariage avec la princesse Juliana suscita des réactions dont la signification profonde était sans doute moins liée au couple princier qu'à l'aversion du peuple néerlandais à l'égard du régime nazi. A La Haye, la foule arracha et déchira les drapeaux frappés de la croix gammée. A son tour, la presse allemande réagit violemment à ces manifestations et en fit retomber la responsabilité sur le prince Bernard, puis le gouvernement de Berlin confisqua les

occidental. Des escouades de transporteurs allemands Junkers 52 firent leur apparition dans le ciel néerlandais, tandis qu'au même moment des troupes, parmi lesquelles des commandos SS, franchissaient la frontière, ignorant la neutralité affichée du pays. Quelques heures plus tard, l'ambassadeur allemand, le comte von Zech von Burckersroda, daignait transmettre au gouvernement néerlandais le texte officiel de la déclaration de guerre.

Pour Hitler, l'occupation des Pays-Bas devait être accomplie dans un délai de vingt-quatre heures. Son plan consistait à encercler les troupes françaises et le corps expéditionnaire britannique massés en

Belgique. La percée de Sedan (à travers les Ardennes) devait leur couper toute retraite vers le sud, l'invasion des Pays-Bas et de la Belgique les rejeter vers les plages du nord de la France. La seconde étape prévoyait d'utiliser les ports belges et hollandais pour se lancer à l'assaut de la Grande-Bretagne. Pauvrement équipée, faiblement entraînée et psychologiquement mal préparée au combat, l'armée néerlandaise, forte de 350 000 hommes, se défendit pourtant quatre jours de plus que ne l'avait escompté l'état-major allemand. Cette résistance inattendue facilita sans doute le rapatriement des Anglais à Dunkerque.

Rotterdam : ville martyre

Le 14 mai, dans la matinée, le général Schmidt commandant les troupes allemandes stationnées à Moerdijk, à Dordrecht et devant Rotterdam transmit un ultimatum au colonel Pieter Scharroo, l'officier responsable de la défense de Rotterdam. En effet, après la destruction de l'aéroport de Waalhaven, les Allemands remontaient la Nouvelle Meuse (la Nieuwe Maas) avec pour principal objectif de s'emparer de Rotterdam, lorsqu'ils rencontrèrent une très forte opposition de la part des 1 400 soldats néerlandais retranchés

Les Pays-Bas capitulèrent le 14 mai. La princesse Juliana et le prince Bernard s'embarquèrent pour le Canada, tandis que la reine Wilhelmine, accompagnée du gouvernement, gagna Londres, d'où la résistance fut organisée : d'abord celle des colonies et principalement l'Indonésie – jusqu'à sa conquête par les Japonais en mars 1942 –, puis celle du territoire national, préparant la Libération avec les Alliés.

A gauche, les tranchées creusées par l'armée néerlandaise n'ont pas pesé bien lourd devant les blindés allemands ; ci-dessus, le bombardement du 14 mai 1940 détruisit le centre historique de Rotterdam.

dans la ville. L'officier allemand menaça de bombarder la cité si ses défenseurs ne se rendaient pas dans les deux heures suivantes. Un cessez-le-feu intervint et les négociations s'engagèrent avec le grand quartier général hollandais installé à La Haye. Mais avant qu'elles n'aboutissent, plusieurs formations de bombardiers quittèrent Brême et, quatre-vingt-dix minutes plus tard, le bombardement de Rotterdam commença.

Toute la ville historique et les quartiers limitrophes furent détruits par l'incendie qui s'ensuivit. Au total, près de 25 000 habitations, tout le patrimoine historique de la ville – une vingtaine d'églises, une synagogue, l'édifice de la Compagnie des Indes orientales – furent réduits en cendres, laissant 80 000 sans-abri et faisant près de 800 morts. Quelques heures plus tard, les Allemands menacèrent de faire subir le même sort à Utrecht si les Néerlandais ne cessaient pas le combat. Le général Winklman fit parvenir l'acte de capitulation au chargé d'affaires allemand installé dans le célèbre hôtel des Indes, à La Haye. Les troupes néerlandaises reçurent alors l'ordre de détruire leurs armes, ce que, pour l'honneur, elle ne firent que le lendemain.

L'occupation

Les quatre années d'occupation furent sans doute la période la plus sombre de l'histoire des Pays-Bas. L'occupant s'empara sans ménagement du pays et de ses ressources matérielles et humaines afin d'alimenter son économie de guerre. Près de 400 000 travailleurs néerlandais furent ainsi contraints d'aller travailler dans les usines allemandes. Les Pays-Bas, qui avaient presque toujours connu une certaine aisance matérielle, firent le dur apprentissage de la famine et des hivers sans chauffage.

Les théories racistes nazies considérant les Néerlandais comme des « aryens de bonne souche », les autorités d'occupation, placées sous le commandement du Reichskommissar A. Seyss-Inquart, entreprirent d'imposer à la population l'idéologie et les structures du nazisme. Pour y parvenir, elles eurent naturellement recours au NSB et à son chef Anton Mussert, personnage sans envergure et grand admirateur de Mussolini. Outre les quelques unités de la SS-Pays-Bas composées de fanatiques, les Allemands ne trouvèrent dans les maigres troupes du NSB que les habituels auxiliaires de police ; la conversion des Pays-Bas aux thèses hitlériennes fut un échec total. Sans illusions sur la nature du nazisme, les Néerlandais furent néanmoins profondément bouleversés par les déportations qui frappèrent la communauté juive du pays (104 000 morts sur un total de 140 000 individus). Seyss-Inquart fut d'ailleurs condamné à mort par le tribunal de Nuremberg pour crimes contre l'humanité, et exécuté en 1946.

À cet égard, la population néerlandaise fit preuve d'un courage et d'une détermination uniques en Europe, apportant son soutien aux réseaux de résistance et à tous les

proscrits pourchassés par la Gestapo. Le 25 février 1941, les dockers et les employés des transports lancèrent un mouvement de grève pour protester contre la déportation des juifs. C'est grâce à l'aide et à la solidarité spontanées des Amstellodamois que beaucoup de juifs survécurent, cachés, dans la capitale hollandaise qu'ils avaient surnommée *mokum* (*makom* signifie « lieu sacré » en hébreu).

À nouveau, en avril-mai 1943, des grèves éclatèrent, cette fois afin de protester contre le projet allemand visant à envoyer en captivité les soldats néerlandais. En septembre 1944, une grève des cheminots para-

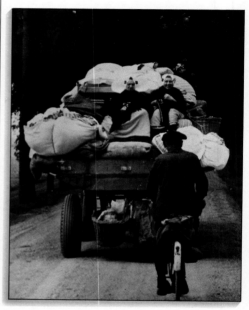

lysa le réseau de chemin de fer, apportant une aide précieuse à la réussite de l'opération Market Garden, nom de code du plan allié visant la libération des Pays-Bas.

L'opération Market Garden

Tandis que la France et la Belgique s'abandonnaient à la joie de la Libération, les Pays-Bas allaient vivre, de septembre à mai, les pires instants de leur histoire. Sous la pression des troupes alliées, l'armée allemande, fuyant par le nord de la France et par la Belgique, entra en Hollande le 5 septembre. Un mouvement de débâcle mêlant des réfugiés fuyant les bombardements, des collaborateurs compromis avec l'ennemi et des troupes allemandes s'empara des gares et jeta sur les routes les pathétiques cortèges de l'exode, tandis que des rumeurs de libération imminente – on disait les Anglais à Rotterdam et la reine de retour sur le sol national – faisaient fleurir aux balcons des milliers de drapeaux orange, la couleur de la famille royale des Pays-Bas.

Soudain, les troupes allemandes stoppèrent leur retraite et se regroupèrent de manière à interdire aux Alliés le franchissement des fleuves. En effet, la Belgique ayant été libérée en septembre, il ne restait plus à l'armée de Montgomery qu'à fran-

Arnhem : « Un pont trop loin »

L'échec de l'opération Market Garden, minutieusement racontée dans le film tiré du livre de Cornelis Ryan (correspondant de guerre du *Daily Telegraph* et du *Time*) *Un pont trop loin*, a suscité bien des polémiques. La question centrale semble être : pourquoi Montgomery a-t-il lancé l'opération Market Garden alors qu'il savait que le second *SS Panzer Korps* – des unités d'élite – était stationné près d'Arnhem, à Oosterbeek ?

Ryan décrivit Montgomery comme un homme certes intelligent et brillant stratège

chir les grands fleuves des Pays-Bas (Meuse, Waal et Rhin) pour s'ouvrir un chemin vers la Ruhr. Lors de l'opération Market Garden, les Alliés devaient traverser la Meuse à Graves, le Waal à Nimègue et s'emparer du pont d'Arnhem, sur le Rhin, avant que les Allemands ne le détruisent. La mission sur Arnhem devait être effectuée par des troupes aéroportées, dont la tâche consistait à prendre le pont et à le tenir jusqu'à l'arrivée de la IIe Armée britannique, chargée de franchir le Waal à Nimègue.

A gauche et ci-dessus, scènes d'exode.

mais également arrogant et terriblement ambitieux. Souhaitait-il, comme on l'a dit, prendre Patton de vitesse et terminer la guerre avant l'hiver ? Au cours de l'ultime conférence tenue au quartier général de Montgomery, quelques heures avant le début de l'opération, le général britannique Frederick Browning fit, en vain, cette remarque : « Il se peut que nous allions un pont trop loin », ce que les jours suivants allaient tragiquement confirmer.

Entre 17 et le 19 septembre, trois divisions aéroportées, comprenant des volontaires hollandais et polonais, furent parachutées ou déposées dans les environs d'Arnhem, grâce à 1 534 avions de transport et 500 planeurs, escortés par 1 200 chasseurs et appuyés par 1 100 bombardiers. La ville n'offrant naturellement pas d'espaces adéquats à un atterrissage, les troupes alliées furent laissées assez loin de leurs objectifs. Morcelées aux quatre coins de la ville, aux prises avec un ennemi très supérieur en nombre, les unités d'Arnhem se battirent courageusement pendant quatre jours.

Bloquée dans Nimègue par des contre-attaques de blindés allemands, la IIᵉ Armée britannique ne put faire la jonction avec sa tête de pont à Arnhem. Dans ses grandes lignes, l'opération Market Garden avait

kilomètres à l'est de Nimègue) qu'en mars 1945. L'armée allemande retranchée aux Pays-Bas ne capitula que le 5 mai 1945, cinq jours après le suicide présumé d'Hitler et trois jours avant la capitulation finale de Berlin. L'acte fut signé à Wageningen par le général allemand Blaskorvitz et le général canadien Faulkes.

L'après-guerre

C'est un pays dévasté qui accueillit les troupes alliées. Quelques centaines de milliers de personnes étaient mortes ou avaient disparu (dont la quasi-totalité de la commu-

échoué. La bataille d'Arnhem, l'une des plus meurtrières que livrèrent les Alliés, prit fin le 27 septembre. Sur un total d'environ 10 100 hommes engagés, seulement 3 500 purent rejoindre les lignes alliées.

La Libération

Finalement, les Alliés ne libérèrent que le sud du pays : la Zélande, à l'issue des terribles combats que les Canadiens livrèrent dans les bouches de l'Escaut et le Brabant Septentrional. Pendant une partie de l'hiver 1944, la contre-offensive de Rundstedt dans les Ardennes mobilisa leurs forces, et ils ne franchirent le Rhin (à Clèves, quelques

nauté juive) et des milliers d'autres décédèrent dans les mois qui suivirent la fin de la guerre ; 30 % du patrimoine national (industriel, agricole, historique) était détruit, l'île de Walcheren inondée et la Zélande menacée de toutes parts.

Comme un peu partout en Europe, la résistance fut un laboratoire d'idées politiques nouvelles, orientées notamment dans trois directions. Le renforcement du pouvoir exécutif répondait à l'idée qu'une certaine atonie parlementaire n'avait pas été étrangère à l'inertie diplomatique d'avant-guerre. La rénovation du système des partis passait par la disparition des partis confessionnels, le mouvement socialiste marquait

L'OPÉRATION MANNA

De septembre 1944 à mars 1945, la plus grande partie des Pays-Bas, et notamment les 4,5 millions d'habitants de la Randstad, demeura sous contrôle allemand. Le soutien néerlandais aux Alliés (la grève du 17 septembre fut lancée depuis Londres), l'imminence de la défaite et l'esprit de vengeance conduisirent les troupes allemandes à durcir leur attitude à l'égard des civils. En représailles à la grève des chemins de fer, ils stoppèrent les importations de vivres et de combustibles venant d'Allemagne par bateaux. La rigueur de l'hiver, la famine, la diphtérie et la fièvre typhoïde frappèrent quelques dizaines de milliers de personnes. La Haye, Rotterdam et Amsterdam furent particulièrement touchées. Les scènes habituelles de la misère se multiplièrent : arbres coupés dans les parcs, traverses arrachées, barrières et clôtures de bois démantelées, et les convois de ceux qui fuyaient les villes en espérant que la vie à la campagne serait moins dure.

En décembre 1944, le Premier ministre néerlandais, Pierre Gerbrandy (il avait constitué un cabinet de crise à Londres dès le 3 septembre 1940), écrivit au général Eisenhower, commandant en chef des forces alliées : « Le gouvernement néerlandais ne peut accepter que d'éventuels libérateurs ne rendent la liberté qu'à des cadavres » Le reste de la lettre pressait les Alliés de lancer une offensive afin de libérer le nord des Pays-Bas.

Un exploit aérien

Il se trouve qu'au même moment, profitant de conditions atmosphériques clouant au sol la chasse et les bombardiers alliés, les Allemands déclenchèrent une ultime offensive dans les Ardennes. Tous les moyens disponibles en vivres, en matériel et en essence furent détournés au profit des divisions de Panzer du maréchal von Rundstedt. De plus, les Allemands mobilisant de nouvelles classes d'âge pour la défense des frontières de l'Est, l'économie de guerre eut besoin de davantage de travailleurs étrangers. Aux Pays-Bas, les autorités d'occupation promettaient des rations supplémentaires aux familles de ceux qui partiraient volontairement travailler en Allemagne.

Ce bilan déjà lourd aurait pu cependant se transformer en une véritable catastrophe si, *in extremis*, les Alliés n'étaient parvenus à négocier avec les Allemands la possibilité de larguer des vivres à la fin du mois d'avril. Cette opération, unique au cours de la Seconde Guerre mondiale, fut baptisée « opération Manna ». Le 29 avril, empruntant les couloirs aériens convenus, des escadrons de bombardiers Lancaster apparurent dans le ciel du nord de la Hollande et commencèrent le largage. Recherchant la plus grande précision possible, les pilotes risquèrent leur vie pour descendre les lourds appareils le plus bas possible et ouvrir les soutes à environ 60 m du sol. Toute la population descendit dans la rue pour leur faire signe et la deuxième vague d'avions fut accueillie par des banderoles proclamant : « *God bless you* » (Dieu vous bénisse).

A partir du 1er mai, les bombardiers américains B 17, les fameuses forteresses volantes, se joignirent à l'opération. Beaucoup de Néerlandais virent dans l'opération Manna le signe avant-coureur de la fin imminente de la guerre. Certains accueillirent cette chance de survie arrivant du ciel comme un miracle. Une Hollandaise, qui avait alors cinq ans, se souvient de la barre de chocolat qu'elle mangea ce jour-là : « Je n'ai jamais rien mangé d'aussi bon depuis, j'ai même conservé l'emballage. »

une rupture avec la notion de lutte des classes, et, sur le plan de la politique extérieure, la neutralité était abandonnée pour une participation aux organismes de sécurité internationaux.

Mais cette volonté de transformation se heurta à l'autre sentiment caractéristique d'un lendemain de conflit : l'aspiration à la paix, à la sécurité et à la stabilité. Ce courant l'emporta et, pourtant, c'est à l'intérieur d'un système politique hérité de l'avant-guerre que les Pays-Bas menèrent à bien les trois grandes mutations devenues inévitables : la décolonisation, l'industrialisation et la participation aux instances

internationales – création du Bénélux en mars 1949, adhésion à l'OTAN et au Conseil de l'Europe en 1949, puis à la CECA en 1951, enfin, signature du traité de Rome en 1957.

L'indépendance de l'Indonésie

Au lendemain de la capitulation japonaise, le 15 août 1945, la souveraineté néerlandaise sur l'Indonésie n'avait plus guère de réalité. Les Britanniques – en accord avec les Pays-Bas – y exerçaient le commandement militaire, et la Grande-Bretagne avait, en septembre, reconnu la République indonésienne, dont Sukarno et Hatta – leaders

nationalistes – avaient proclamé l'indépendance le 17 août. Dans l'entourage de la reine et pour une grande partie de l'opinion, la question de l'indépendance indonésienne ne se posait pas dans l'immédiat et surtout pas au profit de personnalités (Sukarno et Hatta) qui avaient collaboré avec les Japonais. En revanche, on envisageait l'autonomie de l'archipel indonésien dans le cadre d'une union dont la forme restait à définir. Les États-Unis et les Nations unies, partisans du démantèlement de tous les empires coloniaux, préconisaient l'indépendance immédiate et sans condition.

A partir de 1946, une solution assez ambiguë commença à se dessiner. Les Pays-Bas proposèrent la création d'une fédération au sein de laquelle la République indonésienne, contrôlant principalement les îles de Java et de Sumatra, serait représentée aux côtés d'entités plus petites représentant d'autres îles. La métropole comptait s'appuyer sur ces dernières et sur leur hostilité au centralisme de Djakarta pour conserver son autorité dans la région. Toutes les parties acceptèrent formellement ce système, dont les institutions devaient être définitivement mises en place au 1er janvier 1949.

Dans les faits, ni Java ni Sumatra ne respectèrent ces accords. A deux reprises, en juillet 1947 et en décembre 1948, les Pays-Bas tentèrent de rétablir l'ordre par la force, mais sans succès. Sous la pression internationale s'ouvrit, en août 1949, à La Haye, la conférence dite de « la Table ronde » qui se conclut par la création d'une République indonésienne indépendante. En principe, des liens subsistaient entre l'Indonésie et son ancienne métropole au sein de l'Union, mais en pratique le nouvel État unitaire d'Indonésie (proclamé en 1950) rompit tout contact avec les Pays-Bas et quitta l'Union en 1956. En 1962, les Pays-Bas renoncèrent à leur souveraineté sur la Nouvelle-Guinée occidentale, dont ils confièrent le mandat aux Nations unies.

Pages précédentes: Dirk Bogarde dans Un pont trop loin, *le film qui raconte la bataille d'Arnhem ; colis largués pendant l'opération Manna. A gauche, le cimetière militaire de Margraten, dans le Limbourg; à droite, l'enthousiasme populaire du jour de la Libération sur le Dam, à Amsterdam.*

LE MODÈLE NÉERLANDAIS

Bien que d'importants débats concernant un nouveau modèle de société (très inspiré du personnalisme d'Emmanuel Mounier) aient été menés au sein de la Résistance et dans l'immédiat après-guerre, c'est, sous de nouvelles appellations, le système d'avant-guerre, le *zuilensystem*, qui domina la vie politique néerlandaise jusqu'à la fin des années 1950. Ce terme de *zuilensystem* – *zuilen* signifie pilier – désigne le cloisonnement confessionnel, politique et social régissant le fonctionnement de la société néerlandaise. Les «confessionnels» (catholiques et protestants), qui sont le principal pilier, disposent en effet non seulement de leurs propres partis politiques et de leurs syndicats, mais aussi de leurs écoles et de leurs associations.

1945-1958 : le consensus

La naissance, en 1945, du KVP, le Parti populaire catholique, formation progressiste ouverte aux non-catholiques, et celle du PvdA, le Parti du travail, regroupant les socialistes, permit la constitution d'un bloc de gouvernement au sein duquel se formèrent les six cabinets qui dirigèrent le pays entre 1945 et 1958. Malgré leurs désaccords de principe, chrétiens et socialistes, en accord avec les syndicats et les entreprises, menèrent une politique consacrée au redressement économique du pays. Pour cela, ils mirent en place un mode de régulation économique visant à maintenir les salaires à un bas niveau. En contrepartie, l'État créa un régime d'assurances sociales couvrant la maladie, la vieillesse et le chômage. Ce système partenarial, fondé sur la négociation et la recherche d'un compromis favorable à la croissance économique, fonctionna jusque dans les années 1960.

Vers le milieu des années 1950, l'Église catholique commença à durcir son discours à l'égard des socialistes et, de 1958 à 1973, les partis confessionnels (le KVP, le Parti

Pages précédentes : pêcheurs de l'IJsselmeer. A gauche, le casino de l'hôtel Kurhaus, à Scheveningen ; à droite, les Pays-Bas comptent quelques grandes fortunes.

antirévolutionnaire et l'Union historique chrétienne), alliés aux libéraux du VVD (le Parti populaire pour la liberté et la démocratie), gouvernèrent seuls, profitant d'une conjoncture économique très favorable. Les années 1960 virent l'apparition d'un type de contestation du régime échappant aux institutions traditionnelles (partis, syndicats).

Les Provos

Comme son nom le laisse présager, le mouvement Provo, né à Amsterdam dans les années 1960, regroupait des provocateurs décidés à s'en prendre à l'ordre établi : la

police, les hommes politiques, les fonctionnaires. Exploitant avec habileté l'intérêt qu'il suscitait, notamment dans la presse, ce mouvement social se fit connaître par des *happenings*, manifestations à caractère à la fois politique et spectaculaire.

Son créateur, Robert Jasper Grootveld décida, pendant l'été 1964, de rassembler les sympathisants de son mouvement autour du Lieverdje, statue représentant un gavroche érigée sur la place du Spui, à Amsterdam. Donation d'une manufacture locale de cigarettes, cette statue servait, tous les samedis soir, de point de ralliement à une campagne antitabac menée sur le mode humoristique.

Non violents, les Provos étaient opposés à l'intervention américaine au Viêt-nam et à l'emploi des armes nucléaires. Écologistes avant l'heure, ils préconisaient, parmi d'autres mesures, l'usage exclusif du vélo en ville. Après les événements du 16 mars 1966 (lire pages 78-79), le mouvement se démarqua de sa philosophie non violente et plusieurs autres manifestations dégénérèrent. Perdant la sympathie de l'opinion publique, le mouvement finit par se dissoudre après la scission entre partisans et adversaires d'une action politique.

Après 1967, les Kabouters (farfadets ou gnomes) prolongèrent le mouvement créé

qu'en 1969. Si cette manière d'agir ne fut pas vraiment bien accueillie, en revanche, les revendications des étudiants, parmi lesquelles une plus grande participation au fonctionnement et à l'administration des universités, suscitèrent l'intérêt et même le soutien de nombreux enseignants.

Cette ouverture d'esprit ne doit pas surprendre si on la replace dans le contexte de la culture néerlandaise fortement imprégnée de la notion calviniste de responsabilité. Le même réflexe – celui de se sentir concerné – explique que, en dépit de nombreuses critiques, souvent radicales, adressées au monde politique et à sa logique

par les Provos. Partisans de la suppression totale de l'automobile en ville, du retour à l'autarcie dans des fermes urbaines, ils proposaient l'utilisation de moulins à vent pour produire de l'électricité et lutter contre la pollution. Bien des projets et des thèmes du mouvement écologiste actuel sont nés de leur imagination bouillonnante.

Mai 1968

Le mouvement de mai 1968 n'eut pas aux Pays-Bas l'ampleur qu'il connut en France ou en Italie. En retard sur leurs voisins européens, les étudiants néerlandais ne commencèrent à occuper les universités

partisane, le taux de participation aux élections dépasse la plupart du temps les 85 %.

Le décloisonnement

Mais le phénomène qui transforma le plus radicalement la société néerlandaise est plutôt à rechercher dans le grand débat qui traversa l'Église catholique à partir de 1962 – l'année au cours de laquelle le pape Jean XXIII (1958-1963) convoqua le deuxième concile du Vatican.

Rompant avec les positions conservatrices des années 1950, l'Église catholique se pencha, sans tabou, sur tous les aspects du monde moderne, écouta le témoignage d'observateurs non catholiques, et accueillit, pour la première fois, une grande pluralité d'opinion. Le pluralisme des tendances qui s'y exprimèrent porta un coup décisif au système du cloisonnement.

Dès lors, l'existence d'un parti politique confessionnel défendant une thèse unique perdait sa justification. Catholiques modérés, progressistes ou conservateurs se rapprochèrent progressivement des formations politiques traduisant leur sensibilité indépendamment de leur foi. Ce phénomène se manifesta d'abord par une perte de vitesse électorale du principal parti confessionnel, le KVP, qui passa de 49 sièges (à la

d'être un pays généreux – il est après la Suède celui qui consacre l'aide au développement la plus importante, entre 0,5 et 1 % du PNB – et qui ne transige pas aisément avec ses principes éthiques, même au prix d'importants contrats commerciaux. Il y a quelques années, on s'en souvient, les Églises avaient fait campagne contre la vente d'une centrale nucléaire à l'Afrique du Sud, pour finalement obtenir l'annulation de son contrat.

Certains spécialistes des Pays-Bas expliquent ce comportement en mettant en avant la permanence et la force des valeurs éthiques héritées du calvinisme (respect du

deuxième chambre) en 1959 à 27 sièges en 1972, puis par la formation, en 1974, d'un grand parti démocrate-chrétien, le CDA (l'Appel démocrate-chrétien) regroupant le KVP, le PAR et le CHU, qui n'a, depuis, cessé d'exercer des responsabilités gouvernementales.

Une nouvelle politique extérieure

Il n'est pas nécessaire d'être un expert de la politique étrangère pour savoir que le royaume des Pays-Bas a la réputation

A gauche et ci-dessus, deux aspects du Limbourg: l'attachement au catholicisme et le carnaval.

genre humain et devoir de protéger les faibles) et du spinozisme (tolérance). Un dicton populaire n'affirme-t-il pas : «Qu'il soit catholique, protestant, [et l'on pourrait ajouter] ou socialiste, un Néerlandais est d'abord calviniste» ?

D'autres, en revanche, insistent plutôt sur l'arrivée au pouvoir, dans les années 1970, de nouvelles personnalités politiques (issues de la Nouvelle Gauche), plus sensibles aux problèmes du sous-développement et favorables à une politique de détente. Ils soulignent en effet que jusqu'en 1971, date à laquelle Joseph Luns quitta le ministère des Affaires étrangères, la diplomatie néerlandaise s'était montrée rigou-

reusement anticommuniste et incondition-
nellement liée à la politique américaine et à
l'OTAN.

La Nouvelle Gauche fit son apparition
dans le paysage politique néerlandais au
milieu des années 1960. Une poignée de
jeunes militants socialistes introduisirent de
nouveaux thèmes dans le discours politique
du PvdA : les inégalités sociales, le droit
d'expression des minorités (sociales,
sexuelles et religieuses), le désarmement en
Europe, la défense des droits de l'homme et
les problèmes du tiers-monde. Le retour au
pouvoir des socialistes (au sein d'une coali-
tion réunissant le PvdA et les partis confes-

des Pays-Bas un des principaux bastions du
pacifisme en Europe.

Stabilité politique et coalitions

Bien des commentateurs politiques soulignent le paradoxe qui veut que, même si
une large majorité de Néerlandais ont les
des valeurs et un projet de société communs, les divergences n'ont fait que s'ampli-
fier au sommet des appareils politiques. Les
Pays-Bas avaient connu, de 1945 à 1958,
une exceptionnelle stabilité gouvernemen-
tale – le socialiste Willem Drees fut Premier
ministre de 1948 à 1958. Ils font aujourd'hui

sionnels menée par le socialiste Joop Den
Uyl), en 1973, vit la mise en œuvre d'une
politique extérieure inspirée de ces nouvelles orientations. Dénonciation du régime
franquiste en Espagne et de l'apartheid en
Afrique du Sud, soutien aux dissidents tché-
coslovaques de la Charte 77, accession à
l'indépendance du Surinam, augmentation
de l'aide au développement sont quelques-
unes des actions qui caractérisèrent la nouvelle politique étrangère des Pays-Bas.

En outre, une pétition refusant l'installation de bombes à neutrons sur le territoire
néerlandais recueillit un million de signa-
tures en 1977. En 1981, une marche pour la
paix réunissait 400 000 manifestants, faisant

l'expérience des coalitions fragiles et des
crises de gouvernement à répétition, dans
un contexte de difficultés économiques et
sociales. En apparence, la vie politique offre
cependant tous les signes de la stabilité.
C'est ainsi que le chrétien démocrate Ruud
Lubbers (catholique) a dirigé tous les gouvernements de 1982 à 1994 et que son successeur, Wim Wok (PvdA) a été réélu pour
un second mandat en 1998.

Le pragmatisme batave

Les Pays-Bas, avec 3% de chômeurs (en
2001), connaissent une situation que lui
envient bien d'autres États. Ce tour de

force a pu être réussi grâce au pragmatisme batave, qui a opté pour le partage du travail. La situation peut même parfois s'inverser : certains secteurs manquent de bras et de têtes, au point d'avoir remis au travail les personnes âgées.

La tolérance et le pragmatisme ont aussi fait des Pays-Bas le chantre de la permissivité dans de nombreux domaines de la vie privée. Ainsi, une loi, votée en 2000, permet-elle aux homosexuels de se marier. C'est également en 2000 qu'a été votée la loi autorisant l'euthanasie. La prostitution, elle aussi légalisée, est devenue une activité économique à part entière. Faut-il le rappe-

Le souverain a pour tâche de contribuer au maintien de la paix sur le plan international. Par nature au-dessus des partis, il se doit aussi d'être un facteur de stabilité politique et de garantir l'unité du pays. Il joue un rôle capital dans la formation des gouvernements. Agissant en négociateur neutre, il s'efforce de trouver une solution conforme aux résultats sortis des scrutins. Assisté du Conseil d'État (assemblée consultative qui examine les projets de loi et les traités internationaux), il exerce ses compétences en accord avec ses ministres. Enfin, il exerce les traditionnelles fonctions de représentation et reçoit les ambassadeurs étrangers.

ler, cette extrême permissivité ne peut fonctionner que grâce à une autre vertu typiquement batave : le consensus. Toutes ces mesures s'accompagnent en effet d'une grande transparence dans leur mise en application et d'un dialogue permanent entre tous les membres du corps social.

La monarchie

Les Pays-Bas sont une monarchie constitutionnelle dotée d'un régime parlementaire.

A gauche, Amsterdam compte de nombreux établissements pornographiques ; ci-dessus, costumes et danses folkloriques en Frise.

Il n'en reste pas moins que la monarchie peut être à tout moment abolie par un acte du Parlement. Les Néerlandais sont loin d'être aveuglément monarchistes et si demain la lignée des Orange-Nassau venait à s'éteindre, ils n'hésiteraient pas à proclamer la république. Mais depuis un siècle, les reines néerlandaises ont appris à ne pas outrepasser le seuil de leurs compétences de manière à préserver le consensus, le plus solide fondement de la monarchie.

Les crises

Depuis un siècle, la monarchie néerlandaise a traversé plusieurs crises, mais aucune n'a

LA DYNASTIE DES ORANGE-NASSAU

« Peu monarchistes par nature, les Néerlandais sont plutôt des républicains enclins à penser que chaque individu devrait être son propre souverain. » Mais si l'on admet cette conclusion, que l'on doit au sociologue William Shetter, comment expliquer l'attachement des Néerlandais pour leur monarchie ? Au cours du XXe siècle, et parmi de nombreux autres facteurs, la personnalité des souveraines de la maison d'Orange a sans doute joué un rôle déterminant. Les Néerlandais apprécient la simplicité de la reine Beatrix qui, apparut habillée d'un pull polo sur la photo de commémoration de son couronnement, et dont l'une des occupations favorites est de parcourir le pays à vélo.

Au service des Pays-Bas

Créée au XIIIe siècle, dans le Vaucluse, la principauté d'Orange passa, en 1530, à une branche de la maison de Nassau – le duché de Nassau était situé dans le Palatinat. Louis XIV fit détruire le château des princes d'Orange en 1673, et annexa la principauté au territoire français en 1702. Des terres provençales, la dynastie d'Orange-Nassau, fondée par Guillaume le Taciturne (1533-1584), ne conserva que la couleur orange et la devise : « Je maintiendrai. »

Peu de facteurs prédisposaient les Orange-Nassau, aristocrates puissants, mais parmi d'autres (les Montmorency, les Egmont, etc.), à devenir les souverains d'une fédération de villes farouchement attachées à leurs privilèges et, par conséquent, hostiles au pouvoir central d'une monarchie. Lorsque commença le conflit opposant les Pays-Bas calvinistes à l'Espagne, Guillaume Ier de Orange-Nassau (1533-1584), dit le Taciturne, lui-même converti au calvinisme, fut parmi les rares membres de la haute noblesse à épouser le parti du peuple et des marchands. Il devint ensuite le premier stathouder des Provinces-Unies, une institution exclusivement militaire.

Malgré de fréquents conflits avec le conseil des Régents, représentant l'oligarchie marchande qui supprima d'ailleurs le stathoudérat à deux reprises (en 1650-1674 et 1702-1747), les successeurs du Taciturne, son frère Maurice de Nassau (1567-1625) et les descendants de celui-ci, continuèrent d'incarner, aux yeux du peuple sur lequel ils s'appuyèrent souvent, l'unité de la Nation. Ce n'est qu'en 1747 que la fonction de stathouder devint légalement héréditaire. Enfin, en 1815, de retour de son exil en Angleterre, Guillaume Ier (1772-1843), fils du dernier stathouder Guillame V de Orange-Nassau, monta sur le trône.

La tradition veut que Guillaume le Taciturne soit mort couvert de gloire mais pauvre, ne laissant à ses héritiers que douze florins. Depuis, la fortune des Orange-Nassau s'est considérablement accrue, notamment grâce à un mariage, en 1816, avec une Romanov qui apporta une dot considérable. Cette fortune, exemptée d'impôt, est aujourd'hui estimée à environ 5 milliards de dollars. Outre des biens immobiliers, entre autres le palais royal d'Amsterdam et la résidence de La Haye, elle comprend une magnifique collection d'œuvres d'art et d'importantes participations dans le capital de la Royal Dutch Shell, de la compagnie aérienne KLM et de la banque ABM.

Une « famille ordinaire »

Si les Néerlandais n'hésitent pas se moquer de leurs têtes couronnées, c'est plus par sympathie à leur égard que par hostilité à la monarchie. A leurs yeux, les

Orange-Nassau sont d'abord une famille néerlandaise, certes un peu particulière, mais avec laquelle ils partagent les mêmes joies (les mariages et les naissances) et les mêmes tristesses (la maladie et les décès).

Les Néerlandais ont été touchés par la sincérité avec laquelle le prince Claus, l'époux de la reine Beatrix, a publiquement évoqué ses combats contre la dépression nerveuse. «En discutant librement de cela, il a sans doute aidé les nombreuses personnes qui souffrent du même mal », écrivit un professeur de médecine dans les jours qui suivirent l'interview du prince.

Deux des filles de Juliana, Irene et Magriet, se sont largement démarquées des traditions sans perdre la sympathie de l'opinion publique. La première, éprise d'un membre de la famille royale espagnole, s'est convertie au catholicisme et a dû, par conséquent, renoncer au trône. Malgré sa rupture, suivie d'une liaison avec une personnalité de la télévision, elle continue de faire l'admiration des Néerlandaises par son élégance. Sa sœur Magriet a, quant à elle, épousé un assistant social d'origine cubaine sans émouvoir l'opinion.

En Grande-Bretagne, l'abdication du roi Édouard VIII, en 1936, et son mariage avec une Américaine deux fois divorcée déclencha une tempête au Parlement et dans l'opinion publique. Aux Pays-Bas, les deux filles aînées de Juliana, Irene et Magriet, ont renoncé au trône en faveur de leur sœur Beatrix sans que les Néerlandais y trouvent rien à redire.

Quant à l'abdication prévue de Beatrix au profit de son fils, le prince Willem Alexandre, elle s'annonce sans difficulté. Le prince jouit d'une forte popularité depuis qu'il a participé, en 1986, à la course des Onze Villes, une épreuve de patins à glace se déroulant en Frise. Seuls quelques hommes politiques lui ont reproché d'avoir porté à cette occasion les couleurs de plusieurs entreprises commerciales.

De fortes personnalités

Le crédit et l'autorité de la maison d'Orange découle peut-être en premier lieu de la personnalité et de l'influence des reines (Wilhelmine, Juliana et Beatrix) qui se sont succédé sur le trône depuis un siècle.

Au cours des cinquante ans de son règne (1898-1948), Wilhelmine s'est attachée à préserver les fondements de la société néerlandaise, au risque d'être, parfois, perçue comme trop conservatrice. Membre de droit de l'Église néerlandaise réformée et ardente calviniste, elle s'est voulue une autorité morale, et s'est constamment battue contre la laïcisation croissante de la société. La reine Juliana (1948-1980) inaugura son règne en s'opposant au dirigisme de sa mère et en bousculant les traditions monarchiques héritées du XIXe siècle. Plus simple, plus directe, elle sut séduire une société profondément démocratique, fière de ses traditions mais peu friande de protocole. Elle fut pourtant accusée d'excentricité lorsqu'elle décida de recourir à un guérisseur de la foi pour soigner sa fille, Maria Christina, frappée de cécité. La presse vit bientôt en Greet Hofmans une sorte de Raspoutine

et fit pression sur la reine pour qu'elle se sépare d'un « médecin » trop « original ».

Plus fidèle aux traditions que ses deux sœurs, au moins par le choix de son époux (un diplomate), la reine Beatrix a su imposer l'image d'une souveraine moderne, soucieuse de ne pas choquer par un train de vie trop fastueux. Elle s'est attachée à remplir ses fonctions avec professionnalisme, consacrant notamment beaucoup d'énergie aux questions sociales. Très populaire, la souveraine sait cependant rester dans les limites de sa charge. Mais, en contrepartie, la famille royale jouit d'une intimité que lui envient bien des dynasties régnantes.

RELIGION ET ÉTHIQUE

Un théologien néerlandais, J. Van Laarhoven, déclarait récemment : «Nul autre pays ne compte autant de théologiens – sûrs de posséder la vérité – que celui-ci, pays d'églises et de confessions, de paisibles fidèles et d'austères débatteurs, de tolérance authentique et de pédanterie futile. »

Une histoire religieuse mouvementée

Vers le milieu du XIXᵉ siècle, la quasi-totalité des Néerlandais appartenait à l'une ou à l'autre des deux grandes familles religieuses chrétiennes : les catholiques (un peu plus d'un tiers de la population) et les réformés (environ 55 %). Ce groupe comprenait l'Église réformée néerlandaise (la religion d'État jusqu'en 1795 et l'Église des souverains), les arminiens (ou remontrants), les luthériens et les anabaptistes. On comptait également un peu moins de 2 % de juifs, quelques sectes fondamentalistes et des non-croyants.

A côté de l'unité politique nécessitée par la lutte contre l'Espagne et les forces de la Contre-Réforme, le monde de la Réforme connut très tôt ses propres conflits religieux et ses schismes. Terre de convergence des hommes, des idées et des produits, les Pays-Bas reçurent du sud un calvinisme très virulent, du nord et de l'est un protestantisme (notamment d'influence luthérienne) plus tolérant.

Fervent défenseur d'une conception rigoriste de la prédestination (théorie calviniste selon laquelle quelques élus gagnent leur salut par la seule grâce de Dieu), Franciscus Gomarus (1563-1641) s'opposa dès 1604 à Jacobus Arminius (1560-1609), adepte d'une doctrine plus modérée. En 1610, les arminiens adressèrent aux États de Hollande une supplique, ou Remontrance, s'élevant contre l'intransigeance de la théorie prônée par Gomarus. Celui-ci, à la tête des contre-remontrants, appuyés par

Pages précédentes : la reine Juliana et la reine Beatrix, souveraine des Pays-Bas depuis 1980; les vertes prairies de la Gueldre au printemps. A gauche, Durgerdam au bord de l'IJsselmeer; à droite, les couleurs vives du costume traditionnel de Monnickendam.

Maurice de Nassau, obtint finalement la reconnaissance de sa doctrine en 1618 au synode de Dordrecht.

Bien que le principe constitutionnel de liberté de culte n'ait été adopté qu'en 1848, la tolérance religieuse prévalut dès la création des Provinces-Unies, en 1579, pourtant officiellement protestantes. En principe interdites, les cérémonies catholiques étaient tolérées à condition qu'elles se déroulassent dans la plus grande discrétion. Aujourd'hui encore, l'interdit frappant les processions catholiques reste en vigueur dans certaines provinces septentrionales. Demeurée fortement implantée dans le sud

du pays (Limbourg et Brabant), l'Eglise catholique retrouva progressivement son importance, tandis que les confessions réformées perdaient des fidèles. En 1945, les catholiques romains étaient devenus le groupe religieux le plus important du pays (38,5 % de catholiques contre 38 % de réformés). L'écart se creusa jusqu'au début des années 1960, puis l'Église catholique commença, à son tour, à subir les effets de la déconfessionnalisation de la société. Aujourd'hui, si le catholicisme demeure la première religion des Pays-Bas (36 % de la population), les non-croyants (35 % contre à peine 5 % au début du siècle) occupent le second rang, devant les réformés (26 %).

Mais ces chiffres traduisent plus des appartenances que des pratiques régulières : seulement 12 % des habitants se déclarent catholiques pratiquants, 5 % réformés néerlandais et 5,9 % réformés. Au total, environ un tiers des Néerlandais continuent de fréquenter les lieux de culte.

L'héritage du calvinisme

Bien qu'elle ne soit plus la religion majoritaire aux Pays-Bas, le confession calviniste n'en demeure pas moins un puissant lobby, dont l'influence continue de s'exercer dans de nombreux domaines de la vie quotidienne tels que la législation sur la consommation d'alcool ou les horaires d'ouverture des magasins. Même la télévision néerlandaise, qui a pourtant la réputation de n'épargner personne et surtout pas les hommes politiques – elle diffusa chaque soir les débats des commissions d'enquête réunies à l'occasion de plusieurs scandales politiques –, adopte une certaine réserve lorsqu'il s'agit de Dieu ou de la religion.

L'influence du lobby calviniste, ou tout au moins de l'esprit calviniste, se lit également dans le comportement des autorités à l'égard des questions de drogue et de prostitution, que certains qualifient de contradictoire, voire d'hypocrite, et d'autres, au contraire, de pragmatique. Exemple moins connu, l'euthanasie était jusqu'à présent illégale mais largement pratiquée par les médecins, avec l'accord tacite des autorités.

Cette attitude pose aujourd'hui un certain nombre de problèmes compte tenu de la coordination des actions de lutte contre la drogue définie par le traité de Maastricht, signé en février 1992. Une polémique s'est d'ailleurs engagée entre les Pays-Bas et la France, cette dernière dénonçant la « permissivité » des Néerlandais en matière de culture et de vente des drogues « douces ». Mais l'incident diplomatique le plus sérieux a éclaté à propos de la loi sur l'euthanasie votée par l'Assemblée en avril 1992 et en février 1993. Une éminente personnalité du Vatican a en effet violemment critiqué cette législation, pourtant prudente, la comparant aux pratiques nazies. Le gouvernement néerlandais a vivement réagi à cette déclaration et a obtenu un démenti du nonce apostolique.

Dans un passé récent, les Pays-Bas avaient également fait l'objet de fortes pressions de la part de leurs voisins européens afin qu'ils contrôlent davantage l'importante industrie de la pornographie (magazines et cassettes vidéo) installée sur leur territoire. Profitant d'un relatif vide juridique, ces sociétés y réalisaient en effet des produits rigoureusement interdits ailleurs, puis les exportaient clandestinement.

Ces exemples illustrent la difficulté que rencontrent les Néerlandais pour concilier leur légendaire tolérance avec des problèmes de société qui, dans un contexte de crise économique et sociale, prennent une ampleur croissante. En général, ils rechignent à interdire quelque chose par le

moyen de la loi, et s'en remettent plus volontiers au contrôle social que la société exerce sur ses membres. Des commentateurs plus sévères estiment que ce comportement découle plutôt de l'importance accordée à la respectabilité, dont la forme extrême conduirait à ignorer tout ce qui ne trouble pas l'ordre apparent.

L'exemple du Baarsjes

Dans certains cas, le pragmatisme néerlandais dénote un sens aigu des bouleversements sociaux que touchent les grands espaces urbains européens. Dans ce quartier défavorisé d'Amsterdam qui compte

38 000 habitants, on rencontre 82 nationalités, 40 % d'immigrés et 70 % d'assistés. Une «poudrière» comme le qualifie son maire, Freek Salm, un social-démocrate qui se définit en ces termes : « Mes racines ? Le bord de la Hollande ; ma famille est ancrée dans une communauté protestante anabaptiste qui croit au respect du genre humain et au devoir de protéger les faibles – comme nous protégeons les digues du Friesland. »

Dès lors, F. Salm refuse de baisser les bras et de laisser le quartier s'organiser en ghettos. Avec son équipe, il se fixe des objectifs concrets : nettoyer et rénover la ville rue par rue, trottoir par trottoir, maison par

et diminuerait le nombres des crimes. » Parfois, lorsque c'est nécessaire, la communauté – et non l'État ou le législateur – sait également sévir. Exemple : à l'issue d'un grand meeting rassemblant la population du Baarsjes, une vingtaine de *coffeeshops* ont été fermés. Il faut dire qu'aux Pays-Bas plus qu'ailleurs les collectivités locales ont conservé des compétences très larges.

Éthique calviniste et comportements

Proche en cela des sociétés scandinaves, avec lesquelles elle a d'ailleurs bien d'autres points communs, la société néerlandaise est

maison, préserver la mixité de l'habitat et réintroduire des espaces d'activité (commerces, banques, petites entreprises). En matière de politique de la ville, le travail accompli à Baarsjes, et dans d'autres parties d'Amsterdam, fait désormais figure d'exemple pour le reste de l'Europe.

Interrogé sur la question de la drogue, il exprime une opinion très répandue aux Pays-Bas : « La drogue existera toujours, dans toutes les sociétés, comme l'alcool. Pourquoi ne pas légaliser tous les stupéfiants ? Cela ruinerait les trafiquants,

A gauche, retraite à la campagne ; ci-dessus vente aux enchères d'anguilles dans l'IJsselmeer.

moins misogyne que ses voisines européennes. Le seconde chambre du Parlement compte en moyenne au moins un tiers de députés femmes. En revanche, la proportion de femmes dans la population active est moins forte que dans les pays industrialisés du nord de l'Europe. Autrefois, elles s'arrêtaient en général de travailler après leur mariage. Aujourd'hui, cette cessation d'activité intervient plutôt au moment de la grossesse. Il faut dire que les garderies sont rares.

On dit les Néerlandais, et les Néerlandaises, courageux, endurants et plus résistants à la douleur que d'autres. Est-ce pour cette raison qu'ils consomment moins d'analgésiques que les Français, ou bien parce qu'ils se méfient d'une trop grande consommation de médicaments ? Il est difficile de se prononcer.

Autre phénomène singulier, la majorité des femmes accouchent chez elles. Plusieurs semaines avant la date prévue de l'heureux événement, une sage-femme s'assure que l'état du domicile le permet et que les parents sont prêts. La plupart du temps deux sages-femmes effectuent l'accouchement. Le jour même, une aide ménagère rétribuée par l'État est nommée. Pendant huit jours, de 7 h à 18 h, elle s'occupe des autres enfants, du ménage et de la cuisine.

Rajneesh Mystery School, sur Trootsplein, dispense toujours des cours de yoga. Les membres de la secte Hare Krishna, repérables à leurs crânes rasés et à leurs robes orange, quoique moins nombreux que dans le passé, n'ont rien perdu de leur enthousiasme. Depuis les années 1980, ils subissent cependant la concurrence du courant « New Age ». Ce terme désigne une multitude de « chapelles » dont le caractère commun consiste à opérer la synthèse des philosophies et religions d'Orient et d'Occident.

L'une des plus populaires, l'anthroposophie (fondée en 1913), se présente comme un mélange de sagesse orientale et d'huma-

Les sectes

Amsterdam abrite quantité de sectes marginales dont certaines, très organisées, ont pignon sur rue. Plusieurs phénomènes expliquent ce foisonnement. D'abord, la ville attire, des quatre coins de l'Europe, des foules de jeunes qui arrivent le plus souvent sans un sou en poche et moralement démunis. Ils sont le plus souvent confrontés à une seule alternative : succomber à la drogue, ou se tourner vers une secte. Ainsi, le célèbre guru Bhagwan Rajneesh, aujourd'hui disparu et discrédité, a dirigé dans les années 1980 un vaste empire dont les richesses s'étalaient au grand jour. La

nisme. Son actuel président, un banquier, a fait bâtir son siège social (une sorte de pyramide inca) à Bijlmermeer.

Mais une secte peut également dissimuler une entreprise commerciale cherchant à profiter de l'exemption d'impôts dont bénéficie toute organisation enregistrée sous le nom d'Église. Or, le New Age s'adresse en priorité aux memebres des professions libérales aisées, consommateurs potentiels de livres et de séances diverses.

Ci-dessus, près de 3 000 bateaux servent d'habitation le long des quais d'Amsterdam ; à droite, l'intérieur d'une ferme du Musée de plein air d'Arnhem.

ARCHITECTURE HOLLANDAISE

D'abord bâtie en bois, au Moyen Age, la maison de canal hollandaise adopta, après les grands incendies du XVᵉ siècle, la brique, pour les murs latéraux d'abord, pour la façade ensuite. Un couloir reliait la maison de devant, la *voorhuis*, à la maison de derrière, la *achterhuis*, nettement séparées par une courette murée. Si la construction arrière ne fut guère modifiée aux XVIIᵉ et XVIIIᵉ siècles, la façade principale subit l'influence de la mode : elle était parfois inclinée pour gagner de l'espace, et surtout pour que le pignon soit visible du sol. Le plus souvent, elle était divisée en trois travées sur cinq niveaux (un sous-sol, un bel étage, deux étages plus petits et un grenier). Les fenêtres coulissantes divisées en carreaux à petits bois remplaçaient les croisées.

Dès le Moyen Age, des pignons droits et pointus, en bois ou en pierre, dominaient les façades de certaines maisons. Le pignon à redents, également médiéval, se développa surtout au cours de la Renaissance hollandaise. La forme « en cou », apparue vers 1630, perdura presque deux siècles, puis, agrémentée de volutes à partir de 1660, elle donna le type de pignon dit « en cloche ». Le pignon à corniche avec attique s'imposa au-delà de 1670, notamment pour les maisons à large façade, comportant plus de trois travées. Le XVIIᵉ siècle marqua également l'apparition du fronton et des pilastres. Au siècle suivant, l'architecture hollandaise subit l'influence française, notamment dans les attiques avec ou sans corniche ornementée. Les édifices mariant une sobre façade en brique et un attique richement décoré dans le style Louis XV se multiplièrent.

Amsterdam possède également de nombreux bâtiments jadis réservés au stockage et à l'administration des grandes compagnies commerciales. Les entrepôts respectaient en général l'architecture qui leur était contemporaine, mais ils en différaient par leur solidité, leur sobriété et leurs façades percées de fenêtres en plein cintre selon un plan imposé par les nécessités du chargement des marchandises. Reconnaissables aux volets de bois plein aux couleurs très vives, ces bâtiments, aujourd'hui transformés en appartements, offrent un nouvel art de vivre.

Dans la continuité du renouveau architectural amorcé au XIXᵉ siècle avec les grands édifices publics, et sous l'influence de créateurs aussi différents que Petrus Josephus Hubertus Cuypers (1827-1921), architecte du Rijksmuseum, ou que son élève Hendrik Petrus Berlage (1856-1936), constructeur de la Bourse, les architectes firent preuve de beaucoup d'imagination et de fantaisie au tournant du siècle. D'importants bâtiments furent ainsi réalisés, mêlant les styles Art déco, Art nouveau – que ses emprunts aux styles gothique et Renaissance caractérise – et école d'Amsterdam.

Marqué par son expressionnisme, un goût pour l'ornement et un strict usage de la brique, le style de l'école d'Amsterdam (1910-1940) atteignit son apogée vers 1920. En même temps, le fonctionnalisme défendu par Berlage se définit par l'emploi du verre, du béton et de l'acier. La commission de l'architecture urbaine de la capitale préféra cependant l'école d'Amsterdam, qui marqua de son empreinte les quartiers sud et ouest. Les fonctionnalistes bâtirent surtout après la guerre.

L'architecture de l'après-guerre se caractérisa essentiellement par l'opposition entre les traditionnalistes de l'école de Delft et les fonctionnalistes. En outre, un contre-courant opposé aux conceptions de grande échelle inspirées du passé s'est affirmé grâce aux travaux de ses principaux animateurs : A. Van Eyck et H. Hertzberger. Depuis, la gamme des styles s'est largement ouverte.

L'ENVIRONNEMENT

«La propreté y est une morale», entend-on souvent dire des Pays-Bas. Si l'omniprésence de l'eau et l'extrême humidité du climat justifient en grande partie cette propreté scrupuleuse, le goût calviniste pour l'ordre n'y est sans doute pas non plus étranger. Rien d'étonnant dès lors à ce que dans leur majorité les Néerlandais se sentent directement concernés par la protection de leur environnement. Habitués de longue date aux défis de grande envergure

1 400 espèces d'arbres et arbustes que compte le pays ont totalement disparu, tandis que 500 autres sont menacées d'extinction. La pollution de l'eau, du sol et de l'air et le développement des activités humaines mettent en danger les paysages les plus vulnérables, qui sont aussi les plus caractéristiques des Pays-Bas: les tourbières, les haies, les mares et les dunes.

La *Vereniging tot Behoud van Natuurmonumenten*, une Association privée pour la préservation des réserves naturelles, tente de renverser cette tendance ou, du moins, de la ralentir. Cet organisme gère 250 réserves naturelles réparties dans tout

(lire pages 25-31), ils ont adopté un plan national prévoyant une réduction de 90 % de la pollution de l'air, de l'eau et du sol d'ici à 2010 ; un projet dont le coût total pourrait s'élever à 3,5 % du PIB.

Le défi de la diversité

La diversité de la flore, de la faune et des paysages est, depuis longtemps, entrée en compétition avec les impératifs économiques, aux Pays-Bas comme ailleurs. Ainsi, le nombre d'espèces d'oiseaux se reproduisant sur le territoire néerlandais a diminué d'un tiers en quarante ans. Au cours de la même période, 70 des

le pays, et représentant une superficie de 65 000 ha – dont 52 000 en propriété –, soit environ 2 % du territoire national. Ces réserves ont été créées pour préserver la nature néerlandaise dans toute sa diversité. Certaines sont ouvertes au public, d'autres, qu'une fréquentation même discrète menacerait, sont réservées aux chercheurs.

L'activité principale de l'association demeure l'acquisition et la gestion de sites sélectionnés à travers tout le pays. Les dimensions et la nature de ceux-ci varient considérablement. La plus petite réserve est sans conteste l'île fluviale de Klein Bollenbult (dans le nord des Pays-Bas) avec ses 400 m^2 recouverts de roseaux, qui fut achetée en 1948. A l'autre extrémité, le parc national de Veluwezoom – 4 800 ha de bois, de bruyères, de tourbières et de landes –, peuplé de daims, de cerfs, de chevreuils et de mouflons, constitue la pièce maîtresse de ce patrimoine.

Paradoxalement, une très forte proportion de ce que l'on qualifie, aux Pays-Bas, d'espace naturel est en partie le fruit du travail des hommes. De sorte que le principal danger qui menace le paysage néerlandais réside moins dans sa disparition que dans son uniformisation. Le défrichage (au Moyen Age), puis des siècles de pacage des moutons ont créé ce paysage de landes typi-

quement néerlandais que l'on retrouve dans la région de Kampina (Brabant-Septentrional), ou de Dwingelose, dans le nord du pays. Sur ces étendues, on a d'ailleurs maintenu les troupeaux de manière à conserver un herbage court qui constitue l'élément majeur de cet écosystème.

En revanche, les Pays-Bas ont vu disparaître la quasi-totalité de leurs tourbières, exploitées comme source d'énergie. Il en reste 1 700 ha dans la zone protégée de Fochteloerven, à la frontière entre la Frise et la Drenthe. Cette tourbe nourrit un tapis

A gauche, le Musée en plein air d'Arnhem ; ci-dessus, les premiers agneaux de l'année.

de mousse indispensable à certaines espèces d'oiseaux de prairie. Les lacs, les berges des cours d'eau, les plages de vase et même les prairies sont autant d'aspects qui composent la richesse et la variété du paysage néerlandais. Les dunes calcaires couvertes d'arbustes et de petites fleurs sauvages jaunes et pourpres de Voornes sont très différentes des dunes nues qui s'étendent plus au nord, près de Zwanenwater. La gestion des 20 000 ha de forêts vise le même objectif. En effet, préserver cet espace signifie surtout lui conserver toute sa richesse végétale et animale, ce qui implique notamment de l'entretenir.

Écologie et risques naturels

Cette tâche peut sembler simple dans un pays où l'intérêt pour les questions d'environnement a rencontré un large écho dans la population, et où le lobby écologiste dispose d'une grande influence. Mais c'est peut-être parce que, manquant d'espace, les Pays-Bas doivent arbitrer un conflit permanent entre agriculteurs, industriels, collectivités territoriales et protecteurs de l'environnement. Les récentes inondations en ont donné une parfaite illustration.

Depuis des siècles, les Néerlandais livrent un combat permanent contre la mer. La catastrophe de 1953 et ses 1 853 victimes avaient décidé l'État à entreprendre le plan Delta. Or, les inondations de 1993 et 1995 sont venues leur rappeler que le danger vient également des fleuves. Les premiers jours de février 1995, environ 250 000 personnes, et 2 millions de têtes de bétail, ont ainsi dû quitter les régions traversées par le Waal, La Meuse, le Lek. Une fois le danger écarté, une vive polémique s'est engagée entre agriculteurs et écologistes. En effet, la sécurité de ces régions (situées sous le niveau des fleuves) dépend de la solidité des digues qui bordent les cours d'eau. Or, le renforcement de ces digues fluviales implique l'élargissement de leur pan intérieur, et cela, au détriment des saules et des *dijkhuisjes*, ces maisons de digues centenaires qui se dressent aux abords. Bien que voté au début des années 1990, le programme de *dijkverzwaringen* (renforcement des digues) concernant 900 km de remblai, a été plusieurs fois repoussé, les écologistes bloquant son application.

PAYS CREUX, HAUTS PAYS

Dans cette partie septentrionale du continent européen aux dimensions pourtant réduites, l'histoire a creusé de profondes lignes de démarcation. En effet, derrière l'apparente homogénéité des Pays-Bas se dissimule un paysage géographique, historique et culturel tout en nuances.

Les géographes divisent le pays en deux régions distinctes : le pays creux et le haut pays. Dans la première catégorie se rangent les provinces à fleur d'eau, presque toutes côtières, dont le destin s'est joué en grande partie sur la mer : la Frise, la Groningue, la Hollande, le Flevoland, la Zélande et l'ouest de l'Utrecht. On dit les habitants de ces régions plus ouverts, généralement plus tolérants, mais aussi plus individualistes, sauf peut-être en Zélande, où les dangers de la mer ont soudé les hommes.

Dans la seconde, on place traditionnellement la Gueldre, l'Overijssel, la Drenthe et la partie orientale de l'Utrecht. Terres saxonnes situées à la lisière de la forêt germanique, elles présentent des sols pauvres, exigeant un travail dur et ingrat, façonnant des êtres rudes, attachés à leurs coutumes, rebelles au changement ; habitants qui, en outre, ont conservé de leurs origines germaniques une forte conscience de groupe.

Bien qu'ils aient en commun avec ces dernières des caractéristiques géographiques, le Nord-Brabant et le Limbourg n'en constituent pas moins des régions à part, fortement marquées par une fidélité au catholicisme qui les a tenues à l'écart de l'histoire des Pays-Bas pendant près de deux siècles. Ces méridionaux ont également la réputation d'être exubérants.

L'essor de la « Randstad »

Les déplacements de la vie économique ont, au cours des siècles, créé des coupures dont l'espace néerlandais porte encore les traces. Aux XIIIe et XIVe siècles, Gand et Bruges dominent, puis s'effacent devant Anvers et Bruxelles et, dans une moindre mesure, devant Bois-le-Duc, et la Zélande. La Randstad ne s'est imposée comme centre névralgique du pays qu'au cours du

XVIIe siècle. La constitution de l'empire colonial donna à Amsterdam et au sud de la Hollande un poids prédominant, au point qu'on considérait alors cette entité géographique comme un pouvoir institutionnel au même titre que le Conseil des Régents et le stathouder. Forte de son commerce outre-mer, cette province finançait à elle seule plus de la moitié des dépenses communes de l'État.

L'industrialisation du Sud, au début du XXe siècle (Philips à Eindhoven, ou le constructeur de poids lourds DAF en Flandre), et la découverte et la mise en exploitation des gisements de gaz dans le

Nord (Groningue), à la fin des années 1960, ont depuis largement rééquilibré la répartition géographique des richesses. « Hollandais » demeure pourtant synonyme de « Néerlandais ». Malgré ce préjugé tenace, et en dépit des faibles distances qui séparent les régions les unes des autres, les Pays-Bas offrent au visiteur une surprenante diversité.

La Randstad – *randstad* signifie « conurbation » – est aujourd'hui un vaste ensemble urbain, unique en Europe, où alternent les immeubles de banlieue, les sites industriels, les autoroutes et les champs de tulipes. Elle regroupe Amsterdam, Haarlem, Leyde, La Haye, Delft,

Rotterdam, Dordrecht, Utrecht et Hilversum. A cheval sur les provinces de Hollande et d'Utrecht, ce triangle, dont les points les plus éloignés sont, sauf embouteillage, à environ une heure de voiture les uns des autres, connaît la densité de population la plus élevée des Pays-Bas, entre 700 et 1 000 hab./km².

Ces villes sont, par leurs activités, interdépendantes les unes des autres. Amsterdam abrite l'administration, le secteur financier et celui des services ; Haarlem, d'importantes industries (chimique et florale) ; Leyde, un centre universitaire et un foyer intellectuel ; Delft, un pôle technologique ;

Rotterdam, les activités portuaires ; Dordrecht, un important carrefour fluvial ; enfin, à Utrecht, qui est un peu le centre nerveux des réseaux ferroviaire et autoroutier, se tient chaque année une des foires internationales les plus prestigieuses d'Europe.

Traditions et folklore

Hors de la Randstad, la survivance des dialectes, des vêtements traditionnels et du folklore témoignent d'une réelle et tenace diversité culturelle. Pas une région des Pays-Bas qui n'ait son accent et, le plus souvent, son dialecte. A l'intérieur même de la Hollande, les habitants de Haarlem prétendent manier le néerlandais le plus pur, ce que revendiquent également les Haguenois (les habitants de La Haye) pour leur manière de parler, le *Bekakt*, littéralement l'« affecté », mais tous s'entendent pour qualifier l'*Amsterdams* de dialecte vulgaire, mâtiné de français – à cause des huguenots – et de yiddish – à cause de l'importante communauté juive.

Ailleurs, on rencontre les multiples formes dialectales dérivées soit du hollandais, soit du flamand – ce dernier parlé par les *Vlaams* (les Flamands) des provinces méridionales –, ou plus nettement influencées par l'allemand dans les régions frontalières. Les Néerlandais se délectent d'ailleurs du petit jeu qui consiste à deviner d'où leurs interlocuteurs sont originaires. Dans un cas de figure au moins, la réponse ne fait aucun doute : c'est lorsque le sujet est frison. Parents des Saxons, les Frisons ont presque conservé à leur langue sa forme médiévale.

Nulle part ailleurs en Europe, le vêtement traditionnel ne fait autant partie de la vie quotidienne qu'aux Pays-Bas. Bien sûr, dans certains endroits, comme à Volendam, l'un des ports les plus touristiques de l'IJsselmeer (voir les illustrations des pages 83 et 90), à Marken (voir les illustrations des pages 93 et 96), ou dans les îles de la Zélande, la tenue folklorique fait partie, tourisme oblige, des institutions locales.

Mais dans la Randstad également, les costumes du passé n'ont pas complètement disparu. A Scheveningen, un ancien village de pêcheurs près de La Haye désormais reconverti en station balnéaire, les femmes de marins continuent de porter la tenue noire locale. A Alkmaar, les porteurs de fromage sont toujours vêtus de la chemise et du pantalon blancs et coiffés du chapeau de paille de couleur. Quant aux sabots de bois, le plus souvent décorés de motifs peints, beaucoup d'agriculteurs, de marins et de vendeurs de marché n'ont toujours rien trouvé de mieux pour se protéger du froid et de l'humidité. Au total, pas une région qui ne tente de préserver son identité à travers la langue ou le vêtement.

A gauche, le costume traditionnel des pêcheurs de l'IJsselmeer ; ci-dessus, un comédien de rue à Alkmaar.

LES SPORTS

Si l'on en croit le peintre Hendrick Avercamp, et son célèbre *Paysage d'hiver avec patineurs* achevé en 1618, les Néerlandais patinent sur les lacs, les fleuves et les canaux gelés depuis le XVIIᵉ siècle au moins. On dénombre aux Pays-Bas plus de 1 200 clubs de patin à glace, qui organisent régulièrement circuits et rencontres. Temps fort de ce moyen de locomotion devenu sport olympique, la fameuse course des Onze-Villes, l'Elfstedentocht. Cette épreuve sur

L'épreuve a certes ses champions mais l'esprit compte davantage. Les Frisons, qui semblent toujours à la recherche d'un nouveau sport, ont inventé la *wadlopen*, littéralement la « marche dans la boue ». Ce loisir s'est beaucoup développé dans les années 1960 et 1970, et il réunit chaque été, des milliers d'amateurs qui se lancent dans la traversée de la Waddenzee en direction de petites îles, à quelques kilomètres du continent, ou vers les grands salants.

L'été, les Frisons pratiquent une forme de saut à la perche traditionnel dont ils sont les inventeurs, le *fierljeppen*, qui consiste à franchir canaux et étendues d'eau grâce à

glace, créée en 1909, traverse onze villes de Frise, dont la capitale Leeuwarden, et couvre une distance de 200 km. Elle ne s'est déroulée qu'à onze reprises faute de glace assez épaisse. La dernière course, en 1985, a mobilisé près de 15 000 patineurs. Les plus rapides ont bouclé l'épreuve en moins de sept heures.

A la voile, avec des avirons, une perche ou à la pagaie, sur toutes sortes d'embarcations, la navigation est assurément une des activités favorites des Néerlandais, dont la réputation de marins n'est plus à faire. Marcher demeure l'un des loisirs plus prisés aux Pays-Bas. Les amateurs de marathon se retrouvent pour les Cinq Jours de Nimègue.

une courte perche (on attribue à un Allemand, Von Busche, la codification du saut en hauteur dans les années 1780). Les atterrissages en milieu aquatique sont presque sans danger et divertissent participants et spectateurs. Autre compétition très suivie par les Frisons : la *skutjesilen*, une course de bateaux à fond plat.

Dans la catégorie des sports insolites, signalons le *krulbollen*, une curieuse forme de bowling (que les émigrés hollandais et allemands ont introduit en Amérique du Nord au XIXᵉ siècle). Elle est pratiquée l'été à Middleburg (en Zélande). Plus inattendue encore, l'épreuve qui se déroule au bord de la mer du Nord, près de Scheveningen, et qui consiste à rester le plus longtemps possible « assis » sur un poteau.

Comme partout en Europe, le football est le sport populaire par excellence. Dans ce domaine, les joueurs néerlandais ont, dans les années 1970, inscrit leur nom dans la mythologie du ballon rond, avec la grande équipe de l'Ajax d'Amsterdam (fondée en 1900 par un bande de copains), vainqueur durant trois années consécutives (1971-1973) du championnat d'Europe. Les amateurs n'ont pas oublié les Johan Cruyff, Johan Neeskens, ou Johnny Repp (vainqueur de la coupe de l'UEFA en 1978 avec le PSV Eindhoven). En 1974, l'équipe des

Pays-Bas perdit (2 buts à 1) en finale face à une formation allemande elle aussi exceptionnelle, avec son capitaine Franz Beckenbauer, Josef Maier dans les buts et Gerd Muller en attaque. Quatre ans plus tard, les Orange échoueront à nouveau sur un score sévère (3 buts à 1) devant l'équipe argentine.

La « petite reine » de Hollande

Silencieux et respectueux de l'environnement, le vélo fait parfois figure de symbole

A gauche, les concurrents de la Elfstedentoch, la course des Onze-Villes; ci-dessus, le costume traditionnel des femmes de l'île de Marken.

de la Hollande. Dès son apparition, à la fin du siècle dernier, les Hollandais ont très vite adopté ce moyen de locomotion particulièrement adapté au terrain plat.

Au début du XIXe siècle, pourtant, on considérait cette nouvelle invention comme des plus dangereuses. Il faut dire qu'à l'époque, les machines – les fameuses draisiennes – ne consistaient encore qu'en un cadre muni de deux roues sans freins ni mécanisme d'entraînement. Aujourd'hui, leur maniement n'est pas toujours de tout repos, d'autant que bon nombre de vélos hollandais utilisent encore le rétropédalage comme système de freinage. En outre, un grand nombre de cyclistes ne respectent rien, ni sens interdit, ni feu rouge. Les piétons l'ont souvent appris à leurs dépens.

Dans les années 1960, les Provos comprirent le caractère « militant » de ce mode de transport et le profit qu'ils pouvaient en tirer pour défendre leurs convictions écologistes. Ils mirent à la disposition de tous des vélos blancs à prendre et à laisser sur place. Un décennie plus tard, la « petite reine » conquit les responsables politiques, et, en 1978, les élus d'Amsterdam, préoccupés par la fréquence croissante des embouteillages, lancèrent un programme destiné à aménager de nombreuses pistes cyclables dans la ville qui s'y prêtait d'ailleurs fort bien, avec ses berges étroites et ses ruelles exiguës. Soucieux de préserver leur environnement, les Amstellodamois ont littéralement plébiscité les bicyclettes, dont le flux incessant – la capitale en compte près de 550 000 – donne à la ville un perpétuel air de vacances.

Présent sur le marché dès la fin du siècle dernier, avec des marques comme Simplex ou Hinde-Rywielen, les Pays-Bas produisent aujourd'hui environ 900 000 bicyclettes par an et se sont taillé une réputation internationale dans le domaine du vélo urbain de luxe. En Hollande, et singulièrement à Amsterdam, la diversité des vélos est infinie. Peints de couleurs vives, affublés de sièges pour enfants et de paniers pour animaux, ils sont presque toujours personnalisés. Malgré les antivols sophistiqués, ils disparaissent chaque année par milliers. Sur les canaux se joue parfois le spectacle insolite d'une barge repêchant les carcasses de ce butin abandonné. Le grand chic consiste donc à se balader sur un engin bosselé, fatigué et sans phares.

L'URBANISME

Les Néerlandais étaient 2,8 millions en 1830, 6 millions à la veille de la Première Guerre mondiale, et ils sont aujourd'hui plus de 15 millions. Impressionnante en soi, cette explosion démographique, qui a culminé à la fin des années 1970, l'est encore davantage en termes de densité au km². En 1859, les Pays-Bas comptaient 101 hab./km², 279 en 1945, et 431 en 1987. A titre de comparaison, ce chiffre est de 97 hab./km² en France, supérieur à 200 en Allemagne et de

immeubles ou à la restauration de ceux déjà existants. Ces dernières années, la municipalité a mis sur pied une véritable politique urbaine. Celle-ci comporte naturellement un volet relatif au logement, beaucoup plus rigoureux et réaliste que par le passé, mais qui demeure un instrument essentiel de son action sociale.

Les Amstellodamois ont vu disparaître avec soulagement la pratique, tant décriée dans les années 1970, et qui consistait à revaloriser des quartiers entiers en évacuant les locataires pour rénover leurs maisons. La nouvelle approche, moins brutale, consiste à réhabiliter progressivement les

l'ordre de 330 en Belgique. De plus, la population est inégalement répartie : 38,5 % habitent la Randstad, 11 % le Nord, 23 % le Sud et 2,5 % la Zélande.

Rien d'étonnant dès lors que les Néerlandais connaissent un problème de logement. D'autant qu'à ce manque d'espace s'ajoute une fréquente réticence à habiter des logements collectifs (plus de 70 % de la population occupe un habitat individuel).

Le cas d'Amsterdam

La question du logement est l'un des problèmes majeurs d'Amsterdam et ne saurait se résumer à la construction de nouveaux

rues délabrées en restaurant les maisons une à une et en préservant le tissu social du quartier. Cela explique la présence de grands conteneurs jaunes devant les maisons en réhabilitation : ils servent de garde-meubles temporaires.

En créant plus de logements urbains, la municipalité espère conserver à la ville son caractère résidentiel, son animation et ses emplois. Depuis 1950, 143 400 nouveaux appartements ont été mis à la disposition de locataires à bas ou moyens revenus. Si, jusqu'en 1970, 90 % de ces logements se situaient en banlieue, on prévoit actuellement que 25 % des futurs logements seront réalisés dans le centre-ville. L'objectif de la municipalité est de ramener le nombre d'habitants résidant dans le centre à 720 000 personnes.

Propriétaire de 70 % des terrains de la ville, la municipalité joue dans ce domaine un rôle d'initiateur et de coordonnateur. Une grande partie de l'important secteur résidentiel qui s'étend au-delà du Grachtengordel (lire pages 46-47) fait l'objet de contrats de leasing, la ville concédant des baux à long terme à des promoteurs immobiliers qui s'engagent à construire des logements neufs ou à restaurer les maisons existantes pour les louer. Une proportion déterminée de logements est réservée à un liste d'attente. Dans le centre-ville, il faut patienter en moyenne six ans. Auprès des propriétaires privés, la compétition est parfois plus brève, mais infiniment plus rude. En un mot, la location d'un appartement demande des relations. Ceux qui n'en ont pas sous-louent à des intermédiaires, ou à des locataires disposés à partir moyennant un dédommagement financier. Une « reprise » (en réalité, les honoraires de l'intermédiaire ou l'indemnité de l'occupant) est fréquemment versée pour bénéficier d'une sous-location illégale. Pour un appartement de trois pièces, elle peut atteindre 1 000 Fl, soit trois mois de loyer.

large éventail de revenus. Comparés à ceux de Londres ou de Paris, les loyers sont étonnamment abordables – mais ils devraient grimper, car les promoteurs ne pourront rénover les appartements de haut standing suffisamment vite pour les hommes d'affaires qui ont les moyens et l'envie de s'installer au cœur de la ville.

Amsterdam est actuellement la seule grande ville qui souffre d'une pénurie d'appartements de luxe. Dans les quartiers à la mode, les logements sont attribués sur

A gauche, un sex-shop dans le quartier rouge d'Amsterdam ; ci-dessus, un marché aux chevaux dans la Drenthe.

La politique d'éviction

Au début des années 1970, de nombreuses entreprises ayant fui le centre, un grand nombre de belles maisons anciennes se sont retrouvées disponibles, tandis que la ville manquait de fonds pour les restaurer. « Squatter » devint un mode de vie très répandu chez les jeunes désireux de bénéficier d'une résidence peu onéreuse au cœur de la ville tout en acceptant de la rénover à leurs frais. Il n'était alors pas très difficile d'établir un « squat » : d'abord, changer les serrures, puis enlever les planches qui condamnaient les fenêtres. Ensuite, si la maison ne faisait pas partie d'un plan de rénovation immédiate, on pouvait s'installer sans grand risque d'être délogé, hormis l'hypothèse lointaine d'une action légale de la municipalité. Cette mode a largement contribué à la réhabilitation de quartiers sinistres et désertés.

Le début des années 1980 a marqué la fin de cette époque bon enfant. La municipalité commença par réduire le soutien qu'elle apportait aux squatters, puis elle développa la construction dans le centre-ville et, enfin, elle convertit les squats en locations à titre onéreux. Les autorités locales avaient prévu de reloger à leurs frais les occupants «illégaux» au fur et à mesure de la rénovation

de prendre la mer. Les anneaux sont vendus au même titre qu'un terrain à bâtir. Ainsi, un emplacement tranquille derrière la Westerkerk peut coûter 30 000 Fl, soit 100 000 FF. Tout compte fait, de l'avis des Amstellodamois, vivre sur l'eau ne revient pas moins cher que dans un appartement.

Néanmoins, le charme de ce mode de vie est indéniable, et cela d'autant plus que le nettoyage des canaux entamé il y a dix ans commence à porter ses fruits. L'un des premiers résultats est le retour des poissons, des canards et des cygnes, qui avaient quitté leurs eaux pour cause d'insalubrité. Dominique Fernandez écrivait en 1977 : «Beau-

des maisons, mais ces promesses se sont heurtées à des difficultés économiques, et à la pression de candidats à la location plus solvables.

Vivre sur l'eau

Quel visiteur n'a rêvé d'arriver à Amsterdam en bateau et de s'amarrer le long du Prinsengracht ? Ce rêve est malheureusement illusoire car le nombre d'anneaux est strictement limité à 2 600 et il n'y en a plus un seul de libre. Environ 5 000 personnes vivent sur l'eau, que ce soit sur des plaques de ciment flottantes, des péniches aménagées ou, cas plus rare, des bateaux capables

coup de ces embarcations, péniches mais aussi coques de toute espèce et de toutes dimensions, étaient abandonnées quand les jeunes, en quête d'un logement, mais ce n'est peut-être pas la seule explication, ont entrepris leur reconquête pacifique. Certaines sont louées, d'autres achetées, toutes soumises à une réfection qui les adapte aux nécessités d'un long hiver non moins qu'aux exigences du rêve.» Le plus souvent, de véritables jardins poussent sur le pont et il règne à l'intérieur une propreté exemplaire. Ces embarcations n'étant pas faites pour naviguer, les occupants les mieux nantis ont, pour la plaisance, un deuxième bateau, à voile celui-ci, attaché au flanc du premier.

Il ne faut qu'une heure, dans le meilleur des cas, pour atteindre l'Ijsselmeer.

Bijlmermeer, un quartier sans âme

Dans un registre radicalement opposé, le quartier moderne de Bijlmermeer apparaît, lorsqu'on l'observe depuis la station de métro aérien, comme un ensemble de constructions contemporaines du dernier cri. Mais, derrière les façades luxueuses qui abritent les sièges sociaux des grandes entreprises, une galerie commerciale en plein air mène à une forêt de gratte-ciel en ciment qui jettent le discrédit sur l'ensemble.

Cette expérience d'urbanisme social, conçue dans les années 1960 pour fournir 50 000 logements à la population sans cesse croissante de la ville, s'est révélée un échec qui a coûté cher aux responsables de la municipalité. Le taux de criminalité et le nombre de toxicomanes y sont les plus importants de tout le pays. Le véritable problème de Bijlmermeer, a avoué un fonctionnaire municipal, est que les gens pour lesquels on l'avait construit n'ont jamais voulu y habiter. Ils ont préféré rester dans

A gauche, l'intérieur d'une maison de pêcheur dans l'île de Marken, ci-dessus, ameublement rustique au Musée en plein air d'Arnhem.

les quartiers déshérités de la ville, là où il y avait des cafés, des marchés, de l'animation et des loyers modérés.

Les nombreux immigrants qui sont arrivés à Amsterdam au moment de l'indépendance du Surinam en 1975 ont été dirigés vers les immeubles vides de ce quartier. Ils sont aujourd'hui 35 000 à y résider, ce qui en fait la deuxième communauté surinamienne du monde. Ayant gardé des liens étroits avec le continent sud-américain, ils ont pu installer dans les galeries des magasins où l'on trouve des tissus et des aliments traditionnels, l'épicerie faisant souvent office d'agence de voyages. Les familles sont nombreuses, et le chômage élevé. Les Surinamiens, qui parlent bien le hollandais, forment la plus grande communauté immigrée (5 %) et bénéficient, en tant que ressortissants d'une ancienne colonie de la Couronne, des mêmes droits que les citoyens néerlandais. Pourtant, les relations entre les Hollandais et cette communauté n'ont pas cessé de se détériorer au fil du temps.

Les autres communautés immigrées habitent la périphérie de la vieille ville. Actuellement, les immigrés constituent 25 % de la population d'Amsterdam et l'on estime que la moitié des enfants scolarisés viennent de familles non hollandaises.

Après les Surinamiens et les Indonésiens, les plus importantes communautés sont les Turcs (35 000) et les Marocains, qui immigrèrent dans les années 1960. Le gouvernement s'efforce aujourd'hui, en vain, de les renvoyer dans leur pays d'origine moyennant une compensation financière. Ils habitent essentiellement des bâtiments municipaux édifiés dans les banlieues est et ouest d'Amsterdam. Les musulmans de la première génération forment une communauté très soudée, qui a eu du mal à s'intégrer. Si la langue est l'obstacle essentiel, ils s'adaptent également mal à la culture et reprochent aux Hollandais, souvent athées, leur mépris de Dieu.

De Pijp, au sud de Frederiksplein, est un quartier ouvrier qui abrite beaucoup de logements sociaux. Turcs, Marocains, Surinamiens et Hollandais y cohabitent mieux qu'ailleurs dans la ville. Sans doute parce que tous les habitants disposent du même niveau de revenus et qu'ils sont tous jeunes. A l'est du jardin zoologique, Dapperplein offre les mêmes caractéristiques.

LES JARDINIERS DE L'EUROPE

Environ la moitié de la superficie des Pays-Bas, soit un peu plus de 2 millions d'hectares, est consacrée à l'agriculture (tous secteurs confondus). Fortement mécanisée, l'agriculture néerlandaise emploie de moins en moins de personnes (4 % de la population active) mais n'en demeure pas moins un secteur d'activité important, notamment par ses exportations.

Agriculture et élevage

Le choix de telle ou telle activité est dicté par la nature des sols. L'abondance des sols sableux, auxquels s'ajoutent ceux conquis sur la mer, explique que les pâturages occupent 59 % des surfaces agricoles. Ces prairies, constamment vertes, alimentent en herbage l'énorme industrie laitière néerlandaise (12 millions de tonnes de lait par an). Les terres suffisamment fertiles pour les productions agricoles traditionnelles (principalement les céréales, la betterave sucrière et la pomme de terre) en représentent 35 %. Le reste est consacré à l'horticulture (culture maraîchère, floriculture et culture en serre).

Outre l'industrie laitière, les Pays-Bas se sont spécialisés dans l'élevage intensif (porcs, veaux, volaille). Grâce à des méthodes d'élevage à hauts rendements, les éleveurs néerlandais possèdent un impressionnant cheptel : environ 15 millions de cochons, 5 millions de bovins et 90 millions de poulets.

Si la plupart de leurs voisins, et notamment l'Allemagne, sont confrontés à de difficiles problèmes de recyclage des déchets industriels, les Pays-Bas ne savent que faire de leurs déchets agricoles. L'élevage produit en effet plus de 90 millions de tonnes de fumier et de déchets divers par an, soit le double de la quantité nécessaire à la fertilisation des terres. La teneur excessive de ces substances dans le sol en a déjà, dans certaines régions, dangereusement augmenté

Pages précédentes et page de gauche : les parterres de tulipes et de plantes à bulbe du parc floral de Keukenhof au printemps. A droite, préparation de la foire aux fleurs d'Eelde, dans le Drenthe.

l'acidité. A long terme, ces produits menacent également l'eau des nappes phréatiques. Pour l'heure, le gouvernement a réglementé l'épandage et créé des centres de stockage destinés à recevoir les déchets inutilisés en attendant que de nouvelles méthodes de recyclage soient mises au point.

L'horticulture

L'horticulture (fleurs, bulbes, fruits et légumes) rapporte environ 43 milliards de florins à l'exportation, principalement vers les pays de l'Union européenne. Cette acti-

vité représente au total 25 % des exportations de l'ensemble du secteur agricole qui, fort de ses produits chers – fleurs et bulbes rapportent davantage que les céréales –, se place au troisième rang mondial pour les exportations, derrière les États-Unis et la France.

La seule région comprise entre Amsterdam et Rotterdam produit plus de fleurs coupées que le reste du monde. Dans le domaine des plantes en pots également, les Néerlandais dominent le marché mondial, mais la concurrence y est plus rude. Les exportations néerlandaises représentent 58 % du marché mondial, suivies par celles des Danois, 18 % et des Belges, 14 %.

Culture en serre

Les Pays-Bas comptent 9 200 ha de serres modernes, équipées des perfectionnements technologiques les plus récents. Les deux tiers de cette surface sont consacrés aux cultures maraîchères (fruits et légumes), le reste étant réservé à la floriculture.

Les Néerlandais ont été parmi les premiers à appliquer sur une grande échelle les techniques modernes de culture en serre. La terre y est remplacée par une substance granuleuse poreuse, régulièrement enrichie par des engrais. Éclairées et chauffées artificiellement, ces serres produisent toute l'année des tomates, des concombres, des aubergines, des salades et des fraises, exportés dans le monde entier.

L'augmentation constante du coût de l'énergie depuis vingt ans a conduit les horticulteurs néerlandais à sélectionner des espèces plus résistantes au froid et nécessitant moins de lumière. Tant d'amélioration des espèces font des nouvelles variétés de fruits, de légumes et de fleurs des produits précieux protégés par le secret industriel. Afin de rendre impossible le « repiquage sauvage », les laboratoires de recherche agronomique néerlandais travaillent à la sélection de variétés stériles.

La bulbiculture

La bulbiculture occupe environ 70 000 personnes sur une surface de 16 000 ha, dont plus de la moitié sont consacrés au seul bulbe de tulipe. Avec une production annuelle de plus de 8 milliards de bulbes, l'horticulture néerlandaise approvisionne 70 % du marché mondial. Elle traite deux catégories de plantes : celles à bulbe – tulipes, jacinthes et glaïeul – et celles à racine rhizomateuse (dahlia). Ces oignons sont destinés soit à la vente « en sec », en plants pour les jardins, soit au forçage, pour la production de fleurs en serre.

La plantation des bulbes et des rhizomes se pratique soit en automne (perce-neige, anémone blanda, tulipe botanique, tulipe de Darwin, jacinthe, jonquille), la floraison est alors printanière, soit au printemps (glaïeul, dahlia, bégonia, lis, acindanthera, freesia) pour une floraison estivale. On coupe les fleurs (l'écimage) peu après la floraison, de sorte que le bulbe en terre profite des réserves nutritives initialement desti-

nées à la fleur. La récolte des bulbes et des rhizomes intervient deux à trois mois après l'écimage. Après la récolte, on les trie ; les plus gros, destinés au forçage, sont stockés à température variable suivant la période de floraison. La bulbiculture est une activité essentiellement saisonnière. Pendant les mois d'hiver, les horticulteurs pratiquent la culture des fleurs en serres chauffées.

Aux Pays-Bas, près de 85 % des fruits et des légumes et 90 % des fleurs sont vendus aux enchères, grâce au système du cadran. Fierté des Hollandais, la bourse aux fleurs d'Aalsmeer, la plus grande installation de ce genre au monde, est l'un des quarante et

un « établissements » du pays à posséder ce dispositif de mise aux enchères.

Le principe en est simple : pour chaque lot, l'aiguille du cadran indique un prix décroissant et des courtiers, installés à des pupitres et agissant pour le compte de différents acheteurs, arrêtent l'horloge lorsque le prix leur convient. L'offre la plus élevée emporte alors la meilleure partie du lot. L'enchère se poursuit jusqu'à ce que le lot soit entièrement vendu. Ce procédé, très répandu aux Pays-Pas, présente l'avantage d'écouler un grand volume de marchandises par petites quantités (permettant ainsi une évaluation fine de la qualité) et de fixer quotidiennement le cours de chaque fleur.

Autrefois, les acheteurs se réunissaient dans les champs et contrôlaient directement la qualité des récoltes avant de négocier leur prix. Désormais, cette pratique appartient au folklore. La fiabilité des techniques de culture et les normes de qualité respectées par les producteurs permettent de vendre à l'avance les récoltes futures.

Dites-le avec des fleurs

Rares sont les maisons ou les appartements néerlandais qui ne possèdent ni bouquets de fleurs, ni plante verte en pot au coin des fenêtres. A la campagne, une maison digne

de ce nom se doit de comporter un jardin. Les statistiques nous apprennent que seuls les Japonais consomment plus de fleurs que les Néerlandais, qui y consacrent un budget annuel de l'ordre de 75 florins (soit environ 270 francs).

Familiers du langage des fleurs et de leur code, les Néerlandais offrent des bouquets qui sont autant de messages. Ainsi considère-t-on en Hollande comme une faute de goût un bouquet comportant moins de dix

A gauche, costume traditionnel et tulipes dans le parc floral de Keukenhof, près de Lisse; ci-dessus, croquis d'une tulipe et d'une araignée parasite par Balthasar Assteyn.

fleurs. Sachez également que la tulipe jaune est la fleur à offrir lorsqu'un anniversaire tombe le 21 mai. Mais attention, la tradition veut que ce jour-là une fleur jaune révèle une passion secrète. Il suffit alors de présenter le bouquet à l'envers pour éviter de faire rougir votre hôtesse, ou votre hôte.

Botanistes et naturalistes

Plus versés dans l'étude de la nature que dans les spéculations philosophiques, les Néerlandais figuraient déjà aux XVIe et XVIIe siècles parmi les meilleurs botanistes et naturalistes d'Europe. Bon nombre d'entre eux s'illustrèrent dans l'étude des plantes exotiques, comme François Valentijn (1656-1727), naturaliste hollandais, auteur d'un ouvrage sur la faune et la flore des Indes orientales, H. De Jager (1642-1705) qui composa *L'Album des plantes de Java*, ou H. d'Acquet (1632-1706) échevin et maire de Delft, naturaliste passionné, qui commandait aux marins et aux fonctionnaires de la VOC ce qu'il jugeait utile pour enrichir sa remarquable collection.

Fondé au XVIIe siècle par de riches commerçants également mécènes, l'Hortus Botanicus (jardin botanique) d'Amsterdam s'enrichit des plantes exotiques rapportées par les navires de la Compagnie des Indes orientales et diffusées ensuite dans toute l'Europe, et parfois plus loin, comme le café que Louis XIV fit planter en Amérique, ou le palmier à huile que l'on trouve aujourd'hui en Indonésie. De même, l'université de Leyde fut l'une des premières d'Europe à compter un institut de botanique (le jardin fut créé en 1587) où enseignèrent d'éminents savants : Rembert Dodoens (1517-1585), ou Hermann Boerhaave (1668-1738), tous deux médecins et botanistes.

La passion des tulipes

Les tulipes possèdent un bulbe très particulier, qui disparaît complètement pendant la pousse du feuillage et se reforme ensuite. Elles présentent des feuilles engainantes et six pétales vivement colorés. Les espèces botaniques portent de une à cinq fleurs par tige. Peu de tulipes sauvages ont servi à l'élaboration des variétés et de nouveaux hybrides peuvent toujours apparaître. Les manipulations génétiques et la culture *in vitro* permettent de nouvelles créations, en particulier de souches indemnes de viroses.

En horticulture, on distingue les espèces botaniques, qui connaissent actuellement un regain d'intérêt, et les variétés cultivées – il en existe officiellement plus de 4 000 –, regroupées en treize catégories horticoles selon leur lignée et leur époque de floraison.

Le grand essor des tulipes date du début du XVIᵉ siècle, quand les ambassadeurs européens découvrirent, dans les jardins turcs, des fleurs éblouissantes, appelées *tulpan* ou *tulpam* (« turban »), ce qui allait devenir tulipe. D'emblée la culture des plantes à bulbe connut aux Pays-Bas un proportions inhabituelles pour l'époque, rien ne permettant en effet de donner une valeur réelle – liée à une utilité – à des bulbes dont la floraison restait incertaine. On rapporte qu'un bulbe de tulipe blanche *Semper Augustus* s'échangea pour la somme colossale de 9 000 florins.

Cette passion collective, essentiellement localisée en Hollande, s'empara progressivement des classes moyennes, provoquant la fureur des pasteurs, dont les sermons se remplirent de violentes imprécations contre les bulbes diaboliques. En effet, si l'Église calviniste encourageait le profit dignement acquis par le travail et le mérite, elle pour-

essor important. Elle se localisa dans la zone des anciennes dunes, notamment en Hollande, le long de la côte et en amont des estuaires dont le terrain calcaire et sablonneux se révéla particulièrement approprié à ce type de culture. Tandis que les quelques espèces méditerranéennes demeuraient dans l'anonymat, les bulbes importés d'Orient, d'abord sélectionnés puis adaptés au climat, faisaient ensuite l'objet de spéculations et de manipulations sans précédent.

L'incertitude d'une récolte à l'autre et la demande croissante de tulipes provoqua, dans les années 1630, une envolée spéculative du prix des bulbes. Ce phénomène, significatif d'une économie riche, prit des fendait les jeux de hasard et la spéculation. L'augmentation de l'offre de tulipes et l'apparition sur le marché de nouvelles espèces (jonquille, lis, crocus, iris, jacinthe, dahlia et glaïeul) ramena le prix des bulbes à un niveau raisonnable. Le développement, au tournant de ce siècle, de la culture en serre transforma radicalement le marché des fleurs, la rose s'imposant comme le produit phare de cette industrie, une tendance qui n'a cessé de se confirmer depuis, reléguant la tulipe au quatrième rang derrière le chrysanthème et l'œillet.

Ci-dessus et à droite, la bourse aux fleurs d'Aalsmeer.

LA « BOLLENSTREEK »

La première ferme spécialisée dans la culture des fleurs s'établit il y a environ deux siècles à Aalsmeer, lorsque les maraîchers locaux décidèrent d'abandonner la culture des fraises pour se consacrer à la floriculture, alors au début de son essor. Aujourd'hui, Aalsmeer et sa région demeurent le centre de la floriculture néerlandaise.

Les zones de bulbiculture se trouvent presque toutes à l'ouest du pays, le long du littoral. La plus importante de ces *bollenstreek* forme un corridor encadré à l'ouest par les dunes et à l'est par les exploitations laitières et s'étend du nord au sud entre Amsterdam et Rotterdam. Organisée en plans rectilignes serrés, cette région regroupe les champs de tulipes les plus vastes, des serres, des laboratoires de recherche agronomique et plusieurs centres de vente aux enchères.

Le printemps est naturellement la saison la plus propice à la découverte de ces mosaïques de couleurs incrustées dans le paysage hollandais. Si les fleurs commencent à s'épanouir fin mars, les dernières semaines d'avril offrent le taux de floraison le plus élevé. Ce spectacle attire des dizaines de milliers de visiteurs; les routes, les chemins et les sentiers qui sillonnent les dunes se remplissent d'automobilistes, de cyclistes et de piétons venus admirer ce tableau vivant où dominent les rouges et les jaunes, rehaussés de touches de vert, d'orange et de rose et jalonnés de taches bleues (les serres).

Mais la beauté de ce spectacle n'a d'égale que sa brièveté. Il ne dure en effet pas plus de sept à dix jours. La floraison n'a pour but que de s'assurer que le bulbe est sain et qu'il porte bien une fleur de la teinte et de la forme prévues. Plus longue est la floraison, plus grande est la quantité de réserves nutritives que le bulbe doit consacrer à la fleur. Or les bulbiculteurs ont surtout intérêt à ce que le bulbe produise plusieurs générations de fleurs avant de se vider de ses ressources. Les tulipes sont ensuite fauchées mécaniquement (l'écimage) puis mises en tas sans ménagement.

Compte tenu des distances et du relief, la bicyclette constitue le moyen de locomotion le plus pratique. On en loue presque partout et les itinéraires sont très clairement indiqués. Pour vous faciliter la tâche, l'office du tourisme a sélectionné les meilleurs points de vue jalonnant un itinéraire allant d'Alkmaar à La Haye, long de 112 km et réalisable en deux étapes. Tout aussi agréable, l'itinéraire s'étend sur une soixantaine de kilomètres entre Leyde et Haarlem.

« Le plus grand spectacle floral du monde », comme l'ont intitulé ses organisateurs, se tient chaque printemps dans le parc floral de Keukenhof, près de Lisse. Les 28 hectares du parc, sillonnés par de nombreux canaux, offrent au visiteur 16 km de sentiers bordant des parterres de fleurs, des expositions abritées ou à ciel ouvert et trois cafétérias. Plus de 500 000 visiteurs viennent admirer le parc pendant les neuf semaines de floraison. Ce site, le domaine du château de Keukenhof, fut confié par son propriétaire, le comte Van Lynden, à un jardinier qui en fit un lieu permanent d'exposition florale à partir de 1949. Il n'ouvre ses portes que pendant les dernières semaines de mars, au moment où fleurissent les premiers crocus. Puis vient le tour des tulipes (à la mi-avril), suivies des jonquilles et des jacinthes.

Située au sud d'Amsterdam, la bourse aux fleurs d'Aalsmeer (lire page 104) fut fondée en 1911. Elle est le plus ancien établissement de ce genre dans le monde, et le plus important en surface (30 ha), comme en volume de transaction (50 000 contrats par jour).

GASTRONOMIE

La gastronomie néerlandaise est traditionnellement copieuse, simple et variée. Si le Sud catholique demeure fidèle au poisson du vendredi, le Nord calviniste reste attaché à sa cuisine solide et sans fioriture. Aux grandes tendances qui caractérisent les cuisines du Nord et du Sud (le ragoût d'origine espagnole au sud, la soupe au nord) s'ajoutent d'importantes nuances locales.

Cuisines régionales

Le plat traditionnel d'Arnhem est un ragoût qui ressemble assez au goulasch hongrois. On y prépare également une salade de crudités agrémentée de saucisses. La pâtisserie locale, le *vlaai*, est un cake aux fruits (cerises, pommes ou prunes).

Couvertes de forêts et de tourbières, les hautes terres du Limbourg, entre Maastricht et Venlo, sont fréquentées par un gibier abondant : sangliers, lièvres, lapins, faisans, perdrix, et cailles. Ces régions ont la réputation d'accommoder de délicieux plats de gibier mijotés dans du vin ou du cognac. Le *Jachtschotel*, le « plat du chasseur », consiste en un ragoût de venaison accompagné de purée, couvert de pommes en tranches et de chapelure, et servi avec des choux rouges. Dans les restaurants, la volaille (poulet, dinde, canard, pintade) est fréquemment servie avec une sauce aux pommes, ou des poires cuites dans du vin rouge.

Les habitants de Leyde qui possèdent un tant soit peu la fibre « patriotique » commémorent le 3 octobre, date de la fin du siège de la ville par les Espagnols en 1574, en dégustant le *hustpot*. La tradition veut qu'un gamin de la ville mourant de faim ait franchi alors les remparts dès les soldats partis afin de trouver quelque chose à manger. Dans le camp déserté, il découvrit un chaudron encore chaud où mijotait un ragoût de viandes et de légumes, le fameux *hutspot*, préparé avec de la viande de bœuf, des pommes de terre et des oignons.

Pages précédentes : les barons de l'huître de Yerseke, en Zélande. A droite, la manière traditionnelle de déguster les harengs.

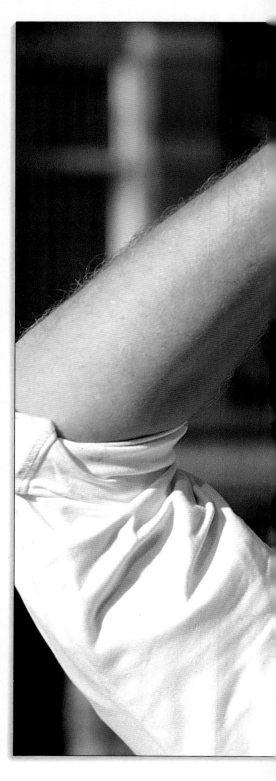

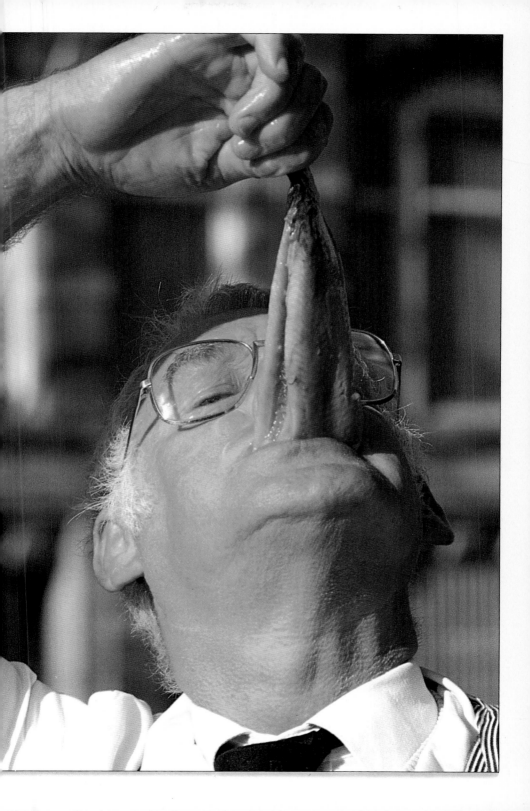

Le poisson et les fruits de mer sont indissociables de la gastronomie néerlandaise. L'ostréiculture et la mytiliculture de Zélande (notamment autour de Tholen) produisent huîtres et moules en abondance. On les déguste selon les années – lorsque la chaleur est trop forte, la saison est retardée – de juillet à février, et parfois jusqu'au début mars.

La pêche côtière fournit également des crevettes, des coquilles saint-jacques, des crabes et des homards. La pêche hauturière pratiquée à partir des ports de IJmuiden et de Scheveningen et de Urk se concentre en priorité sur les espèces économique-

saveurs exotiques. Des plats hybrides sont ainsi nés au contact de la gastronomie indonésienne. Le poulet au *saté*, traditionnellement servi avec une sauce aux cacahuètes sur un lit de citrons, se réduit désormais le plus souvent à une viande grillée (bœuf, veau ou mouton) sur une petite brochette de bambou.

De même le *gado gado*, une salade chaude d'avocats, de germes de soja et de beignets de crevettes également accompagnée d'une sauce aux cacahuètes, s'est transformé en un classique assortiment de légumes et de crudités (haricots verts et blancs, carottes, pommes de terre, oignons,

ment les plus rentables : la sole, le hareng, l'éperlan et le maquereau, mais le turbot, le bar, la truite de mer et le saumon ne sont pas absents des tables hollandaises.

L'action des hommes et des marées a créé aux Pays-Bas, à partir de l'eau salée de la mer du Nord et de l'eau douce des fleuves, toute une variété d'eau plus ou moins saumâtre que fréquentent des espèces comestibles comme le mulet, le flet, le sandre et surtout l'anguille qui, fumée, est une des spécialités du Maarkenland.

Quant à la cuisine des ports et des grandes villes, jadis étroitement liés au commerce avec les colonies, elle a conservé le goût des épices et s'est enrichie de

épinards) surmonté d'un œuf dur. Mais que les amateurs de piment se rassurent, La Haye, Amsterdam et Rotterdam comptent sans doute les meilleurs *ristaffel*, « tables de riz », d'Europe.

Ces restaurants indonésiens proposent une grande variété de recettes servies le plus souvent avec du riz, d'où leur nom. C'est l'occasion de se familiariser avec le *sambal telor* (des œufs servis dans une sauce très pimentée), le *sambal oedang* (des crevettes également accompagnées d'une sauce très relevée), le *babi pangang* (du cochon de lait rôti dans une sauce pimentée amère), l'*atjar ketimoen* (des morceaux de concombre marinés dans le vinaigre), ou le *pisang goreng* (des bananes frites dans une sauce au miel).

Boissons

Autour de la période de Noël, le Bissechopwijn (le « vin de l'évêque ») fait son apparition. Il s'agit d'un vin chaud épicé des plus remontants. Il est d'usage d'accompagner chaque gorgée d'un vigoureux *Proost*, ou *Gezondheid* (« à votre santé »).

Contrairement à un préjugé très répandu, ce sont les Néerlandais, et non les Anglais, qui, les premiers, ont importé du

entier : les Pays-Bas sont un pays de bière. Blondes ou brunes, légères (les *pils*) ou fortes comme la bière d'Amsterdam, la Colombus, qui n'affiche pas moins de 9°, la boisson fermentée règne en maître sur les tables néerlandaises.

Le genièvre, *jenever*, est un alcool fort distillé à partir de moût de céréales et de baies de genévrier. On le déguste de préférence dans un *proeflokalen* (un bistrot où l'on sert surtout des alcools forts) : commandez un *borrel* (un petit verre) de *Jounge* (du genièvre jeune), ou de *Oude* (du genièvre vieilli). Clair et fluide lorsqu'il est jeune, le genièvre prend en

thé en Europe, et certains cafés d'Amsterdam ont conservé la tradition des thés de grande qualité. Les cafés (servi avec de la crème) et les cacaos hollandais jouissent également auprès des connaisseurs d'une grande réputation. L'hiver, le chocolat est, par excellence, la boisson des patineurs et l'on trouve de petits débits de chocolat chaud le long des canaux gelés.

Des marques telles que Heineken (premier exportateur mondial de bière) et Amstel le proclament dans le monde

A gauche, un Haringspecialist *dans la Albert Cuypmarkt, à Amsterdam ; ci-dessus, les anguilles fumées de Volendam.*

vieillissant une teinte jaune pâle et un arôme plus parfumé.

Des remèdes contre le froid

Les hivers rigoureux à terre comme en mer ont favorisé une cuisine riche en matières grasses et en hydrates de carbone (légumes farineux et féculents) très énergétique et indispensable pour conserver la chaleur du corps. L'origine de la soupe aux pois cassés ou *erweten seup* remonte au moins au siècle d'or. Avant leurs voyages à travers le monde et à leur retour, les marins appréciaient ce plat riche et sain, reconstituant idéal. De plus, grâce à ses ingrédients bon marché (pois cassés, pommes de terre, poireaux, céleri, pieds de porc, saucisses et lard), cette soupe a toujours été un plat populaire. Elle fait aujourd'hui partie du patrimoine culinaire néerlandais, toujours dégustée (quoique moins fréquemment), au même titre que le *stamppot van boerenkool met worst*, un plat mijoté à base de chou et de saucisses, ou le *hutspot*.

Mais les goûts changent et beaucoup de jeunes Néerlandais jugent ces plats pratiquement immangeables. Ils leur préfèrent de loin les nombreux types de *snacks* – agrémentés de frites accompagnées de

Outre l'international hot dog, les Néerlandais consomment des sandwiches, ou des croissants, garnis d'éléments plus originaux. Seuls ou combinés, voici les produits que l'on rencontre le plus souvent : le jambon (blanc ou fumé), le pâté de foie, le steak tartare, le fromage, la salade, les anguilles fumées, les crevettes, et naturellement les harengs fumés.

Produits sur place en abondance et toute l'année, fruits, légumes et crudités occupent une place de choix dans le régime alimentaire des habitants. Pommes de terre, chou frisé, chou cuit ou mariné dans le vinaigre (*zuurkool*), pois cassés, et haricots blancs

mayonnaise – que l'on trouve un peu partout et qui sont tout aussi représentatifs de la gastronomie néerlandaise.

Une nourriture simple

Cru ou fumé, nature ou accompagné de cornichons ou d'oignons, avalé tel quel ou entre deux tranches de pain (les *broodje haring* sont de petits sandwichs au hareng), disponible à toute heure et presque partout, le hareng demeure la vedette incontestée de la restauration rapide. Au printemps, les Néerlandais se précipitent pour goûter les *nieuwe haring*, les premiers harengs de la saison.

sont typiquement les légumes de l'hiver. Au printemps et au début de l'été, asperges, haricots verts, petits pois, courgettes, artichauts, aubergines, carottes, épinards et plusieurs variétés de salades font leur apparition sur les tables néerlandaises.

Pains et pâtisseries

La boulangerie néerlandaise offre une grande variété de produits allant du pain de mie blanc assez fade jusqu'au pain de seigle (*roggebrood*), plus ou moins noir, traditionnellement consommé avec du lard et de la soupe aux pois. On trouve également du pain complet et du pain aux raisins. Le *ontbijtkoek*, ou *koek*, est un pain épicé, souvent dégusté simplement avec du beurre, dont la recette varie selon les régions et les villes.

Les Néerlandais adorent les pâtisseries pourvu qu'elles soient couvertes de crème fouettée, ou fourrées avec des confitures de fruits. Ils dégustent également beaucoup de crêpes : des crêpes Suzette, des crêpes brésiliennes, fourrées avec de la glace à la vanille et recouvertes d'une sauce chaude composée de chocolat et de café, ou des crêpes simplement nappées de sirop d'érable. A la maison, le dessert consiste souvent en une sorte de pain

Gouda, mimolette, édam

A la base de la tradition fromagère hollandaise, quelques atouts essentiels favorisent l'élevage : la nature du sol, le climat, la qualité de l'herbe et celle de l'eau. Mais l'arme secrète de l'industrie laitière néerlandaise, c'est peut-être avant tout l'exceptionnelle laitière qu'est la vache pie-noire hollandaise, l'espèce la plus répandue dans le monde et à partir de laquelle se sont développées plus de soixante autres races.

Le principe de fabrication des fromages à pâte pressée, d'une bonne conservation (sa qualité majeure à l'exportation), fut

perdu avec des œufs et des fruits secs. Egalement très appréciée, la *vla* ressemble à une crème anglaise. On la déguste parfumée soit à la vanille, soit au chocolat, soit avec des arômes de fruits. Les Néerlandais sont aussi amateurs de biscuits. Les fameux *Droste* sont de savoureux gâteaux ronds au cholocat noir, au lait ou blanc. Servi avec le thé, le *Stroopwafel* consiste en deux fines gauffrettes enfermant une couche de confiture. On trouve également les traditionnels biscuits au gingembre.

A gauche, saucisses ou jambon, le porc a la faveur des Néerlandais ; ci-dessus, boulanger pâtissier de père en fils dans le Limbourg.

mis au point dès le Moyen Age. Au lait versé dans une grande cuve, on ajoute une culture de ferment lactique et de la présure (substance contenant une enzyme qui fait cailler le lait). Le caillé, découpé et brassé, est séparé du petit-lait pour obtenir une masse de caillebotte qui sera ensuite moulée. Après le pressurage qui lui donne sa forme, le fromage passe plusieurs jours dans un bain de saumure. Les fromages hollandais ont également leurs millésimes. L'édam peut ainsi être dégusté tendre (affiné pendant deux ou trois mois) ou vieilli (affiné pendant une période allant jusqu'à dix-huit mois). Les Pays-Bas sont le premier exportateur mondial de fromages.

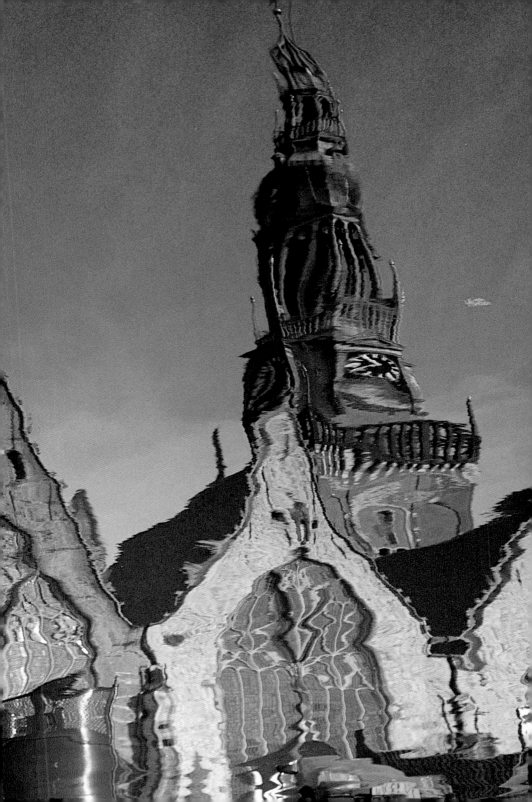

Les Pays-Bas

48 km/ 30 miles

Mer du Nord

ILES *FRISONNES*

BORKUM
ROTTUM
SCHIERMONNIKOOG
AMELAND
TERSCHELLING
Nes
Oostmahorn
Eemshaven
Usquert
Emden

West Terschelling
Oost-Vlieland
Dokkum
GRONINGEN
VLIELAND
Buitenpost
Leeuwarden
Groningen

Wadenzee
Franeker
Harlingen
Drachten
Winschoten
De Cocksdorp
Sneek
FRIESLAND
Oosterwolde
Assen
TEXEL
Afsluitdijk
Heerenveen
DRENTHE
Den Hoorn
Heegermeer
Sneekermeer

Den Helder
De Lemmer
Emmen
Den Oever
Oranje Kan.
Callantsoog
IJsselmeer
Emmeloord
Giethoorn
NOORD
Medemblik
Meppel
Hoogeveen
HOLLAND
Enkhuizen
Coevorden
Bergen aan Zee
Zwarte Meer
Staphorst
Vechte
Alkmaar
Hoorn
Ketelmeer
Kampen
Ommen
Castricum
Nordhorn
Markerwaard
Lelystad
Vecht
IJmuiden
Purmerend
Ootmarsum
MARKEN
Zwolle
Almelo
Zandvoort
Monickendam
FLEVOLAND
Haarlem
OVERIJSSEL
Amsterdam
Deventer
Delden
Hengelo
Bussum
Enschede
Katwijk aan Zee
Hilversum
Apeldoorn
Twenthe-Kan.
Nieuwkoopse
Zutphen
Scheveningen
Loosdrechtse
Amersfoort
plassen plassen
GELDERLAND
Leiden
Utrecht
Winterswijk
Den Haag
(La Haye)
Doorn
Oosterbeek
Arnhem
Doetinchem
Hoek van Holand
Delft
UTRECHT
Coesfeld
Gouda
NEDERLAND
Rijn
Oostvoorne
Rotterdam
(PAYS-BAS)
Bocholt
Ouddorp
Dordrecht
Waal
Maas
Nijmegen
Grevelingenmeer
Brouwershaven
Kleve
Haamstede
Heusden
's-Hertogenbosch
Goch
Wesel
Marl
WALCHEREN
Zierikzee
Willemstad
Gelsenkchn.
Middelburg
N-BEVELAND
Breda
NOORD
Vlissingen
THOLEN
Roosendaal
Tilburg
BRABANT
Geldern
Mülhm.
Goes
Oosterschelde
Helmond
Duisburg
ZEELAND
ZUID-BEVELAND
Bergen
Nuenen
Breskens
Westerschelde
op Zoom
Wuustweezel
Eindhoven
Venlo
Krefeld
Terneuzen
Turnhout
Weert
Neuss
Düsseldorf
Brugge
ANTWERPEN
Roermond
(Bruges)
Antwerpen
Herrentals
M-Gladbach
(Anvers)
Gent
Nethe
Heinsberg
Leverkusen
(Gand)
Mechelen
Sittard
Köln
Tielt
Aarschot
Hasselt
Valkenburg
Geleen
Jülich
Kortrijk
Oudenaarde
Leuven
Heerlen
(Louvain)
Bruxelles
Wavre
Maastricht
Düren
Bonn
(Brussel)
LIMBURG
Aachen
BELGIE
Liège
Rur
ALLEMAGNE
(BELGIQUE)
Talsp.
Tournai
Meuse
Urft
Bad
Dendre
Verviers
Münstereifel
Valenciennes
Mons
Charleroi
Namur
(Namen)
Maas
FRANCE
Maubeuge
St-Vith

ITINÉRAIRES

Venant du sud, on entre dans ce pays par la Zélande, avec ses îles amarrées les unes aux autres par les ouvrages de titan du plan Delta. Sentinelle des Pays-Bas, la Zélande a consacré le meilleur de ses forces à la lutte contre les flots. Le pays a conservé son charme, avec ses côtes découpées, dont certaines sont désormais baignées de lacs d'eau douce, ses villes aux maisons blasonnées et aux ruelles de brique rose, ses magnifiques hôtels de ville et ses petits ports.

A l'est, au-delà du marais du Biesbosch, commence un autre monde, une province adossée aux contreforts des Ardennes, où alternent prairies, bois et bruyères. Brabant-Septentrional et Limbourg, terres catholiques, presque bourguignonnes, terres de mineurs et de paysans pauvres, tardivement et mal insérées dans la communauté nationale, mais devenues en cinquante ans le haut lieu de la technologie néerlandaise. De cette province de vieille noblesse subsistent des châteaux romantiques, perchés sur de petites collines dominant la Meuse. Terres de gibier, de cuisine savoureuse, de carnaval bruyant, en un mot d'exubérance, voici Bois-le-Duc, où des diables sortis de l'imagination de Jérôme Bosch continuent de veiller sur la ville, du haut de la cathédrale. Puis voici Maastricht, objet de toutes les convoitises, la capitale du Sud.

Gagnons l'Utrecht, le centre des Pays-Bas et le plus élégant résumé de toutes les beautés que compte le pays. Châteaux, villes historiques, villages pittoresques et paisibles canaux émaillent un paysage d'une grande variété. Entrons dans Utrecht, la cité fondée par les Romains, devenue le siège d'une puissante principauté épiscopale, la première ville d'Europe où catholiques et protestants vécurent en paix.

A l'ouest de l'ancienne Zuiderzee – cette mer intérieure à présent endiguée, partiellement asséchée et coupée de la mer libre – s'étendent les deux provinces de Hollande, à peine plus qu'une bande de terre, mais peuplées d'hommes intrépides qui, au XVIIe siècle, hissèrent leur jeune république au rang des grandes puissances continentales. La Hollande s'inscrit dans un espace délimité par La Haye, le siège du gouvernement, Rotterdam et la capitale Amsterdam, et jalonnée de petites villes aux noms illustres : Gouda, Delft, Leyde, Haarlem, Alkmaar, Hoorn, Edam, et bien d'autres. Ce sont les paysages hollandais composés de canaux, de moulins, de prairies vertes, de bouquets de roseaux, de champs de tulipes, leur lumière et leur architecture qui ont inspiré les grands peintres du siècle d'or.

A l'est commence un autre pays, fait de tourbières, de landes, de bruyères et de forêts, en un mot une terre pauvre. Les provinces de Gueldre, d'Overijssel et de Drenthe forment le visage méconnu des Pays-Bas. On y découvrira de vieilles cités (Zwolle et Kampen) jadis membres de la Ligue hanséatique, les villages saxons de la Twenthe et le magnifique parc naturel de la Haute-Veluwe.

Enfin, tout au nord, s'ouvre une large plaine à fleur d'eau, occupée à l'est par les Frisons, des hommes attachés à leur langue, à leurs traditions et à leur capitale Leeuwarden, héritiers d'un lointain royaume dont l'influence s'exerçait jusque sur le Rhin, tandis qu'à l'ouest s'étend la Groningue, fière de son université et tournée vers l'avenir grâce à ses richesses en gaz naturel.

Pages précédentes : les moulins de Kinderdijk ; le reflet de l'Oude Kerk, à Amsterdam ; décoration traditionnelle de la faïence frisonne.

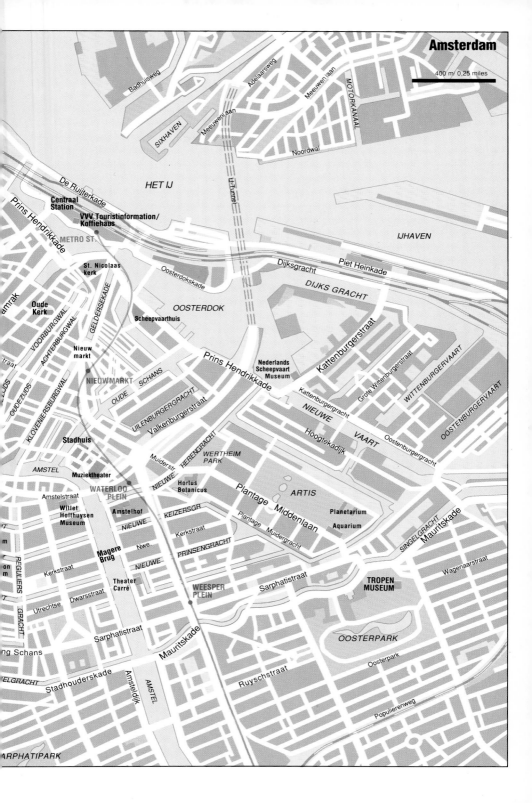

Amsterdam

400 m/ 0.25 miles

Badhuisweg

Adelaarsweg

Meeuwen laan

MOTORKANAAL

SIXHAVEN

Meeuwen laan

Noordwal

HET IJ

IJ-Tunnel

De Ruijterkade

Centraal
Station

IJHAVEN

VVV Touristinformation/
Koffiehaus

Prins Hendrikkade

METRO ST.

Dijksgracht

Piet Heinkade

St. Nicolaas
kerk

Oosterdokskade

DIJKS GRACHT

Damrak

Oude
Kerk

VOORBURGWAL

ACHTERBURGWAL

GELDERSEKADE

Nieuw
markt

OOSTERDOK

Scheepvaarthuis

Kattenburgerstraat

raat

OUDEZIJDS

KLOVENIERSBURGWAL

NIEUWMARKT

OUDE   SCHANS

Prins Hendrikkade

Nederlands
Scheepvaart
Museum

Grote Wittenburgerstraat

WITTENBURGERVAART

ZIJDS

UILENBURGERGRACHT

Kattenburgergracht

NIEUWE

VAART

OOSTENBURGERVAART

Valkenburgerstraat

Hoogtekadijk

Oostenburgergracht

Stadhuis

HERENGRACHT

AMSTEL

Muiderstr.

WERTHEIM
PARK

Muziektheater

NIEUWE

Hortus
Botanicus

ARTIS

Amstelstraat

WATERLOO
PLEIN

Plantage Middenlaan

Planetarium

SINGELGRACHT

Mauritskade

Willet
Holthuysen
Museum

Amstelhof

KEIZERSGR.

Plantage Muidergracht

Aquarium

NIEUWE

Kerkstraat

m

REGULIERS

Magere
Brug

Nwe.

NIEUWE

PRINSENGRACHT

Wagenaarstraat

on

Kerkstraat

Sarphatistraat

TROPEN
MUSEUM

GRACHT

Utrechtse

Dwarsstraat

Theater
Carré

WEESPER
PLEIN

m

ng Schans

Sarphatistraat

Mauritskade

OOSTERPARK

Oosterpark

ELGRACHT

Stadhouderskade

Amsteldijk

AMSTEL

Ruyschstraat

ARPHATIPARK

Populierenweg

AMSTERDAM

Pour la plupart des visiteurs, la découverte d'Amsterdam commence dans la partie ouest du centre-ville, le cœur historique de la capitale. De l'Amstel, au sud, à la Gare centrale, au nord, ce quartier présente des contrastes saisissants. On y découvre aussi bien des monuments chargés de la mémoire hollandaise que des rues où prostitués et revendeurs de drogue exercent leur commerce, et cela y compris aux abords de l'Oude Kerk, la plus vieille église de la ville.

De la Gare centrale à l'Oude Kerk

La construction de la **Gare centrale** – commencée en 1882 et achevée sept ans plus tard – marqua un tournant dans l'histoire d'Amsterdam. En effet, ce vaste bâtiment, dont la façade s'étend sur plusieurs centaines de mètres, est tourné vers la ville, obstruant l'ouverture de celle-ci sur l'IJ, et ferme une grande partie de sa façade maritime.

En imposant ce site, contre l'avis de la municipalité qui lui préférait la Leidsepoort, le gouvernement privilégia le caractère de capitale administrative d'Amsterdam au détriment de son rôle de port. Posée sur trois îles artificielles et sur 8 700 pilotis, la gare est due aux architectes P. J. H. Cuypers (1827-1921) et A. L. Van Gendt (1835-1901).

Une fois franchi le Prins Hendrikkade, le visiteur se trouve face au Damrak, l'axe central de la ville, prolongé par le Dam Rokin et la Leidsesraat. Mais avant de s'engager plus avant, on fera quelques pas sur la gauche pour aller découvrir **Sint Nicolaas Kerk**.

Consacrée en 1888, cette église catholique, construite par l'architecte A. C. Bleys (1842-1912) et reconnaissable à sa coupole, est un édifice à la ligne ramassée où se mêlent les styles néo-Renaissance et baroque. Pour les catholiques néerlandais, la construction de Saint-Nicolas symbolisa le

Pages précédentes : Damrak. À gauche, la Zuiderkerk ; à droite, une bière brune brassée à Amsterdam.

retour à une véritable liberté de culte. Au cours des deux siècles précédents, ceux-ci avaient pris l'habitude de se réunir dans des demeures privées pour des cérémonies clandestines, mais tolérées.

Précisément, non loin de là, au n° 40 Oudezijds Voorburgwal se trouve le petit **musée Amstelkring**, autrefois connu sous le nom de «Bon Dieu au grenier». En effet, cette jolie maison de commerce du début du XVIIe siècle tint lieu de chapelle catholique jusqu'en 1887. On y célébrait la messe à l'étage supérieur. On peut déambuler sur plusieurs niveaux et visiter les différentes pièces qui composent ce lieu étonnant. On remarquera notamment l'autel en partie escamotable, prévu pour disparaître en cas d'urgence.

Aussi surprenant cela soit-il, le quartier cernant l'Oude Kerk, autrefois connu comme l'**Oudezijde** (le «vieux quartier»), est devenu, au fil des siècles, du fait de la proximité du port et de sa fréquentation par les marins, le **district réglementé de la**

prostitution. Que vous flâniez le long de l'Oudezijds Voorburgwal, de l'Achterburgwal, ou de la Zeedijk, il vous sera difficile d'ignorer les vitrines illuminées, surmontées de lampes rouges, où s'exposent des prostituées venant des cinq continents. Un nouvel élément a fait cependant son apparition depuis que Jacques Brel écrivit sa célèbre chanson sur Amsterdam : ce sont les *coffeeshops* (lire pages 78-77 et 150-151), installés en grande majorité dans ce périmètre.

Au passage, vous remarquerez le pignon à redents d'une demeure construite en 1605 et sise au n° 14 Oudezijds Voorburgwal, ou la vénérable bâtisse en bois datant du milieu du XVIe siècle située au n° 1 Zeedijk.

L'Oude Kerk
et la Bourse Berlage

Des fouilles entreprises lors de sa restauration, en 1955, ont clairement montré que, dans sa forme originelle, l'**Oude Kerk** (la Vieille Église, nom qui lui a été attribué lors de la construction de Nieuwe Kerk) était un édifice de style roman, probablement détruit en 1274 au cours de l'incendie qui suivit la prise de la ville par les troupes du comte Floris V.

Les Amstellodamois entreprirent d'ériger une église beaucoup plus grande, consacrée, dès 1306, à saint Nicolas par l'évêque d'Utrecht. Les travaux se poursuivirent ensuite jusqu'à la moitié du XVIe siècle, sans doute en partie grâce à des dons de Maximilien d'Autriche et de son fils Philippe le Beau, dont les blasons ornent le portique sud.

Dans sa forme définitive, cette imposante église gothique – nuancée de quelques remaniements Renaissance – se caractérise par sa triple nef – dont le modèle fera école, à plus petite échelle, dans le reste de la Hollande – coiffée d'une toiture à la forme très élaborée, presque unique aux Pays-Bas. Le clocher octogonal date de 1565, il ne reçut son carillon, fondu par François Hémony, qu'en 1658.

La Nieuwe Kerk.

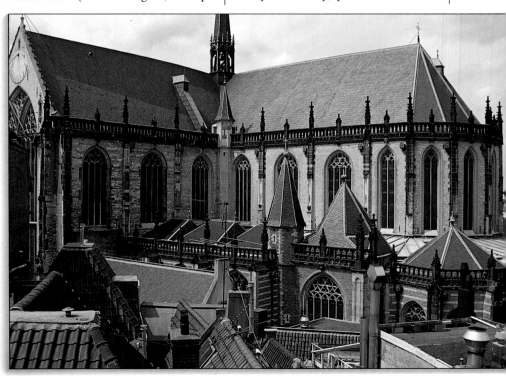

En 1578, les iconoclastes détruisirent une partie de sa décoration intérieure (autels, tableaux, vitraux), puis l'église passa au culte calviniste, dont elle resta le temple principal jusqu'au XIXᵉ siècle. A l'intérieur, seul l'orgue magnifique, ajouté au XVIIᵉ siècle, vient rompre l'austérité du décor. Les nombreux concerts qu'elle accueille vous permettront d'en apprécier la sonorité exceptionnelle. Notons enfin que plusieurs célébrités sont inhumées dans l'Oude Kerk, entre autres Saskia, l'épouse de Rembrandt.

Autrefois, l'étroite **Warmoesstraat**, courant parallèlement au Damrak, n'était bordée que de fabriques et d'entrepôts, regorgeant de soie de Lyon, de porcelaine de Nuremberg et de Delft, de taffetas espagnol et de lin d'Haarlem. Depuis, les boutiques ont laissé place à des restaurants, mais il subsiste encore quelques magasins témoins du passé.

Au n° 67, se tient un **marchand de thé et de café**. Son propriétaire, Piet Geels, vous révélera le nom du pre-

mier Néerlandais qui but une tasse de café : le professeur Clusius, en 1596. Au n° 68, vous trouverez un **fromager**, Het Karbeel, dont la présence remonte, paraît-il, au Moyen Âge, tandis que le n° 163 abrite un **atelier d'orfèvrerie**.

Mais en dépit de cette poche de respectabilité, Warmoesstraat a, au contact du quartier rouge, sinon tourné au carmin, du moins adopté une teinte rosée. La rue accueille ce qui est peut-être la seule « condommerie » du monde, la *Het Gulden Vlies* (la « Toison d'or »), un magasin qui propose à sa clientèle une infinie variété de préservatifs.

Délimitée par la Beursstraat, le Damrak et la Beursplein, la **Beurs** (la Bourse) occupe à elle seule presque tout un quartier. Lorsque, au Moyen Âge, le commerce prit son essor, les marchands se rencontraient régulièrement pour leurs affaires aux alentours du port. Ces réunions informelles se tenaient dans les boutiques, ou en plein air dans Warmoesstraat et dans les rues voisines. A la même époque cepen-

Les graffitis font partie du paysage d'Amsterdam.

dant, Anvers et Londres possédaient déjà des Bourses couvertes, et c'est justement dans la capitale anglaise que l'architecte Hendrick de Keyser fut dépêché pour en étudier le fonctionnement et les installations. De retour à Amsterdam, il conçut les plans d'un édifice construit en 1608 sur le Rokin, près de l'hôtel de ville et du bureau de pesage (le Waag).

Mais en 1835, ce bâtiment fut démoli laissant la place à une nouvelle Bourse, dont J. D. Zocher dessina les plans. Très vite pourtant, celle-ci se révéla inadaptée aux exigences de l'économie, et le grand architecte **H. P. Berlage** proposa un autre projet, dont l'audace architecturale fit date.

Achevé en 1903, ce bâtiment se signale par la pureté de ses lignes et la simplicité des matériaux employés : la brique, l'acier et le verre. La silhouette de la façade, avec sa tour carrée dominant le Damrak, semble s'inspirer de l'architecture communale italienne de la période médiévale. Transformée en salle de concert et en lieu d'exposition, la Bourse renferme également une très belle décoration intérieure (sculptures, peintures murales et vitraux).

Le Dam

Depuis sa création vers 1270, le **Dam**, la place centrale de la vieille ville, située au carrefour du Rokin, du Damrak et à proximité de l'Amstel, n'a jamais cessé d'être le forum animé d'Amsterdam. Protégé par deux digues qui s'élevaient à l'emplacement de la Nieuwendijk et de la Warmoesstraat, cet espace accueillait autrefois le grand marché de la ville. En outre, il était bordé par trois des édifices les plus importants de la cité : l'hôtel de ville (devenu le Palais royal), le Poids public (aujourd'hui disparu) et la Nieuwe Kerk, symbolisant les trois piliers de ce qui allait devenir la république des Provinces-Unies : le pouvoir politique de la bourgeoisie, le commerce et le protestantisme.

Pour se faire une certaine idée de l'atmosphère qui régnait sur le Dam

Une allée du Musée historique à Amsterdam.

au XVIIe siècle, il suffit de se reporter au tableau d'Adriaen Van Nieulandt (voir les pages 32 et 33). Détail intéressant, la toile représente sur la gauche l'**ancien hôtel de ville**, entièrement détruit par un incendie en 1652.

A de nombreuses reprises au cours des siècles, la place fut le théâtre de troubles et de manifestations, comme les grandes émeutes contre la faim en 1918, ou plus récemment les affrontements mettant aux prises la police et les Provos. Depuis le début du mouvement hippie, le Dam sert de lieu de rassemblement pour les jeunes et les musiciens itinérants, et, parfois même, de lieu de séjour à ceux que l'on surnomme les *Damslapers*.

Il ne fallut pas moins de sept ans aux architectes Jacob Van Campen et Daniel Stalpaert pour achever les travaux de construction – commencés en 1648 – du « nouvel hôtel de ville », l'actuel **Palais royal**. Mais, par ses dimensions, 80 m de long sur 56 m de large, sa solidité, assurée par 13 659 pilotis et l'emploi d'une belle pierre,

son style classique et sa riche ornementation, l'édifice se devait d'être le signe extérieur de prospérité d'une grande nation.

Les services municipaux occupèrent le bâtiment jusqu'en 1808, date à laquelle, le roi Louis Bonaparte décida d'y élire domicile, y ajoutant un ameublement Empire et un balcon. Il y resta peu de temps, suffisamment pourtant pour imposer l'idée que le monarque devait résider au centre de la capitale, ce que fit Guillaume Ier jusqu'en 1873. Cette année-là, en effet, le conseil municipal souhaita alors récupérer le palais. A l'issue de longues années de tergiversations, on décida, en 1935, qu'il resterait finalement à la famille royale contre un dédommagement de l'État à la municipalité de 10 millions de florins. Aujourd'hui, la reine n'occupe le palais qu'à l'occasion des réceptions officielles.

Autre haut lieu de la monarchie, la **Nieuwe Kerk** a accueilli toutes les cérémonies d'intronisation des souverains néerlandais. En outre, cette église

Au bord des quais ou sur les places, Amsterdam se prête volontiers à la contemplation.

de style gothique tardif datant du XVe siècle est, depuis le XIXe siècle, le temple national des Pays-Bas. Cette décision du conseil de l'Église néerlandaise réformée mit un terme à des siècles de rivalité avec l'Oude Kerk. Enfin, cette église est un peu le Panthéon des grandes figures de l'histoire des Pays-Bas. On peut notamment y admirer le mausolée de marbre de l'amiral De Ruyter, la tombe de maires célèbres, parmi lesquels Jan Six, et celle du grand historien P. C. Hooft.

L'édifice proprement dit se présente comme une basilique à transept, bâtie sur un plan et, surtout, symétrique. La nef centrale est coiffée d'un berceau en bois, tandis que les nefs latérales sont surmontées de voûtes d'arêtes en pierre. Le déséquilibre des proportions indique que le clocher, dû à J. Van Campen, est manifestement resté inachevé, et cela faute de moyens (la construction de l'hôtel de ville absorbant toutes les ressources). Comme son aînée, la Nieuwe Kerk possédait une somptueuse décoration, mais les calvinistes la firent disparaître en 1578 – seul le porche est encore visible. Vous trouverez, bordant les flancs de l'église, de minuscules boutiques et un café pittoresque.

Inauguré le 4 mai 1956 au centre du Dam, le **Monument national** commémore la mémoire des victimes de la Seconde Guerre mondiale. Cet obélisque orné de sculptures, dû à l'architecte Oud et au sculpteur Raedecker, renferme des urnes contenant de la terre provenant des onze provinces des Pays-Bas et d'Indonésie. Au passage, il est conseillé d'aller déguster un remontant, par exemple un petit verre de genièvre tiré directement d'un vénérable tonneau, au café De *Drie Fleschjes* (n° 18 Gravenstraat), un **café brun** (*prooflokaal*) d'époque (1650) à l'atmosphère chaleureuse.

Le Musée historique et le Béguinage

Une fois restauré, on descendra **Kalverstraat**, une artère commerçante,

Un orgue de Barbarie sur Leidseple.

dont le nom, la « rue du calvaire » évoque le chemin qu'empruntaient les pèlerins se rendant dans la **chapelle de la Ville Sainte**, une église construite dans cette rue au XIVe siècle pour commémorer le miracle d'Amsterdam (lire pages 46-47). Ce parcours portait le nom de **Heiligeweg**, le « chemin saint ».

Parvenu à la hauteur du Musée historique, vous franchirez un porche tout de guingois, surmonté des **armes d'Amsterdam** : trois croix de Saint-André, patron des pêcheurs, flanquées de deux lions, symboles du courage, et surmontées d'une couronne impériale attribuée à la ville par l'empereur Maximilien de Habsbourg. A la fin de la Seconde Guerre mondiale, la reine Wilhelmine déclara que les trois croix seraient désormais les symboles de la résolution (*Vastberaden*), de l'héroïsme (*Heldhaftig*) et de la solidarité (*Barmhartig*).

Outre ce blason, vous distinguerez des figures d'enfants joufflus, vêtus d'uniformes rouges et noirs, rappelant que ce portail conduisait autrefois à l'**orphelinat municipal**. Après le ralliement au calvinisme, en 1578, la ville créa un orphelinat dans les bâtiments du cloître du couvent Sainte-Lucie. Les architectes H. de Keyser et J. Van Campen l'agrandirent au XVIIe siècle.

L'établissement fonctionna jusqu'en 1960, puis les locaux furent restaurés par la municipalité afin de devenir le **Musée historique de la ville**. La grande innovation fut la construction, sur l'emplacement d'un petit canal, de la Schuttersgalerij, véritable rue-musée exposant les portraits des milices de la garde civique, créée au XIVe siècle.

L'organisation interne de ce musée suit un ordre à la fois chronologique et thématique pour à brosser un portrait social et historique de la ville (des origines à nos jours) aussi précis que possible, et cela grâce à une combinaison de tableaux, de meubles et d'objets. En conséquence, en dehors de la plus ancienne carte de la ville conservée de nos jours (exposée dans la salle 4), dessinée (en 1538) et gravée (en 1544) par Cornelis Anthonisz (vers 1499-1556), le musée compte peu de chefs-d'œuvre.

Les salles 13 et 14 mettent l'accent sur l'univers domestique et les pratiques quotidiennes. De son côté, la salle 15 présente les activités mercantiles tournées vers le monde extérieur. On découvrira également comment la cité se dota de la première brigade de pompiers constituée en Europe, comment elle contrôlait la circulation des voitures à cheval et la sécurité dans les rues après le coucher du soleil. La salle 16 est consacrée au XVIIIe siècle, émaillé d'émeutes populaires marquant le déclin économique relatif de la ville. Les dernières collections évoquent les deux guerres mondiales, les mouvements fascistes néerlandais et les déportations.

A quelques pas du musée, juste avant le Spui, un endroit unique dans Amsterdam a été préservé : un paisible village clos formé de vieilles maisons et d'une église avec, au centre, une pelouse plantée d'arbres centenaires. Au printemps, lorsque le gazon se couvre de jonquilles et de crocus, ce décor de cinéma devient un des endroits favoris des Amstellodamois.

Malheureusement, les chiens ne savent pas lire.

Fondé en 1346 en bordure de la ville, le **Begijnhof**, le Béguinage, offrait une retraite à des dames pieuses, les **béguines**, ayant prononcé un vœu d'obéissance dont le caractère non perpétuel les distinguait des religieuses. A l'issue de deux ans de noviciat et de six ans de couvent, les béguines obtenaient un logement dans un béguinage, où elles consacraient leur temps à s'occuper des personnes âgées, si elles ne l'étaient pas déjà elles-mêmes.

Plusieurs fois ravagé par des incendies, ce lieu fut à chaque fois reconstruit. La plupart des maisons actuelles, construites en brique et en pierre, datent du XVIIe siècle. L'une d'entre elles (sise au n° 34) cependant, construite en 1460 – c'est la plus ancienne habitation d'Amsterdam –, nous est parvenue presque intacte avec sa façade de bois. Sœur Antoine, la dernière béguine, s'est éteinte en 1971, au n° 26.

Bâtie vers 1400, la grande église centrale de style gothique est occupée depuis le XVIIe siècle par l'**église anglaise presbytérienne**. Sur le mur extérieur de l'église, on peut voir un hommage aux pères pèlerins qui s'embarquèrent à Delftshaven pour le Nouveau Monde, en 1620. En face, confondue avec d'autres maisons, se trouve une **chapelle catholique** clandestine érigée en 1671.

Du Spui à la Muntplein

En sortant du Béguinage, vous apercevrez, à l'angle du Singel et du Spui, l'**Oude Lutherse Kerk**, l'ancienne église luthérienne, où des offices sont célébrés chaque dimanche, mais qui, le reste du temps, accueille des soutenances de thèses, des conférences ou des leçons inaugurales. Cet édifice fut construit, en 1632-1633, par des luthériens venus d'Allemagne une trentaine d'années plus tôt. Sur ce site s'élevait un entrepôt dont la municipalité autorisa la démolition à condition que la nouvelle église comportât une façade plus ou moins identique.

Les maisons-bateaux sont nées dans les années 1950 à la suite de la crise du logement.

On se dirigera ensuite vers la **place du Spui**, un carrefour très animé qui s'étend du Singel au Rokin. Situé à proximité de l'université, le quartier attire de nombreux étudiants que l'on retrouve dans les célèbres **cafés** bordant la place. Le plus fameux et le plus ancien d'entre eux, le café *Hoppe* (au n° 18 Spui) date de 1670. Il est si apprécié en soirée qu'il en est pratiquement inaccessible. Son voisin, le *Luxembourg* (nos 22-24 Spui), affiche un décor de style 1930. Au passage, vous remarquerez, au n° 14, la façade Art nouveau de la **librairie** *Athenaeum* qui, fidèle à la tradition bibliophile de la ville, propose un grand choix de livres. Mais si la foule vous importune, essayez plutôt le café *De Stoef* (n° 214 Singel).

Située au confluent du Singel et de l'Amstel, la **Muntplein**, la place de la Monnaie, est dominée par la tour du même nom, la **Munttoren**. Cet édifice baroque, dû à H. de Keyser, fut élevée en 1620 sur l'emplacement d'une ancienne porte d'enceinte, la **Regu-**lierspoort. On y frappa de la monnaie dans les années 1672-1673 parce que Dordrecht, dont c'était le privilège, se trouvait à l'époque sous la menace des troupes françaises. La lanterne octogonale abrite un carillon réalisé par les frères Hémony.

Point extrême du système des fortification de la cité avant l'extension du XVIIe siècle, **Rembrandtplein**, nommée **Reguliersmarkt** jusqu'en 1876, semble toujours avoir connu une grande animation. Il s'y tenait un marché très actif ainsi que de fréquentes kermesses. A présent, la place regroupe de nombreux **lieux de distraction**, cinémas, bars et cafés, parmi lesquels le *Schiller*, construit dans le style Art déco, ou le *Monico*, un café brun.

Mais l'édifice le plus étonnant du quartier est le **cinéma Tuschinski**, situé au n° 26 Reguliersbreestraat. Construit dans les années 1918-1921 à la demande d'Abraham Tuschinski, juif polonais émigré et homme de théâtre, ce bâtiment unique présente une décoration luxuriante et composite

Amsterdam compte d'excellents restaurants indonésiens.

conjuguant un style Art déco exubérant et l'éclectisme hollywoodien. Ne manquez de visiter le hall d'entrée avec ses tapis, tapisseries, vitraux et lampes.

Du musée Allard Pierson
au siège de la VOC

De la Muntplein, il faut remonter l'Oude Turfmarkt (le « vieux marché de tourbe ») pour se rendre au **musée Allard Pierson**, situé au n° 127. Spécialisé dans l'archéologie, ce musée présente des collections d'objets provenant principalement de Mésopotamie, de Grèce, de l'Empire romain ou des civilisations étrusques et hittites. Pasteur wallon, mais surtout humaniste d'une grande érudition, Allard Pierson enseigna l'histoire et l'esthétique à la nouvelle université d'Amsterdam.

En route vers l'hôtel *The Grand*, on s'arrêtera pour admirer la **maison des Trois Canaux**, l'une des plus belles demeures de la capitale, qui doit son nom à son emplacement à l'intersec-

tion de l'Oudezijds Voorburgwal, de l'Oudezijds Achterburgwal et du Grimburgwal. Restaurée au début du siècle, cette maison est surmontée d'un pignon à redents, et présente une façade mêlant la brique et la pierre de taille. Après avoir accueilli de prestigieuses familles patriciennes, l'édifice abrite à présent une librairie.

A quelques pas de là, sur la gauche, dans le passage Oudemanhuispoort, vous pouvez voir la façade d'un bâtiment (du XVIIe siècle) de l'**université**. Derrière la maison des Trois Canaux se cache ce qui fut l'un des hauts lieux de la vie intellectuelle de la capitale pendant près de deux siècles. En effet, l'**Agnieten Kapel** et son couvent médiéval ont longtemps abrité l'Athénée Illustre. Restaurés dans le courant du siècle, la chapelle (bâtie en 1397) et le couvent (reconstruit en 1470) ont conservé leur allure d'autrefois, ainsi qu'un toit de style gothique percé d'une belle tourelle.

Il faudrait un chapitre entier pour évoquer tous les avatars de l'hôtel

Le siège de la VOC, bâti au XVIIe siècle.

The Grand, ce grand bâtiment au style extérieur début de siècle, transformé dans les années 1980 en établissement de luxe. Sur ce site s'élevait autrefois l'ancien couvent Sainte-Cécile. Puis on y édifia un palais, le **Prinsenhof**, qui servit de résidence aux stathouders. Rénové, l'édifice accueillit les réunions de l'Amirauté, qui dut bientôt céder les lieux au conseil municipal, mis à la porte de l'hôtel de ville du Dam.

Si la **cour** laisse deviner les origines princières de l'édifice, la décoration intérieure porte surtout l'empreinte des années Art déco. Dans le café *Roux*, au rez-de-chaussée, on peut voir une **fresque murale** peinte par Karel Appel en 1949.

Il faut traverser l'Oudezijds Achterburgwal pour se rendre à l'ancien **siège de la Compagnie des Indes orientales**. A droite du pont prolongeant Oude Doelenstraat, dans l'angle avec l'Oude Hoogstraat, se cache la **Walenkerk**, l'église wallonne, installée dans ce qui reste d'un couvent médiéval des frères de Saint-Paul.

La VOC s'installa dans ces bâtiments en 1605. A l'époque, des navires pouvaient accoster le long du quai surplombant le Kloveniersburgwal. Au n° 24 d'Oude Hoogstraat, un porche permet d'accéder à la petite cour du siège. Parfaitement conservé, cet édifice est attribué à H. de Keyser et abrite à présent l'Institut d'études sociologiques. On admirera l'élégante décoration de la façade, et notamment le pignon, tout en subtiles formes rondes, dominé par une balustrade.

Vers le Nieuwmarkt

En descendant **Kloveniersburgwal**, on croisera deux vieux magasins joliment restaurés, le premier, le *Brouwhuis Maximiliaan*, aux n°s 6-8 Kloveniersburgwal, est un **café-restaurant** où l'on brasse de la bière, le second, le *Jacob Hooy & Co*, au n° 12, est une ancienne épicerie de 1743, reconvertie en **herboristerie**.

Parvenu au n° 29 Kloveniersburgwal, il est à peu près impossible de ne pas

Décorer son vélo est également un moyen de dissuader les voleurs.

remarquer l'imposant bâtiment de style classique français, avec sa façade construite en pierre grise, rythmée de pilastres corinthiennes et ornée de nombreuses sculptures. Autre signe particulier de la **Trippenhuis**, ses cheminées en forme de mortiers sont une manière élégante de rappeler que les Trip acquirent leur immense fortune dans la manufacture des armes. A ce titre, ils appartenaient à la « Magnificat », une sorte de club qui réunissait au XVIIe siècle les principales familles patriciennes gouvernant la ville. Cette demeure abrite à présent le siège de l'Académie royale hollandaise des sciences.

Ses allures de forteresse médiévale, ses tours lourdes et rondes, percées de meurtrières, trahissent manifestement les origines défensives du bâtiment du **Waag** (le Poids public). Cet édifice, tel que l'on peut le voir à présent, résulte de la transformation d'une ancienne porte fortifiée, la **Sint Antoniespoort**, devenue inutile lorsque, au début du XVIIe siècle, les limites de la cité furent

élargies. Plusieurs corporations de métiers (forgerons, maçons, peintres et chirurgiens) occupèrent le dernier étage du Waag. C'est d'ailleurs dans la salle de réunion de la guilde des chirurgiens que Rembrandt peignit la *Leçon d'anatomie du docteur Tulp*.

A la même époque, une partie du Kloveniersburgwal fut comblée afin d'agrandir le marché Saint-Antoine (l'actuel **Nieuwmarkt**), dont l'espace était compartimenté en marchés spécialisés. Les produits arrivaient par bateau et étaient déchargés le long du **Geldersekade**. En remontant celui-ci jusqu'au Prins Hendrikkade, vous apercevrez une autre petite tour de brique semi-circulaire, la **Schreierstoren**, la tour des Pleureuses. Le bâtiment doit ce nom aux femmes de marins qui accompagnaient leurs maris jusqu'au quai, d'où ils embarquaient pour de longs et périlleux voyages.

De la Schreierstoren, on se dirigera vers l'est à travers le **quartier chinois**, en suivant Binnen Bantammerstraat,

Les maisons à pignons de Leidsegracht.

ou l'une des rues parallèles. Surplombant l'angle du Waals Eilandsgracht et du Prins Hendrikkade, la **Scheepvaarthuis** suggère, par sa forme en pointe, l'étrave avancée d'un navire. Par une multitude d'éléments (le toit de verre, l'ornementation des façades) en partie inspirés du style Art nouveau, cet édifice, construit en 1911-1916, annonce le style amstellodamois du début du XXe siècle.

Vers l'ancien quartier juif

Anne Franck : J'aimerais ressembler éternellement à cette photo, car ainsi j'aurais une chance d'aller à Hollywood. »

Plus loin, le Waals Eilandsgracht coupe l'Oude Schans (le Vieux Retranchement) au pied de la **Montelbaanstoren**, dont le nom étrange, peut-être issu de Montauban ou de Montalbaan, alimente bien des hypothèses. Cette petite tour défensive érigée au XVIe siècle montre quelques similitudes (notamment la superstructure de bois) avec la Munttoren et incite à penser que les travaux de son agrandissement (au XVIIe siècle) furent confiés à H. de Keyser.

Au XVIIe siècle, les juifs séfarades, originaires d'Espagne et du Portugal, dont les premiers représentants à Amsterdam avaient fui l'Inquisition dès la fin du XVIe siècle, représentaient environ 10 % de la population. Et bien qu'ils fussent prospères et relativement intégrés, il leur était interdit d'appartenir à des guildes de métier. On les trouvait dans différents secteurs d'activité : la confection, le tabac, le sucre et l'imprimerie.

A cette communauté bien structurée vinrent s'ajouter, à partir de 1620, plusieurs vagues d'immigrants juifs ashkénazes venant de Pologne et d'une Allemagne ravagée par la guerre de Trente Ans. Ces nouveaux arrivants, beaucoup plus pauvres que les précédents, se tournèrent vers les petits métiers et s'établirent autour de **Sint Antoniesbreestraat**, entre le Nieuwmarkt et la J. D. Meijerplein.

A la veille de la Seconde Guerre mondiale, la communauté juive comptait environ cent mille personnes qui furent presque toutes déportées

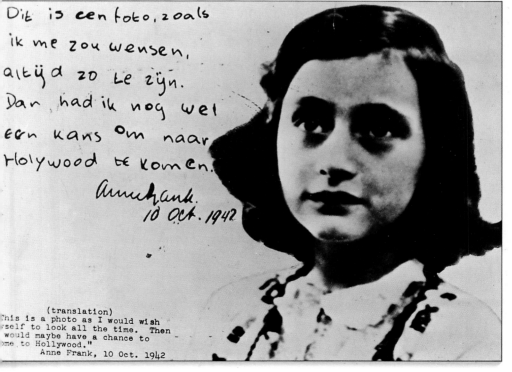

(translation)
"This is a photo as I would wish myself to look all the time. Then I would maybe have a chance to come to Hollywood."
Anne Frank, 10 Oct. 1942

pendant l'occupation allemande. En partie détruit par les Allemands, devenu très vétuste, le quartier juif fut totalement bouleversé par d'importants travaux de réhabilitation et de modernisation – qui ont d'ailleurs suscité de violentes manifestations en 1975 –, ainsi que par la construction d'une ligne de métro dans les années 1970. Ce qui explique que la Sint Antoniesbreestraat, bien que très ancienne, soit désormais bordée d'immeubles récents.

Surplombant une petite place piétonne cernée d'immeuble modernes, et un peu en retrait de la Sint Antoniesbreestraat, la **Zuiderkerk** (l'église du Sud) est, dans le quartier, l'un des rares vestiges du passé. On y accède par une ancienne porte de cimetière qui donne sur la rue. Construite en 1611 sur des plans d'Hendrick de Keyser, elle fut la première église protestante bâtie aux Pays-Bas.

On peut encore voir, au n° 69, épargnée par les travaux et aménagée en bibliothèque municipale, la **Pintohuis**, la demeure – construite en 1651 – d'un

riche banquier portugais, Isaac De Pinto. Des volutes sculptées ornent ses fenêtres et des peintures très élaborées décorent ses plafonds. Derrière la Zuiderkerk, la **Zaandstraat** a conservé quelques vieilles maisons et des ateliers qui évoquent davantage l'ancien quartier juif.

Depuis le pont de l'écluse séparant les eaux du **Zwanenburgwal** de celles de l'Oude Schans, on aperçoit, sur la gauche, la **maison de l'Écluse**, un petit édifice en bois bien conservé qui contraste singulièrement avec l'énorme bloc de béton de l'**université** bâtie le long de la **Jondenbreestraat**, elle-même largement rénovée dans les années 1970.

La Rembrandthuis et les synagogues

Au début de la Jodenbreestraat, sur la droite au débouché du pont, se dressait autrefois la maison de Hendrick Van Uylenburgh, un marchand d'œuvres d'art qui, en ces années 1630, venait de découvrir un jeune peintre talentueux, Rembrandt Van Rijn (lire page 175). Établi à Amsterdam, celui-ci lui rendait fréquemment visite, ne serait-ce que pour voir Saskia, une jeune orpheline parente des Uylenburgh qui allait devenir sa femme. En 1639, Rembrandt décida d'acheter la maison voisine, au n° 4, une magnifique demeure construite en 1608-1609. Il y résida jusqu'en 1658, puis des difficultés financières le contraignirent à la vendre.

Restaurée et aménagée telle qu'elle devait l'être du vivant du peintre, la **Rembrandthuis** abrite une importante collection d'œuvres graphiques. On peut y admirer environ 250 dessins et eaux-fortes, dont un portrait de Jan Six, l'un de ses commanditaires. Mais ce qui fait l'intérêt de cet ensemble, c'est plutôt les dizaines de croquis que cet infatigable dessinateur fit sur le vif dans un quartier où se croisaient tant de physionomies différentes.

On ne peut évoquer le passé de la Jodenbreestraat sans parler de l'**industrie du diamant**, qui fut, au XIXe siècle, une source majeure d'emplois dans le

Les entrepôts Groenland aux nos 36-38 Keizersgracht.

quartier. L'atelier de diamantaires Gassan (ex-Boas, fondé en 1878) se trouve d'ailleurs à proximité, dans Nieuwe Uilenburgerstraat.

Au bout de la rue, vous remarquerez, sur la droite, l'allure singulière de l'**église Saint-Antoine-de-Padoue**, dite église Moïse et Aaron, dont la façade donne sur la Waterlooplein. Construit en 1837-1841, cet édifice mi-classique, mi-baroque est reconnaissable aux quatre colonnes de son porche et à ses deux tourelles de bois, très inspirées de l'église Saint-Sulpice de Paris. Auparavant, les catholiques se réunissaient clandestinement dans la **Mozenhuis** (maison de Moïse), une demeure achetée à un riche marchand juif qui en avait orné la façade avec de petites statues représentant Moïse et Aaron. Ces deux bâtiments ont été transformés en centres d'apprentissages mais on y donne parfois des concerts et des expositions.

Inauguré en 1986, le **nouvel hôtel de ville** occupe une grande partie de la **Waterlooplein**. Cet imposant édifice,

dont l'esthétique a suscité bien des polémiques, abrite non seulement des services municipaux mais également le théâtre de la Musique, le **Muziektheater**, l'ensemble étant surnommé le **Stopera**, contraction de *stadhuis* et opéra.

Au rez-de-chaussée, vous pourrez faire une halte dans le décor moderne du café *Dantzig*, dont les baies vitrées offrent une vue superbe sur le centre-ville. Derrière le Stopera se tient un **marché aux puces** en plein air. Une **stèle** apposée en 1988 sur le pont du Zwanenburgwal honore la mémoire des victimes de la déportation.

En poursuivant Jodenbreestraat, on dépassera **Mr Visserplein** pour gagner la **Jonas Daniël Meijerplein**. Cette place rend hommage au grand juriste **Jonas Daniël Meijer** (1780-1834), qui fut à la fois le premier avocat juif des Pays-Bas et un ardent défenseur des idées des Lumières. Il contribua grandement à l'introduction des principes du droit français dans la législation néerlandaise.

La Noorderkerk peinte en 1644 par ?erstraten.

Des trois synagogues qui bordent la Jonas Daniël Meijerplein, la **synagogue des Juifs portugais** est la plus grande et la plus majestueuse. Construit en 1671-1675 selon les plans de l'architecte **Elias Bouman**, qui s'inspira, dit-on, du temple de Salomon à Jérusalem, cet édifice se présente comme un vaste cube de brique, dont les façades sont divisées au moyen de puissants pilastres et percées de hautes fenêtres en plein cintre.

À l'intérieur, tout aussi monumental, de hauts piliers supportent des vaisseaux de bois voûtés, d'où pendent des chandeliers de cuivre. Inauguré en présence du bourgmestre et des échevins d'Amsterdam, l'édifice accueillait avant la guerre près de 7 000 fidèles, contre environ 600 aujourd'hui.

Près de la synagogue se dresse une sculpture de **Mari Andriessen** intitulée *De Dokwerker*, et commémorant la manifestation et la grève des dockers du 25 février 1941 contre les premières déportations de juifs. Le **musée de l'Histoire juive** occupe un ensemble de bâtiments qui se divisait autrefois en deux synagogues en partie détruites pendant la guerre : celle que l'on appelait la **Grande Synagogue**, la plus ancienne et, paradoxalement, la plus petite par la taille, devenue en 1825 le lieu de culte principal de la communauté, et la **Nouvelle Synagogue**, construite en 1752 pour pallier la faible capacité d'accueil de la première.

Le Plantage

Aménagé vers le milieu du XVIIe siècle, le **quartier du Plantage** tire son nom, d'origine française, de la présence de nombreux espaces verts. Lieu de résidence d'une partie de la communauté juive, il rassemblait également des maisons de jeu et de prostitution, ainsi que des théâtres. En 1858, la municipalité décida d'entreprendre un plan de réhabilitation qui transforma le visage du quartier, mais lui conserva son caractère de poumon vert de la capitale.

L'**Hortus Botanicus**, le jardin botanique, se trouve derrière la Jonas

Le Singel avec, à l'arrière-plan, la coupole de l'église luthérienne.

Daniël Meijerplein, à la jonction de Muiderstraat et de la Plantage Middenlaan. Fondé au début du XVIIᵉ siècle par de riches mécènes passionnés de botanique, il s'est très vite enrichi de nombreuses plantes tropicales rapportées par les navires des compagnies commerciales. Installé dans le Plantage en 1682, le jardin a permis d'acclimater bon nombre de fruits et de légumes exotiques cultivés en Europe.

Juste en face s'étend le **Wertheimpark**, un petit parc baptisé du nom d'un banquier philanthrope juif, où s'élève, depuis 1992, le **monument Auschwitz**. Ne manquez pas d'aller visiter l'ancien **siège du Syndicat général des travailleurs du diamant** (situé au début de la Plantage Parklaan), devenu le **musée des Syndicats néerlandais**. Dans ce bâtiment d'influence italienne qu'il conçut en 1899, Berlage a laissé la brique à nu, à l'intérieur comme à l'extérieur. Combinant des briques colorées, des motifs muraux et de petits détails sculptés, la **cage d'escalier**, destinée à symboliser la progression de la classe ouvrière vers la lumière, est un modèle d'élégance décorative.

Au n° 33 de la Plantage Middenlaan, un autre édifice original, la **Moederhuis** (maison des Mères), attend les passionnés d'architecture. Reconnaissable à ses panneaux de couleur, cette fondation destinée à accueillir les très jeunes femmes enceintes est l'œuvre d'Aldo Van Eyck. Le **jardin zoologique** de la Société royale de zoologie, l'**Artis**, occupe, depuis sa création en 1838, l'espace compris entre la Plantage Middenlaan et la Plantage Doklaan. Dans ce vaste parc, on peut visiter, en plus du zoo, un musée zoologique, un planétarium, un musée entomologique et un aquarium.

Plus loin, sur l'autre rive du Singelgracht, à l'entrée de l'**Oosterpark**, l'**Institut royal des Tropiques** et le **Tropen museum**, le musée des Tropiques, ont élu domicile dans un majestueux bâtiment, construit en 1913-1926, au style proche de celui du Rijksmuseum. Installé dans un ancien magasin de

u sommet des entrepôts et des maisons de canal, ue potence à poulie permettait de hisser es charges aux étages upérieurs.

l'Amirauté du XVIIᵉ siècle, dressé au bord de l'Oosterdok (dans Kattenburgerstraat), le **Musée maritime** présente, à travers des collections d'objets, de maquettes et de tableaux, un regard très complet sur le monde de la mer et sur son histoire.

Le Jordaan

Cerné à l'ouest par le Singelgracht, au nord par le Brouwersgracht (canal des Brasseurs), au sud par le Leidsegracht et à l'est par le Prinsengracht, le **Jordaan** et sa population laborieuse ont longtemps vécu à l'écart du reste d'Amsterdam, en gardant intactes des traditions locales plus chaleureuses qu'ailleurs.

Le **Rozengracht** scinde le quartier en deux. Entrelacs de ruelles et de canaux étroits, dont un grand nombre ont été asséchés, parsemé de petits restaurants et d'ateliers artisanaux, le **Jordaan nord** a conservé ses racines ouvrières. C'est là que l'on rencontre les authentiques *Jordaaners*, étudiants libertaires, artisans et commerçants, qui sont nés et ont grandi dans le quartier.

Le **Jordaan sud** s'est, au fil du temps, davantage embourgeoisé, avec ses beaux magasins bordant de larges canaux et ses grands cafés renommés. On y croise bon nombre d'intellectuels et des gens des médias.

Dans le cas particulier du Jordaan, un itinéraire précis ne s'impose pas. En effet, outre ses petits canaux, ses allées à l'oblique allant toutes du sud-ouest au nord-est – selon le tracé des sentiers et des fossés bordant les terrains de pâturage – ses échoppes et ses *hofjes* (hospices) séculaires (n'hésitez pas à pousser leurs portes), le quartier comporte peu de monuments historiques et invite surtout à la flânerie.

L'emploi des noms de fleurs dans la nomenclature des rues est un des traits caractéristiques du Jordaan. Au hasard de la promenade, vous trouverez des rues ou des canaux églantine (*Egelantier*), laurier (*Laurier*), rosier (*Roos*), œillet (*Anjelier*), etc. Le nom même de Jordaan viendrait du mot « jardin » et lui aurait été donné par des immigrants huguenots au moment de leur installation, vers 1685.

L'origine de ce faubourg remonte au XVIIᵉ siècle, lorsque la municipalité décida d'entreprendre l'extension de l'enceinte et le creusement des trois grands canaux concentriques (le Herengracht, le Keizersgracht et le Prinsengracht). Immigrants, classes pauvres et beaucoup de ceux qui réalisèrent ces grands travaux habitaient alors au pied des murs de la ville, loin de ses règlements sur le bruit, les mauvaises odeurs ou le feu – d'où la présence de différents métiers, tels que la tannerie, la brasserie, la tonnellerie, ou le raffinage du sucre – et de ses exigences en matières d'urbanisme et d'architecture.

Mal desservi par les principales voies de communication, le Jordaan demeura isolé après 1860, date du plan d'extension de la ville vers l'ouest. Entre-temps, le quartier avait accueilli une importante population ouvrière et s'était doté de ses premiers immeubles, dont la construction fit

Le Rijksmuseum.

disparaître une partie de l'habitat antérieur. C'est également à cette époque que s'enracinèrent les traditions d'activisme syndical et politique qui ont fait du Jordaan le bastion de toutes les contestations, le théâtre des émeutes ouvrières de 1934, et le berceau du mouvement des Provos dans les années 1960.

Les « grands » canaux

La Compagnie du capitaine Roelof Bicker de B. Van der Helst. Mais les visiteurs n'ont d'yeux que pour La Ronde de Nuit.

L'expression « Venise du Nord », utilisée depuis la fin du XVIe siècle, le dit assez : les canaux sont, avec les musées, le grand attrait d'Amsterdam. Le projet de ceinture des quatre grands canaux, le **Grachtengordel**, est né au lendemain de la prise d'Anvers par les Espagnols. Amsterdam, devenue terre d'accueil pour des milliers de protestants, connut une explosion démographique et économique. En outre, les classes riches souhaitaient quitter les quartiers insalubres de l'Oudezijds.

Dès l'année suivante, le conseil municipal décida de transformer le Singel en canal intérieur. Puis, en 1609, Staets, maître charpentier de la ville, et Oetgens, bourgmestre, lancèrent les travaux de construction de trois nouveaux canaux, le Herengracht, le Keizersgracht et le Prinsengracht.

D'abord largement consacré au commerce et au transport des marchandises par voie d'eau, le **Singel** n'acquit que bien plus tard son aspect résidentiel. Il fut longtemps le quai d'accostage de grands bateaux de marchandises qui devaient au préalable franchir l'**écluse de Haarlem** située à son entrée nord.

A présent, seule une circulation locale emprunte le canal, dont les quais sont occupés par des **bateaux-maisons** immobiles. A quelques pas de l'écluse, on remarquera la coupole de l'**église luthérienne**, construite en 1668-1671. Au sommet de cet élément très inhabituel dans l'architecture religieuse des Pays-Bas – qui, d'ordinaire, privilégie plutôt le clocher – se dresse un cygne, symbole de la branche

hollandaise du luthéranisme. A noter que la demeure située au **n° 166 Singel**, bâtie en 1634, passe pour la plus petite maison d'Amsterdam.

Creusé dès 1585, le **Herengracht** (canal des Seigneurs) constitue le premier des nouveaux canaux. Il fut ensuite intégré au plan de 1609, puis prolongé au-delà de Leidsegracht (canal de Leyde) après 1660. La construction et la vente des terrains furent conduites presque simultanément, afin de remplir les caisses de la ville et de financer le reste du projet.

Pour attirer de riches marchands, le nouveau canal offrait des lots plus larges que ceux du Singel, mais la hauteur constructible était limitée à 10 m. En revanche, la profondeur atteignait parfois 60 m. Les artisans ne pouvaient exercer leurs activités dans ce périmètre. Enfin, seuls les ponts fixes, et non à bascule, furent autorisés. Ces réglementations devaient ensuite s'appliquer aux deux autres canaux.

Baptisé en l'honneur de l'empereur du Saint Empire romain germanique Maximilien, le **Keizersgracht** date de 1612. A cette époque, le nord du canal, par ailleurs essentiellement résidentiel, abritait des industries et des bâtiments commerciaux. Nombreuses sont les installations qui demeurent encore, même si leur fonction a souvent changé. Tel est par exemple le cas, aux n°s 36-38, des **entrepôts Groenland**, appartenant à la Compagnie du Nord.

Le dernier des canaux, le **Prinsengracht** (canal du Prince), porte le nom du premier prince « républicain » des Pays-Bas, Guillaume d'Orange. Il fut conçu comme un axe de circulation et d'habitation autour duquel se regroupaient toutes les formes de la vie sociale : le travail, avec la présence d'entrepôts et d'ateliers, et le culte religieux, puisque le canal est bordé de plusieurs églises.

A l'entrée du Prinsengracht, le quai de la rive droite, très animé, mène à la Noordekerk et au **Noordermarkt**, lieu traditionnel de rassemblement et de marché (un marché aux puces, avec ses

Les premières rafles de juifs en février 1941.

fripes et sa brocante, s'y tient tous les lundis matin), à la limite du Jordaan.

Dernier édifice du grand architecte H. de Keyser, décédé avant l'achèvement des travaux (en 1623), la **Noorderkerk** montre le type le plus abouti de plan centré et ses façades, d'une grande sobriété, affichent d'étonnants frontons à balustrades. Bon nombre d'églises protestantes ont été édifiées sur ce modèle d'une grande simplicité : la base est en forme de croix grecque élargie, avec trois triangles dans les croisées du transept.

Apparues dans les années 1950 en raison de la crise du logement qui sévissait à cette époque, les **maisonsbateaux**, surtout regroupées à la hauteur des nᵒˢ 187 à 207 Prinsengracht, constituent un des visages familiers du canal. De la solide péniche rhénane au « radeau-chalet », ce mode de logement original se devait d'offrir une grande diversité.

Pendant la Seconde Guerre mondiale, **Anne Frank**, sa famille et les Van Daan habitèrent cachés à l'arrière de la maison située au nᵒ 263 Prinsengracht, où se trouvaient les bureaux de la société dirigée par M. Frank. En août 1944, ils furent arrêtés par la Gestapo puis déportés. Seul survivant, M. Frank retrouva le *Journal* de sa fille qu'il fit publier. L'œuvre connut un succès mondial. La demeure abrite à présent un **musée** et le siège d'une fondation contre le racisme et l'antisémitisme.

Difficile d'ignorer la **Westertoren**, le clocher de la **Westerkerk** (église de l'Ouest), haute de 85 m et coiffée de la couronne impériale. Inspiré de celui de la Zuiderkerk, le plan ingénieux de la Westerkerk (deux croix grecques juxtaposées) combine le plan central, mieux adapté au culte protestant, et l'ampleur des nefs gothiques.

L'**orgue monumental** fut ajouté lorsque l'accompagnement des chants des fidèles fut autorisé, à la fin du XVIIᵉ siècle. Un concert de **carillon** – comptant 42 éléments – est donné chaque mardi à 13 h. Sachez, enfin, que la Westerkerk abrite la **tombe de Rembrandt**, mais son emplacement exact n'a pu être découvert.

Le quartier des musées

Pour les amateurs d'art, la visite d'Amsterdam passera nécessairement par **Museumplein**. Percée dans les années 1880, cette esplanade s'intégrait à un projet d'urbanisme créant un quartier résidentiel, traversé de larges avenues. Mais, bien qu'elle ait accueilli l'Exposition universelle en 1895, la place ne bénéficia jamais d'un plan d'aménagement précis et possède surtout la réputation d'être la « plus courte autoroute du pays ».

Le **Rijksmuseum**, le Musée national, naquit de la rencontre d'une idée apparue au moment de la présence française – celle d'un grand musée public – d'une collection – constituée à La Haye puis transférée à Amsterdam – et enfin d'un architecte de génie – Cuypers (1827-1921), originaire du Limbourg et disciple du poète catholique Joseph Albert Thijm.

Lorsqu'il présenta son projet à la commission d'État, les protestants en trouvèrent la conception trop gothique

L'ancien quartier juif : la uiderkerk et les mmeubles modernes.

et donc trop catholique pour un musée national. Cuypers changea donc les ogives gothiques de la galerie en arcs en plein cintre mais conserva au bâtiment son style fait d'éléments gothiques et Renaissance, que l'on retrouve dans la Gare centrale.

Inauguré en 1885, le musée a subi plusieurs réorganisations et ne compte plus à présent que cinq sections : peinture, sculpture et arts décoratifs, art asiatique, histoire des Pays-Bas et cabinet des estampes. Il couvre les différentes périodes comprises entre le XVe et le XIXe siècle. Il est presque impossible de décrire, en quelques lignes, les œuvres du Rijksmuseum tant il contient de richesses. C'est précisément pour cette raison qu'il offre la possibilité de suivre des itinéraires thématiques tels que la nature morte, la peinture narrative, etc.

Parmi bien d'autres œuvres, on peut admirer : la *Sainte Parenté* de Geertgen Tot Sint Jans, les *Sept Œuvres de miséricorde* du Maître d'Alkmaar, l'*Adoration du veau d'or* de Lucas Van Leyden, le *Portrait d'Anna Code* de Maarten Van Heemskerk, ainsi que des tableaux de Frans Hals, Jan Van Goyen, Jacob Van Ruisdael, Jan Steen, Vermeer (*Femme qui lisant une lettre*), Pieter De Hooch, Gerard Dou, de l'école de La Haye et de l'École d'Amsterdam. Mais, tout comme la *Joconde* au Louvre, c'est indéniablement *La Ronde de nuit* qui captive le plus les visiteurs. De Rembrandt, on peut également voir *La Fiancée juive* et *Les Syndics des drapiers*.

Inauguré en 1973, puis agrandi à l'occasion de la grande exposition Van Gogh organisée en 1991, le **Van Gogh museum** est un édifice moderne dû à l'architecte Rietveld. Construit tout d'abord pour accueillir la collection de Théodore Van Gogh (1857-1891), il présente des œuvres de son frère Vincent (notamment l'*Autoportrait au chapeau de paille*, *Le Zouave* et *Les Souliers avec lacets*) et de ses amis Toulouse-Lautrec, Gauguin et Manet. Le musée est également entouré de sculptures modernes.

L'Oude Schans avec, à l'arrière-plan, la Montelbaanstoren

Construit en 1893-1895 sur des plans de A. W. Weissman, le style néo-Renaissance hollandaise du **Stedelijk-museum**, le Musée municipal, contraste avec sa vocation artistique pluridisciplinaire et avant-gardiste. Constituée dès sa création de dons (notamment la donation de Sophia-Augusta de Bruyn) et de legs, la collection couvre une période allant du milieu du XIXᵉ siècle à nos jours. Mais son originalité, le musée la doit à son directeur «historique», Willem Sandberg (1897-1984), un passionné d'art contemporain qui, à l'instar du musée d'Art moderne de New York, associa aux arts plastiques la photographie, la danse, le théâtre, la musique et le cinéma.

Les collections de peinture et de sculpture qui demeurent cependant les vocations premières du musée, reflètent les goûts de ce visionnaire qui s'attira évidemment les foudres d'un public conservateur. On y trouve, représentant les courants de la fin du XIXᵉ siècle, des toiles de Van Gogh, Jongkind, Cézanne et Monet. Le musée possède également un fonds important d'art du XXᵉ siècle : Beckmann, Bonnard, Chagall, Dubuffet, Ernst, Kandinsky, Klee, Klein, Matisse, Picasso, Vuillard, Mondrian, Rietveld et le mouvement Cobra. Il faut ajouter à ce riche ensemble une large collection d'œuvres du constructiviste russe Kazimir Malevitch, ainsi que celles de la plupart des artistes américains contemporains.

Ce tour d'horizon des établissements culturels du quartier serait incomplet si l'on ne mentionnait pas le **Concertgebouw**, reconnaissable à sa façade à colonnes mêlant les styles néo-Renaissance et néo-classique. Inauguré en 1881, ce bâtiment, dont le soubassement de bois a été remplacé en 1983 par un socle de béton, offre, dit-on, la meilleure acoustique du monde.

Du Concertgebouw, on remontera Van Baerlestraat en direction du **Vondelpark**, un magnifique parc paysager créé en 1877. A droite de l'entrée, l'ancien pavillon de fer et de verre abrite le **musée du Cinéma**.

gauche, la maison de Rembrandt dans Joden-breestraat ; à droite, le musée l'Histoire juive.

AMSTERDAM MARGINALE

Héritières d'une tradition conjuguant tolérance et pragmatisme, les autorités municipales ont adopté des mesures originales pour faire face à des phénomènes tels que la prostitution et la toxicomanie, des réalités qui ne sont d'ailleurs ni tout à fait nouvelles, ni réservées à la capitale néerlandaise. Les problèmes de criminalité y sont mêmes nettement moins aigus qu'ailleurs. Cette politique repose sur l'idée que la violence découle de l'aspect commercial – et même hautement lucratif – et occulte de ces activités. En conséquence, il est jugé préférable de légaliser la prostitution tout en interdisant qu'elle s'exerce au profit d'un tiers.

En matière de toxicomanie, la politique d'Amsterdam repose sur une double distinction : celle des produits et celle des usages. Comme partout en Europe, les drogues dures sont absolument illégales. La police a d'ailleurs mené avec succès, dans les années 1988-1990, une opération visant anéantir le trafic d'héroïne dans le quartier de Zeedijk.

Dans ce domaine, les forces de police disposent même de pouvoirs étendus pour appréhender les suspects. Autre volet de cette politique, des camions distribuent gratuitement de la méthadone, produit de substitution à l'héroïne.

La prostitution

Le fameux quartier rouge de la prostitution, à Amsterdam, est le résultat direct de cette tolérance. Si les maisons de passe ont été officialisées en 1990, la prostitution demeure illégale dans les rues de la ville et les « belles dames » qui racolent dans les bars de la cité risquent toujours d'être arrêtées. En revanche, celles qui attendent patiemment le client derrière la vitrine teintée de leur « salon » ne risquent rien, en vertu du vieux principe cher aux Amstellodamois selon lequel chacun peut faire ce qu'il lui plaît dans sa propre demeure.

Dès le XVIIᵉ siècle, les prostituées d'Amsterdam ont pu vivre et travailler sans crainte dans un quartier qui se trouvait au sud de celui qu'elles occupent aujourd'hui et où elles payaient un loyer au bailli local. Dès que l'une d'elles s'aventurait en dehors des limites imposées, le bailli envoyait à ses trousses sa garde de tambours et de flûtistes, qui jouaient bruyamment et sans discontinuer devant son repaire, jusqu'à ce qu'elle réintègre le secteur autorisé.

Un autre aspect étonnant de la tolérance d'Amsterdam en matière de mœurs s'illustre aussi dans l'accueil qu'elle réserve aux homosexuels. Le gouvernement subventionne un centre de protection de leurs droits, le COC, qui lance des campagnes d'information, organise des réunions pour ses membres et possède même un club dans Korte Leidsedwarsstraat. Alors que dans certains pays ils n'ont même pas droit de cité, les homosexuels bénéficient en Hollande du même âge légal que les hétérosexuels : seize ans. La Hollande est également le seul pays d'Europe où l'on pratique des mariages entre homosexuels. Le nombre de bars et de clubs qu'ils fréquentent est spectaculaire – seule San Francisco peut, sur ce plan, rivaliser avec Amsterdam. On les trouve aux alentours de Leidseplein, plus précisément le long de Leidsestraat.

Le plus célèbre est le *DOK*, qui n'a rien de sordide ni d'agressif, où les gays viennent surtout pour danser, boire un verre et bavarder, et qui ne met pas les femmes à la porte ! Une liberté totale règne au *Thermos II*, « sauna » connu dans le monde entier, qui n'est certes pas recommandé pour les sorties familiales...

Squats et squatters

« L'occupation illégale d'un logement vide n'entraîne pas de sanction pénale », constatait en 1923 la municipalité d'Amsterdam. La ville demanda vainement des sanctions sévères « à l'encontre des familles qui s'installaient sans autorisation dans des logements inoccupés ». Un mandat d'expulsion nécessitait une procédure compliquée, et ce n'est qu'en 1986, lors de l'adoption de la loi sur les logements inoccupés, que le conseil municipal vit son souhait exaucé.

Pendant toute cette période, les jeunes sans-logis firent jouer le vide juridique pour occuper des habitations. Dans les années 1970, squatter était même devenu un phénomène de masse chez les jeunes. Ce mouvement collectif et organisé prolongeait l'action politique des Provos. Consultations juridiques, journaux de petites annonces et divers manuels du squat aidèrent les adeptes à franchir le pas. De nos jours, si les squatters sont moins nombreux et ont vieilli, ce phénomène reste d'actualité, et fait véritablement partie de la vie amstellodamoise.

Après sa fusion en 1975 avec le NRC (Nieuwe Rotterdamse Courant, la Nouvelle Gazette de Rotterdam), le quotidien libéral Handelsblad (le Journal du commerce), établi depuis 1831 au **n° 231 Nieuwezijds Voorburgwal**, laissa en déménageant un labyrinthe de d'immeubles de bureaux, s'étirant entre Nieuwezijds Voorburgwal, Paleistraat, Spuistraat et Keizerrijk. Les premiers squatters s'installèrent, trois ans après, dans les locaux restés inoccupés. En avril 1980, la municipalité acquit l'ensemble des immeubles et il fallut six années de négociation pour parvenir à un accord sur les loyers et les travaux d'aménagement.

Aujourd'hui, les premiers habitants sont toujours là, les murs ont échappé aux démolisseurs et les trous béants ont fait place, après des années d'abandon, à des appartements rénovés, des galeries d'art et des bou-

tiques d'avant-garde, qu'occupent au total une centaine de personnes.

Les squats des **n⁰ˢ 201 et 214-216 Spuistraat**, rachetés par leurs habitants, sont devenus célèbres pour leurs façades peintes. Les maisons s'étendant du **n° 242 au n° 252 Keizersgracht**, et surtout le bâtiment des n⁰ˢ 242-246, occupent une place particulière dans l'histoire contemporaine d'Amsterdam. Longtemps inhabités, ces locaux furent occupés par des squatters. En décembre 1979, après six mois de présence, les habitants de ce squat, appelé le « Grand Keijser » s'opposèrent au mandat d'expulsion. Après l'annulation de l'expulsion, les squatter diffusèrent les émissions de la radio pirate « Le Libre Keijser » d'où ils dirigèrent une manifestation à l'occasion du couronnement de la reine Beatrix, avant d'être finalement délogés. Depuis ces événements, les immeubles squattés sont systématiquement évacués sans délai par la police.

C'est dans le quartier paisible et aristocratique du Vondel que se déroula l'un des épisodes les plus spectaculaires du mouvement des squatters. Le 23 février 1980, un groupe de seize personnes occupa le **n° 72 Vondelstraat**. La police intervint dans la nuit et délogea sans ménagement les occupants qui n'offrirent aucune résistance. Six jours plus tard, l'immeuble fut à nouveau occupé par le groupe des squatters d'Amsterdam. Cette fois, ils étaient équipés de casques, de barres de fer, de grenades fumigènes et de pierres. Ils élevèrent à la hâte des barricades et créèrent l'« **État libre du Vondel** ». Mais cette utopie ne dura que trois jours, même si sympathisants et badauds d'un jour affluaient.

Le 3 mars au matin, 1 200 policiers appuyés par six chars de l'armée, un hélicoptère, des tireurs d'élite, des véhicules blindés équipés de canons à eau investirent le terrain. Finalement évacué dans le calme, l'immeuble est devenu, en 1982, la propriété de la ville.

AMSTERDAM NOCTURNE

De leurs lointains ancêtres, les Néerlandais ont hérité de solides traditions ainsi que d'une multitude de cafés dits «bruns», d'après la couleur sombre déposée sur les murs par les ans et la nicotine, et rehaussée par le bois du mobilier. Dans ces cafés qui sont un croisement d'estaminet, de bougnat et de pub, on peut lire les journaux dans une solitude douillette, raconter des blagues avant de refaire le monde entre copains, ou bien jouer à la belote et aux dames à l'ombre un grand tonneau. Pour le visiteur, les cafés bruns sont un lieu de rencontre idéal avec l'habitant, en même temps qu'une grande bouffée d'air caractéristique, dans une ambiance *gezellig*, concept difficile à traduire qui marie les notions de confort et de convivialité.

La tournée des comptoirs

La visite des cafés est un rituel, et ses fidèles (nombreux et pieux) ont inventé un langage codé dont il faut posséder les principales clés. La bière servie (fréquemment) à la pression l'est (toujours) avec un faux col : celui-ci doit mesurer l'épaisseur de l'index et du majeur superposés. Si l'on veut un petit verre, on demandera une *pils* ou, mieux encore, une *kabouterpils* (une «bière pour gnome»). Pour un grand verre, demandez un *bakkie* (un «bol») ou un *vaas* (un «vase»). L'Amstellodamois «de souche» boit rarement une bière seule : un verre de genièvre l'accompagne. Ce couple très remontant répond aux doux noms de *kopstoot* («coup sur la tête») ou de *stelletje* («duo»).

Sachez enfin que le genièvre (qui possède également plusieurs pseudonymes) étant servi dans des verres remplis à ras bord, ce sont les lèvres qui doivent aller à la coupe et non l'inverse.

« A la vôtre » se dit ici *proost*.

Les nuits d'Amsterdam commencent tôt et se prolongent parfois très avant dans la nuit. Elles offrent une variété de divertissements qui satisfera tous les goûts : un brin intellos, résolument flambeurs, mélomanes ou danseurs. L'aventure débute en principe par un *borreltje* (un «petit verre») d'alcool dans un *proeflokaal*, disons au **De Drie Fleschjes**, n° 18 Gravenstraat, un vieux comptoir de dégustation de genièvre dans un décor d'époque (1650) et surtout dans une atmosphère conviviale.

On peut ensuite poursuivre la conversation dans un café brun (*bruine kroeg*), ou dans un de ces cafés plus modernes aux allures délibérément *design*. Le **Hoppe**, n° 18 Spui, est le plus connu, et l'un des plus courus des nombreux cafés bruns de la capitale. Situé au n° 2 Prinsengracht, le café **Papeneiland** servait autrefois d'annexe à un fabricant de cercueils et l'on y change toujours d'époque en croyant pénétrer à l'intérieur même d'une véritable peinture hollandaise du XVII<e> siècle.

Changeons à présent de décor, et quittons le confinement chaleureux des cafés bruns pour l'espace *high tech* d'un grand café comme le **De Jaren**, n° 20 Nieuwe Doelenstraat, ou le **Dantzig**, n° 25 Zwanenburgwal, le rendez-vous très mondain des soirs de première. Plus étonnant, le **Dulac**, n° 118 Haarlemmerstraat, ayant pris la place d'une banque, le coffre-fort fait office de cave à bière. Sa décoration bigarrée fait honneur au nom qu'il porte, celui de l'illustrateur français des *Mille et Une Nuits*, Edmond du Lac. Fréquenté par une clientèle assez jeune constituée en grande partie par les étudiants de l'université toute proche, le **Luxembourg**, n° 22 Spui, a un faux air de quartier Latin qui lui permet de rester perpétuellement à la mode.

Spectacles

Amateurs de rideau rouge, ne croyez pas trop vite que l'obstacle de la langue vous interdise la fréquentation des quelque cinquante salles de théâtre et de cabaret d'Amsterdam : il leur arrive de présenter des spectacles en langues étrangères, dont le français. De même, n'hésitez pas à fréquenter les cinémas : les films ne sont jamais doublés. Les deux plus célèbres salles d'art et d'essai sont **Desmedt**, n° 4 Plantage Middenlaan) et **Felix Meritis**, n° 324 Keizersgracht. La vraie cinémathèque loge au Filmmuseum, dans une résidence à l'allure de station balnéaire sur le retour, située à l'entrée du Vondelpark.

Vous avez l'âme classique ? Laissez-vous choir dans les fauteuils en velours du **Concertgebouw**, n° 98 Van Baerlestraat, célèbre pour l'acoustique magistrale de sa grande salle et pour son orchestre. Les férus de musique contemporaine se rendront au théâtre **De Ijsbreker**, n° 23 Weesperzide.

L'architecture du **Muziektheater**, situé au n° 22 Waterlooplein, inauguré en 1987 et plus connu sous le nom de « Stopera », a, tout comme l'Opéra de la Bastille avec lequel il possède un petit air de famille, fait l'objet de nombreuses controverses. Il alterne opéras et ballets, donnés aussi fréquemment par les fameuses troupes maison (Compagnie de l'opéra néerlandais et Ballet national) que par des troupes invitées. Enfin, en alternance avec du théâtre et des concerts, le **Stad-**

schouwburg, n° 26 Leidseplein, accueille les danseurs du Nederland Dance Theater, qui y ont élu domicile.

Si vous préférez taquiner la chance, le **Casino**, n° 64 Max Euweplein, flambant comme un sou neuf, vous aguichera de ses néons et de ses vingt-cinq tables de jeu. C'est sans doute le seul « lieu de perdition » au monde bâti sur une place dont le fronton porte la sage devise : *homo sapiens non urinat in ventum*.

Vie nocturne

Les cafés musicaux sont légion et rafraîchissent toutes les gorges comme toutes les oreilles. Les amateurs de décibels feront le plein sur l'enclave hard rock que forment plusieurs cafés situés sur le **Oudezijds Voorburgwal**, à hauteur du Dam. Mais bien plus nombreux sont les bars qui accueillent régulièrement des formations de blues et de jazz, toutes écoles confondues. Les principaux sont l'**Alto**, n° 115 Korte Leidsewarsstraat, le **Bimhuis Jazz & Improvisation**, n° 73 Oudeschans, l'**Odeon Jazz & Club**, n° 460 Singel, le **De Melkeweg**, n° 234 Lijnbaansgracht, et le **Bamboo**, n° 115 Lange Leidsedwarstraat. Les passionnés de musique sud-américaine se régaleront au **Canacao Rio**, n° 86 Lange Leidsedwarsstraat, ou au **Rum Runners**, n° 277 Prinsengracht. Pour la musique folk, rendez-vous au **De Spring**, n° 98 Nes.

Comme dans toutes les capitales du monde, c'est à l'heure où les cafés ferment (1 heure du matin en semaine, un peu plus tard le week-end) que les discothèques et autres clubs s'éveillent.

Okshoofd, n° 114 Herengracht, la plus ancienne, permet de danser dans la cave d'une superbe maison patricienne. **Odeon**, n° 460 Singel, la plus belle, occupe toute une maison et propose des concerts de jazz plus tôt dans la soirée. La plus snob, **36 op de schaal van Richter**, n° 36 Reguliersdwarsstraat, dont le nom, « 36 sur l'échelle de Richter », évoque assez justement le décor et la surprenante atmosphère de chaos, reçoit une clientèle sélectionnée. Les plus jeunes apprécieront davantage l'ambiance débridée du **Zorba the Buddha**, n° 216 Oudezijds Voorburgwal, et de l'**Escape**, n° 10 Rembrandtsplein, le rendez-vous des jeunes amstellodamois. Enfin, avec son intérieur chic et sa musique « new nave », le **Mazzo**, n° 114 Rozengracht, représente le bon ton branché.

L'hebdomadaire **Uitkrant** et le mensuel **Uitgaan**, disponibles dans les hôtels et les cafés, recensent les possibilités de sortie par genre. Ensuite, vous réserverez votre place et achèterez votre billet au bureau AUB Ticketshop, au Stadsschouwburg, sur Leidseplein. Vous pourrez également trouver les informations culturelles dans *What's On*.

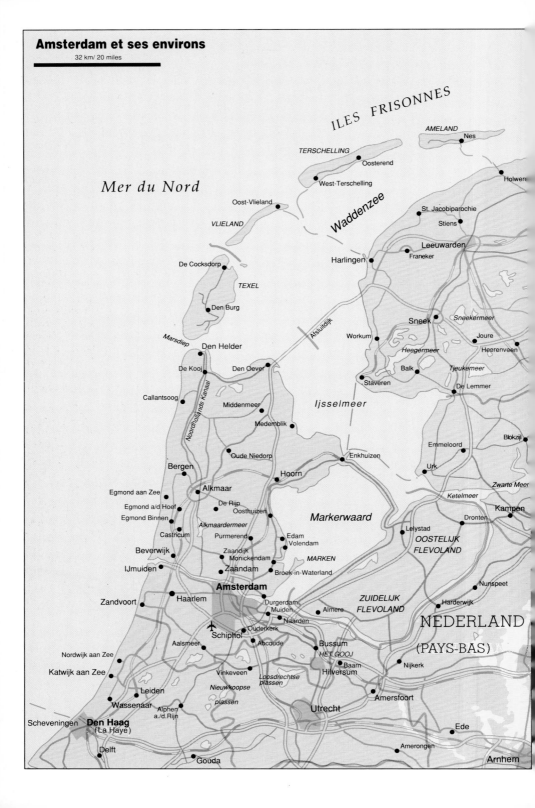

LES ENVIRONS D'AMSTERDAM

Le lieu-dit de **Halfweg**, situé sur la route de Haarlem (Haarlemmerwerg) à mi-chemin entre les deux villes (d'où son nom), mérite une courte halte pour observer les écluses qui séparent les polders de l'ancien lac de Haarlem du canal de la mer du Nord.

Toujours en direction de Haarlem, on peut visiter, sur les bords de l'ancien lac de Haarlem, le **musée de Cruquius**, aménagé en 1849 dans la première station de pompage ayant servi à son assèchement au début du XIXᵉ siècle. Il présente une documentation sur l'évolution des techniques de maîtrise de l'eau et de création des polders, grâce notamment à une maquette animée.

La visite de **Haarlem** (chef-lieu du Noordholland) est indispensable pour quiconque souhaite se replonger dans l'atmosphère particulière de l'âge d'or du XVIIᵉ siècle. Bâtie au bord de la Spaarne – dont un bras relie la ville au canal de la mer du Nord –, à environ 20 km d'Amsterdam et à 15 min par le train, Haarlem (153 000 habitants) est une ville résidentielle qui a conservé intact son centre historique. Une zone industrielle (pharmacie, chimie, agroalimentaire) s'est développée en direction de la mer, tandis que des champs de tulipes s'étendent au sud.

Fondée au Xᵉ siècle, la ville connut la prospérité du XVᵉ au XVIIᵉ siècle grâce à ses fabriques de drap. Durement éprouvée, en 1573, par le siège des troupes de Don Federico (le fils du duc d'Albe), la cité et sa région renouèrent avec la la richesse à la suite du formidable engouement pour la tulipe qui s'empara de la Hollande à la fin du XVIᵉ siècle. Mais son titre de gloire le plus prestigieux, Haarlem le doit à ses peintres, et aux plus célèbres d'entre eux : Frans Hals, Jacob Van Ruisdael, Gerard Ter Borch, Pieter Saenredam, ainsi que Adriaen Van Ostade (1610-1684) et Judith Leyster (1609-1660), les disciples les plus doués de Hals (lire pages 49-54).

La **gare**, monument de style Art nouveau construit en 1908, constitue le meilleur point de départ pour une visite de la ville. Ses trois superbes salles d'attente et son bureau de tabac méritent bien qu'on s'y attarde. De là, en suivant Jansveg, puis Jansstraat, on débouche sur la **place du Grand Marché** (Grote Markt), qui n'a guère changé depuis que Gerrit Adriaensz Berckheyde l'a peinte au XVIIᵉ siècle dans ses célèbres *Vues de Haarlem*, exposées dans le vestibule du musée Frans Hals. Au centre de la place se dresse la **statue de Laurens Coster** (vers 1405-vers 1484), considéré aux Pays-Bas comme l'inventeur, dix ans avant Gutenberg, de l'imprimerie.

Dominant la place, l'ancienne **église Saint-Bavon**, convertie au culte protestant, est le joyau architectural de Haarlem. Cette vaste église gothique à triple nef fut en grande partie édifiée à la fin du XVᵉ siècle. Vingt-huit piliers bordent la nef centrale et supportent une voûte à nervures en cèdre. De proportions majestueuses, l'intérieur

de l'édifice semble relativement vide. On remarquera derrière le chœur plusieurs dalles funéraires, dont celle de la corporation des cordonniers. Dans le transept sud, on peut voir un grand tableau de Geertgen tot Sint Jans (mort en 1495), l'un des meilleurs primitifs hollandais. Il vécut la plus grande partie de sa vie dans le monastère des Chevaliers de Saint-Jean qui se trouvait dans l'actuelle **Jansstraat**.

Sur les célèbres orgues, construites en 1735-1738 par Christian Müller et décorées par Daniel Marot, jouèrent, dit-on, Haendel, Mozart, Liszt et le docteur Schweitzer. Plusieurs petits édifices (d'anciennes échoppes), parmi lesquels certains datent du XVIIᵉ siècle, se dressent contre les murs sud et nord de la cathédrale. Haut de 80 m, le clocher fut élevé au début du XVIᵉ siècle. Sachez enfin que Frans Hals, Adriaen Van Ostade, Lieven de Key et Pieter Saenredam sont inhumés dans cette église.

Au sud de la place, ornée d'une imposante tête de bœuf rappelant la fonction du bâtiment, vous apercevrez la Halle aux viandes, la **Vleeshal**, un très bel exemple d'architecture de la Renaissance hollandaise, construite en 1603-1623 par Lieven de Key. En face, présentant l'allure plus classique des édifices de la seconde moitié du XVIIᵉ siècle, se dresse la **Hoofdwacht**, la maison des gardes.

L'aile ouest de la place est occupée par l'ancienne résidence des comtes de Hollande, devenue l'Hôtel de ville, le **Stadhuis**. Construit au XIVᵉ siècle, cet édifice ogival a connu plusieurs restaurations, notamment à la Renaissance.

Les amateurs de boutiques et d'objets anciens ne manqueront pas d'arpenter les ruelles pavées de brique situées au sud et à l'ouest de la Grand-Place, et notamment le luthier du n° 16 **Schagchelstraat**, le bureau de tabac du n° 8 **Jacobijnestraat**, l'intérieur Renaissance de la librairie Hugo De Vries située au n° 3 dans la même rue, le fromager du n° 39 **Nieuwe Groenmarkt**, et le magasin d'apothicaire qui occupe le n° 3 **Gierstraat**.

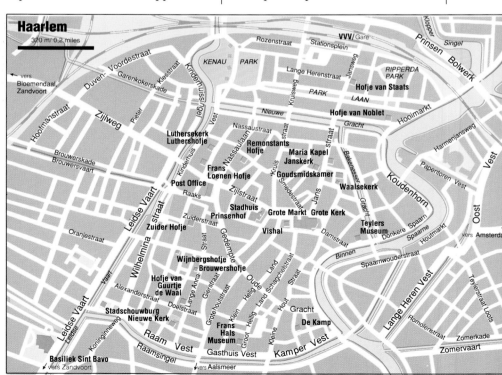

A deux pas de la Grote Markt, en suivant Damstraat, se trouve le **musée Teyler** (au n° 16 Spaarne), le plus ancien musée des Pays-Bas, fondé en 1778. Installé dans l'hôtel particulier (construit en 1780 dans le style néoclassique) de son fondateur, Pieter Teyler Van der Hulst, un riche marchand de soie, le musée présente des collections de paléontologie, de minéralogie et d'appareils scientifiques, dont l'une des premières machines électriques. Également consacré aux arts, il possède une très belle collection de dessins, gravures et eaux-fortes d'artistes hollandais (Rembrandt, Ruysdael), italiens (Michel-Ange, Raphaël) et français (Lorrain, Boucher, Watteau).

Pieter Teyler a également donné son nom à l'un des dix-huit *hofjes* (hospices) que compte la ville. Bâti en 1787, l'**Hofje Teyler** (plus haut en remontant la Spaarne dans Koudenhorn) est un béguinage composé de vingt-quatre maisons disposées autour d'une cour. A moins de quatre cents mètres à l'ouest, de l'autre côté du Kenessergracht, vous découvrirez l'**église Wallone**, une ancienne chapelle de béguines élevée au début du XVIᵉ siècle.

Situé à l'angle de Damstraat, le Waag, le **bâtiment du Poids public** construit en 1598 par Lieven de Key mérite une halte. Sur l'autre rive, à environ 500 m sur la gauche, se dresse la **porte d'Amsterdam**, un ouvrage de la fin du XIVᵉ siècle doté de tours à poivrières et d'un donjon massif.

Depuis 1913, le **musée Frans Hals** (au n° 62 Groot Heiliglang) est installé dans un ancien hospice de vieillards construit en 1608 par l'architecte Lieven de Key, et où le peintre Frans Hals finit ses jours. Sa façade, composée d'une succession de maisons basses surmontées de lucarnes à redents, est le type même de la maison hollandaise dont Vermeer et De Hooch nous ont laissé l'image. L'intérieur dégage un charme tout particulier, grâce au dallage de marbre noir et blanc, aux fenêtres à petits carreaux, aux étains et à l'argenterie.

Le style Art déco de la gare de Haarlem.

Outre une exceptionnelle collection de peinture hollandaise couvrant deux siècles (début XVIe-fin XVIIe), le musée possède des coffres, des horloges, des vitrines de porcelaines, de monnaies, des portraits, ainsi que de somptueux meubles des XVIIe et XVIIIe siècles. Mais le véritable trésor du musée, ce sont les huit grands tableaux de groupe de Frans Hals.

Surplombant la Leidsevaart, au sud-est de la ville, la **basilique Saint-Bavon** est un édifice bâti à la fin du siècle dernier par **P. J. H. Cuypers**, et consacré au culte catholique. Né dans la province catholique du Limbourg, l'architecte du Rijksmuseum commença sa carrière en restaurant des églises catholiques. Saint-Bavon présente un étonnant mélange de styles romans et gothiques.

Au sud de la ville s'étend ce qui reste de la grande forêt, le **Haarlemmer Hout**, qui séparait autrefois Haarlem de La Haye. De Haarlem à la mer du Nord, la route traverse **Zandvoort**, une station balnéaire très fréquentée par les Amstellodamois. On y a disputé jusqu'en 1985 le grand prix des Pays-Bas de formule 1. Aménagé dans les dunes, le circuit est visible depuis la plage. En suivant la route des dunes, vous gagnerez l'entrée du **parc national De Kennemerduinen**, ouvert du lever au coucher du soleil.

Située à l'extrémité du canal de la mer du Nord, **IJmuiden** est célèbre pour ses trois écluses, dont la plus récente est longue de 400 m et large de 40 m. Premier port de pêche d'Europe occidentale, la ville offre naturellement un large choix de restaurants de poisson.

La région du Zaan

Construite sur les bords de la Zaan, **Zaandam** (69 000 habitants) forme avec Koog aan de Zaan et Zaandijk une petite conurbation industrielle aux portes d'Amsterdam. Grâce à ses ressources en bois et à ses scieries mues par des moulins à vent – le premier moulin de ce type fut construit en

La collection d'appareils scientifiques du musée Teylers, à Haarlem

1592 par Cornelis Corneliszoon –, cette région fut jadis réputée pour ses chantiers navals. C'est même ce savoir-faire dans le domaine de la construction navale qui décida le tsar Pierre le Grand à séjourner plusieurs mois à Zaandam, en 1697. Il avait été initié à la navigation et au néerlandais par des artisans hollandais qui s'étaient rendus en Russie, en 1684, à l'invitation de Claude Lefort, l'officier suisse commandant sa garde, familier des Pays-Bas. C'est à l'âge de vingt-cinq ans que le tsar entreprit un voyage incognito en Hollande du 17 août 1697 au 15 janvier 1698. Outre l'art de construire des frégates, le jeune monarque étudia les mathématiques, la physique et l'anatomie. Sur la place centrale, le **Dam**, en face de l'Apollo Theater, une statue rappelle le souvenir de cette visite extraordinaire. Non loin, rue Krimp, on peut visiter, insérée dans un édifice de brique édifié en 1895 à la demande du tsar Nicolas II, la modeste cabane de bois (**Czaar Pieterhuisje**) où résida son illustre ancêtre.

Situé à l'entrée de **Koog aan de Zaan**, au milieu d'un parc, le **musée des Moulins** relate l'histoire et décrit les nombreuses applications (assèchement, scierie, mouture du grain, de l'huile, de la moutarde, malaxage de la pâte à papier) de cette technique, dans une région qui comptait près de mille moulins, au XVIIIe siècle.

Le bourg de **Zaandijk** est la seule agglomération a avoir conservé intacte une rue entière de maisons construites en bois dans le style local. Le **Musée d'antiquités de la région du Zaan**, Zaanlandse Oudheidkamer, situé au n° 80 Lagedijk, occupe, au bord de la rivière, une demeure de marchand du XVIIIe siècle. Au sud de la ville, on peut visiter **De Dood** (la Mort), un moulin à farine du XVIIe siècle.

Situé sur la digue **Kalverringdijk**, en face de Zaandijk, **Zaanse Schans** se présente comme un musée en plein air. Ce village possède en effet des moulins encore en activité. Outre les maisons des XVIIe et XVIIIe siècles, qui proviennent des environs et ont été

restaurées vers 1950, vous pourrez visiter (généralement entre 9 h et 17 h) : une fabrique de sabots (Klompenmarkerij), le musée de la boulangerie (Bakkerijmuseum), la fromagerie Catharina Hobve (Kaasmakerij), le pavillon de thé (Theekoepel), le musée de l'horloge (Clurwerkenmuseum), la Maison du nord (Het Noorderhuis), l'épicerie Albert Heijn (Kruidenierswinkel) De Kat (le Chat), un moulin à broyer des couleurs, De Zoeker (le Chercheur), un moulin à moudre toutes sortes de grains et, au sud du village, De Ooievaar (la Cigogne), un moulin à huile.

Alkmaar

L'héroïque résistance lors du siège de 1573, premier succès des Néerlandais dans leur lutte contre les Espagnols, est à l'origine du proverbe : « D'Alkmaar vint la victoire », dont le sens général associe la patience à la réussite de toutes entreprises. **Alkmaar** (87 000 habitants), petite cité typiquement hollandaise, doit sa réputation à son marché des fromages (*kaasmarkt*). Celui-ci se tient traditionnellement le vendredi matin sur la **Waag Plein**, la place du Poids. Empilés sur des traîneaux de bois que déplacent des porteurs en costume traditionnel, les fromages à la croûte jaune sont cérémonieusement pesés dans le bâtiment du Poids public, le **Waag**, qui abrite également un petit musée consacré au fromage. Cette institution occupe une ancienne chapelle gothique bâtie au XIVᵉ siècle, aménagée à cet effet à la fin du XVIᵉ siècle. Construite en 1595-1599, la **tour** possède un carillon et des automates que l'on peut entendre et voir le vendredi entre 11 h et 12 h.

Plus à l'est, en suivant le canal Verdronken Oord en direction du **canal de Hollande du Nord**, ouvert en 1824, vous laisserez sur votre gauche l'**église des Remontrants**, bâtie en 1658. Puis vous apercevrez, surplombant le **Bierkade** (quai de la Bière), la **Accijnstoren** (1622), la tour où l'on percevait l'octroi. De là, on peut retourner vers le centre-ville en suivant le canal Oude.

Munis d'un harnais terminé par des cordelettes, les porteurs de fromage d'Alkmaar déplacent des traîneaux chargés de fromage

Sur la gauche se dresse le **Wildeman-shofje**, un hospice édifié en 1714. La statue d'homme sauvage qui orne son entrée fait-elle discrètement allusion au fondateur de l'établissement, un certain Gerrit Wildeman (dont le nom signifie « homme sauvage ») ?

Au bout de l'Oude Gracht, la Koostraat (à droite) aboutit devant **Sint Laurenskerk**, l'église Saint-Laurent. Ce vaste édifice gothique fut construit à la fin du XVe siècle par des architectes brabançons, parmi lesquels Antoon Keldermans, de Malines. L'orgue fut conçu au XVIIe siècle par Jacob Van Campen, l'architecte de l'hôtel de ville d'Amsterdam.

Excepté son aile ouest reconstruite en 1694, l'hôtel de ville (dans Lange Straat), le **Stadhuis**, est un édifice de style gothique flamboyant édifié au début du XVIe siècle. Aménagé dans un élégant bâtiment de style Renaissance (l'ancien hôtel de la Garde nationale), le **musée municipal d'Alkmaar** (dans Konings Weg Dijk), Stedelijk Museum, présente des collections de peintures (parmi lesquelles des tableaux illustrant le siège de 1573), de jouets anciens et de carreaux.

Vers Hilversum

A l'est d'Amsterdam s'étend l'une des régions les plus somptueusement boisées de Hollande, dont la majesté et le charme ont, depuis des siècles, attiré aristocrates et commerçants fortunés, comme en témoignent les nombreux châteaux et villas.

A une quinzaine de kilomètres d'Amsterdam (sortir en direction d'Amersfoort), près de l'embouchure de la Vecht se dresse le **château de Muiden**, ou Muiderslot. Cette vieille forteresse de brique fut bâtie en 1205 par l'évêque d'Utrecht, puis remaniée au XVe siècle par le bailli de Montfort. Le comte Floris V de Hollande y fut assassiné en 1296 par un groupe de nobles craignant son ambition. Au XVIIe siècle, le château hébergea le Muiderkring, un cercle savant constitué autour de l'historien et bailli de la

'n moulin à farine, à Zaanstad.

région P. C. Hooft et reçut des célébrités comme le diplomate et écrivain Constantijn Huygens et le grand poète Joost Van den Vondel. L'édifice abrite désormais un musée historique où sont exposés des meubles datant du XVIIe siècle, des tapisseries et des collections d'armes.

Engloutie au XIIe siècle par une inondation, **Naarden** fut reconstruite vers 1350. La ville fut, en 1572, la scène d'un massacre perpétré par les troupes de Don Federico au cours duquel presque tous ses habitants furent tués. La **Maison espagnole** (n°7 Turfpoortstraat) commémore le souvenir de ce tragique événement. Élément clé dans la défense d'Amsterdam, Naarden fut dotée, à la fin du XVIIe siècle, d'un important système de **fortifications** en étoile à douze branches avec six bastions, entourées de marécages et de larges fossés, conçues par Adriaen Dortsman.

Un petit musée, le **Vestingmuseum**, situé dans l'un des bastions, vous permettra d'en savoir plus sur l'histoire et les caractéristiques de cet ouvrage. Non loin du bastion Promers se dresse une statue du grand humaniste tchèque **Jan Amos Komensky** (1592-1670), dit Comenius, l'une des figures intellectuelles les plus importantes de la Réforme.

En 1620, la bataille de la Montagne-Blanche vit la défaite des forces protestantes devant les troupes de Ferdinand II de Habsbourg. Il s'ensuivit une vague de persécutions religieuses qui obligèrent Comenius, membre de la secte religieuse des Frères moraves, à quitter son pays. Il résida en Hollande de 1656 jusqu'à sa mort. Ce sont surtout ses ouvrages pédagogiques qui lui ont valu la plus haute considération. Comenius y mettait l'accent sur la nécessité d'accompagner l'enseignement d'exemples concrets et de faire appel au jeu et à l'imagination, comme l'illustre son fameux *Orbis sensualium pictus* qui associe textes et illustrations.

Au sud de Naarden commence la magnifique région de landes et de **bois du Gooi**. **Laren**, célèbre lieu de villégiature, abrite quelques-unes des plus belles villas du pays, et notamment de beaux exemples d'architecture hollandaise contemporaine. Le peintre impressionniste Anton Mauve (1838-1888) y séjourna. Il réalisa de très belles vues de la campagne du Gooi. Laren possède un bon musée de peinture, le **musée Singer** (du nom de son fondateur-donateur, le peintre américain William Henry Singer), où l'on peut admirer des œuvres de Courbet, Fantin-Latour, Bourdelle, Rodin, ainsi qu'une collection d'art chinois.

Terme de cet itinéraire, **Hilversum** (87 000 habitants) est une ville résidentielle où sont installés cinq stations de radiodiffusion et de télévision, ainsi que des studios. Bel exemple d'architecture moderne, l'**hôtel de ville** a été construit, en 1924-1930, par Willem Marinus Dudok (1884-1974), un architecte néerlandais influencé à la fois par Berlage et le groupe De Stije. Non loin de la ville, à environ 5 km en direction de Baarn dans le Cantonpark, vous pourrez visiter le jardin botanique de l'université d'Utrecht.

A gauche, moulin à calotte tournante, à Zaanse Schans. A droite, paysage de landes dans le parc national de Kennermerduinen.

FLORE ET FAUNE HOLLANDAISES

Lorsqu'on a franchi l'IJ et traversé la banlieue d'Amsterdam Noord, commence une région, le **Waterland** dont le décor pastoral, composé de prairies éternellement vertes, de canaux paisibles, de moulins à vent, de granges aux toits pyramidaux, et baigné par la fameuse lumière hollandaise est devenu, grâce aux paysagistes du XVIIᵉ siècle, le symbole universel de la Hollande. Ses terres poreuses sont en constante évolution : au Moyen Age, la couche de tourbe, située à 2 m au-dessus du niveau de la mer, est passée aujourd'hui à 1 ou 2 m en dessous.

Un paradis pour les oiseaux

Semée d'étangs frangés de bouquets de roseaux – le phragmite commun est en fait une graminée liée aux zones humides – cette zone de marécages est fréquentée par un grand nombre d'espèces d'oiseaux.

En régression en Europe, la bécassine des marais jouit, dans ces prairies, de la tranquillité nécessaire pour élever sa couvée. Le bruant des roseaux

a trouvé sur le bord des chenaux, encombré de roseaux et d'autres plantes aquatiques, un lieu idéal pour sa nidification.

Plus exigeante, la foulque macroule (noire à bec blanc) fait son nid dans la végétation en bordure des canaux. On rencontre également la barge à queue noire (un échassier au long bec), dont 85 % de la population européenne niche aux Pays-Bas, ainsi que la sterne pierregarin (de la famille des mouettes). Le vanneau huppé est un limicole typique des prairies humides et pâturées par le bétail. Quant au cygne tuberculé, il semble apprécier les eaux saumâtres des canaux de décharge des polders, tout comme le fuligule morillon, un petit

canard plongeur qui a colonisé de très nombreuses pièces d'eau depuis le début du siècle. Autre familier du Waterland, le campagnol nordique atteint, aux Pays-Bas, la limite méridionale et occidentale de son habitat.

Les dunes

La formation des dunes a commencé il y a environ 5 000 ans sur le littoral des Pays-Bas. Sur cet étroit cordon dunaire, la flore et la faune se sont développées en fonction de l'humidité, de l'exposition au vent et de la nature plus ou moins calcaire du sol.

La première ligne dunaire n'est pratiquement recouverte que d'oyat des dunes, une graminée très répandue sur les côtes de l'Europe du Nord, qui contribue d'ailleurs efficacement à la fixation du sable. Puis, la végétation s'épaissit, liseron des dunes (une plante aux larges fleurs roses) et panicaut de mer (une sorte de chardon) apparaissent.

Dans les zones en arrière des dunes, on rencontre des peuplements d'argousiers dont les baies orange sont riches en vitamine C. Plus loin, le paysage se compose de boisements de pins et de marais. Si le renard roux et le lapin exploitent tous les milieux disponibles, biches et faons ne se nourrissent qu'en lisière des bois. Le hibou moyen-duc fréquente essentiellement les bois de pins.

Dans ces régions littorales, on rencontre également le goéland argenté, l'huîtrier pie, l'avocette élégante (un échassier au bec recourbé), le tadorne de Belon (un grand canard migrateur qui choisit les terriers de lapin pour y déposer sa ponte), le courlis cendré (un oiseau migrateur qui s'arrête sur le littoral dunaire à l'automne) et le phragmite des joncs (une fauvette aquatique très difficile à observer). L'alouette des champs émet un chant mélodieux dès la fin de l'hiver.

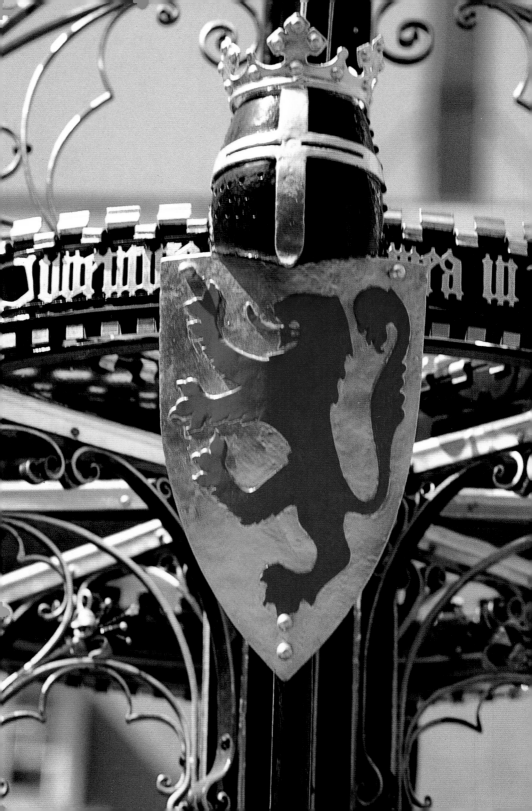

LA HAYE ET SES ENVIRONS

La Haye (440 000 habitants) a cette particularité, unique aux Pays-Bas, de ne devoir son existence et son importance ni au commerce, ni à la mer. La ville a grandi autour d'un pavillon de chasse, baptisé d'un vieux mot néerlandais, Gravenhaage, la « haie du comte », très souvent abrégé en Den Haag, appartenant aux comtes de Hollande. Élu roi des Romains, le comte Guillaume II (1227-1256) y fit bâtir un château digne de sa charge. Son fils Floris V agrandit et compléta cette demeure où résida dès lors la cour des seigneurs de Hollande.

À partir de 1586, les États généraux des Provinces-Unies s'y réunirent. La Haye assuma un rôle politique et administratif croissant, bien qu'elle ne fût pas officiellement une ville. En effet, elle ne ne jouissait d'aucun des privilèges municipaux (c'est Louis Bonaparte, éphémère roi de Hollande, qui lui accorda sa charte communale) et ne possédait pas de remparts. Mais l'intérêt majeur de ce « village » consistait précisément à offrir un terrain de rencontre neutre aux représentants des sept provinces farouchement attachées à leur indépendance.

Le premier souverain des Pays-Bas, Guillaume Ier, confirma la primauté politique de La Haye et en fit sa capitale. Cité élégante et foyer intellectuel actif, la ville renoua, à la fin du siècle dernier, avec la diplomatie internationale. Elle accueillit deux conférences de la Paix (en 1899 et 1907) qui débouchèrent sur la création de la Cour permanente d'arbitrage, chargée d'examiner les litiges entre États à la demande (facultative) de ceux-ci. Sans être la capitale, La Haye abrite la résidence du gouvernement et de la cour, ainsi que les représentations diplomatiques.

Le Buitenhof

Épicentre de la cité, le **Buitenhof**, la « cour extérieure », constituait, comme son nom l'indique, l'esplanade du château comtal construit au XIIIe siècle, dont il ne reste qu'une porte fortifiée, la **Gevangenpoort** (la « porte de la Prison ») où Johan de Witt et son frère Cornelis, accusés d'avoir organisé l'assassinat de Guillaume d'Orange, subirent la question avant d'être lynchés par la population, en 1572. L'édifice abrite désormais un **musée de la Torture**.

À l'ouest et au sud du Buitenhof s'étend la **vieille ville**, aujourd'hui sillonnée de rues piétonnes commerçantes. Sur la gauche, en direction de Vlamingstraat, la **rue du Passage** possède d'élégantes arcades, construites en 1885, bordées de boutiques. En descendant le **Groenmarkt** (le « marché aux légumes »), le centre nerveux du quartier, on aboutit au pied de la **Grote Kerk**, une église gothique fondée vers le XVe siècle, dont le chœur date du début du XVIe siècle.

En face se dresse l'ancien hôtel de ville, l'**Oude Stadhuis**, édifié en 1565 (de la construction originelle ne subsistent que les pignons à redents) et

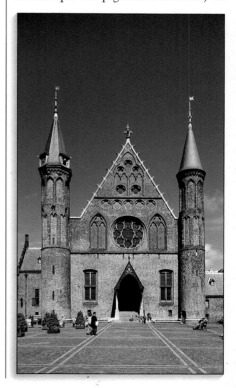

restauré à plusieurs reprises. L'aile donnant sur la Gravenstraat fut ajoutée au XVIII siècle.

Le Binnenhof et ses alentours

Un portail sépare le Buitenhof du **Binnenhof** (la «Cour intérieure»), l'ancien palais des stathouders et des États provinciaux aujourd'hui utilisé par le Parlement. Le bâtiment situé à droite de la porte abrite la **Schilderijengalerie Willem V**, un petit musée de peinture créé en 1774 et entièrement restauré dans sa forme d'origine. Les toiles exposées (peinture hollandaise des XVII et XVIII siècles) ne rivalisent certes pas avec celles du Mauritshuis mais, en raison de leur densité dans ce petit espace, elles composent un lieu un peu excentrique qui mérite le coup d'œil.

Au milieu de la cour, vous apercevrez le **Ridderzaal** (la «salle des chevaliers»), un monument gothique du XIII siècle aux allures de chapelle. Restauré au XIX siècle, le Ridderzaal a accueilli bon nombre des événements qui ont marqué l'histoire des Pays-Bas. Il ne sert plus désormais qu'en de rares occasions. C'est le cas du *Prinsjesdag* (le «jour du Prince») au cours duquel, chaque troisième mardi de septembre, la reine ouvre officiellement les sessions des États généraux. En face, le premier bâtiment à droite abrite les 150 députés de la **Tweede Kamer**, la «Seconde Chambre», celui du milieu, les 75 sénateurs de la **Eerste Kamer**, «la Première Chambre», enfin, l'édifice de gauche, dit la **salle des Trêves**, construit par Daniel Marot (1660-1752), reçoit les conseils des ministres.

Le Mauritshuis

Derrière le Ridderzaal, la **porte du Prince Maurice** conduit au **Mauritshuis** (n° 8 Korte Vijverberg). Ce magnifique édifice classique aux proportions parfaites fut édifié en 1633-1644 par Pieter Post sur des plans de Jacob Van Campen, pour le compte de Johan Maurits

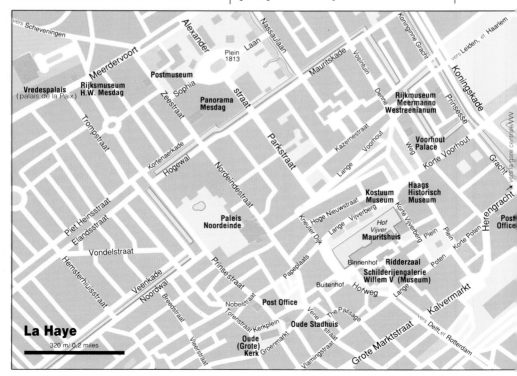

La Haye

320 m / 0.2 miles

Nassau, nommé gouverneur du Brésil en 1636. Depuis 1820, cet édifice abrite le **Cabinet royal de peinture**.

Ce « petit » musée, dont la décoration intérieure date en grande partie du début du XVIIIᵉ siècle – suite à un incendie survenu en 1702 –, possède une des plus belles collections de peinture du monde. Le rez-de-chaussée est principalement consacré aux primitifs flamands et allemands. On peut, entre autres, y admirer des Holbein, des Cranach l'Ancien, un Rogier Van der Weyden, ainsi que le *Portrait d'homme* de Hans Hemling.

La visite se poursuit avec les chefs-d'œuvre des grands maîtres du siècle d'or. De Rubens, on peut voir plusieurs portraits, dont le *Portrait d'Hélène Fourment*. On remarquera également l'*Enfant riant* de Hals, la *Vue de Haarlem* de Jacob Van Ruisdael, la *Jeune Fille écrivant* de Gerard Ter Borch, et le *Chardonneret* de Carel Fabritius, une des rares œuvres connues de ce peintre, élève de Rembrandt. Du maître lui-même, le musée expose plusieurs toiles majeures : la *Leçon d'anatomie*, *David jouant de la harpe devant Saül*, ainsi que plusieurs autoportraits, dont l'*Autoportrait au turban*. Mais le joyau de cette collection exceptionnelle, ce sont peut-être les trois toiles de Jan Vermeer, *Diane et ses compagnes* (chronologiquement la première du maître de Delft), la *Vue de Delft* et l'inoubliable *Jeune Fille au turban bleu*.

Autour du Hofvijver

A la sortie du musée, en remontant la rue **Korte Vijverberg** sur la droite, on aboutit sur le **Plein**, dominé en son centre par une **statue de Guillaume Iᵉʳ le Taciturne** et bordée par plusieurs ministères, dont celui des Affaires étrangères qui est installé dans un hôtel du XVIIIᵉ siècle construit par Daniel Marot. En prenant sur la gauche, le long du **Hofvijver**, l'« Étang de la cour » (vestige des anciennes douves), vous apercevrez au n° 7 le **Sebastiaansdoelen**, une belle demeure

La Bibliothèque royale de La Haye.

de style classique construite en 1636 pour la Compagnie des archers de Saint-Sébastien. Ce bâtiment abrite le **Haag Historisch Museum** consacré à l'histoire de la ville.

Dans **Lange Vijverberg**, une belle esplanade bordée de demeures aristocratiques, ne manquez pas de visiter, au n° 14, le **Kostuummuseum**, le musée du Costume, où sont présentées de très belles collections de vêtements des trois derniers siècles dans leur décor d'époque. Non loin, le **musée Bredius** (dessins de Rembrandt, tableaux de Jan Van Goyen, Brueghel l'Ancien et Jacob Ruisdael) a rouvert ses portes dans un bâtiment du XVIIIe siècle. Critique et historien d'art, conservateur du Mauritshuis (auquel il légua les pièces maîtresses de sa collection personnelle), Abraham Bredius (1855-1946) fut également un grand collectionneur, notamment d'œuvres de Rembrandt dont il a rédigé le catalogue raisonné.

Vaste esplanade semée de pelouses et d'hôtels particuliers, **Lange Voorhout** est au cœur du quartier le plus chic de La Haye. L'**ancienne Bibliothèque royale** (n° 34 Lange Voorhout) offre un bel exemple de l'élégance architecturale du XVIIIe siècle. Daniel Marot en commença la construction en 1734. Les deux ailes, ajoutées en 1761, sont l'œuvre de Pieter De Swart.

Si vos pas vous entraînent plus loin, au nord-est, le long du **quai de la Princesse**, ne manquez pas de visiter le **musée Meermano Westreenianum** (au n° 30), qui renferme des collections d'antiquités, des manuscrits rares, des ouvrages enluminés et plus de mille deux cents incunables.

Zeestraat et Meedervoort

Depuis le **Théâtre royal**, installé dans l'ancien palais Nassau-Weilburg à l'entrée de Lange Voorhout sur la gauche, il faut remonter Heulstraat pour aboutir dans **Noordeindeestraat**, la grande artère des magasins chics de la ville. Sur la gauche se dresse l'**ancien Palais royal** (bâti en 1553 et restauré en 1640), doté d'imposantes

Le Panorama Mesdag.

écuries. Dans le prolongement de l'avenue, au-delà du canal, vous apercevrez, sur la gauche, le **Panorama Mesdag** (n° 65 Zeestraat). Cette curieuse toile peinte de 14 m de hauteur et de 120 m de circonférence est formée de seize panneaux circulaires installés dans une rotonde. Peint en 1880 par Willem Mesdag, son épouse, Théo de Bock et G. Breitner, ce panorama en trompe l'œil représente le village de Scheveningen et les dunes voisines. Précédé d'une dune artificielle et éclairé de l'extérieur par la lumière du jour, l'ensemble produit un puissant effet d'illusion. Un peu plus loin, au n° 71, vous pouvez visiter le **musée de la Poste** (collections de timbres et d'objets relatant l'histoire des services postaux et des télécommunications).

Installé dans la demeure du peintre, le **Rijksmuseum H. W. Mesdag** (7 Laan Meerdervoort) expose la collection personnelle des époux Mesdag-Van Houten. Celle-ci se compose d'œuvres naturalistes et préimpressionnistes

françaises et hollandaises, et notamment de tableaux de l'école de Barbizon, de Courbet, de Millet et de Corot.

Dans le parc voisin, sur la gauche, se dresse le **Vredespaleis**, le palais de la Paix, un édifice néo-Renaissance construit en 1907-1913, en grande partie grâce à un don de l'industriel américain Andrew Carnegie. Siège de la Cour permanente d'arbitrage jusqu'à sa dissolution, ce palais abrite la Cour internationale de justice depuis sa création par l'ONU en 1945, ainsi que l'Académie de droit international. Tous les éléments intérieurs et extérieurs de décoration ont été offerts par les pays membres. A titre d'exemple, la grille qui ceint le bâtiment vient d'Allemagne, les deux énormes portes de bronze de Belgique et les meubles en bois de palissandre du Brésil.

Le nord de La Haye

Jusqu'à la fin du siècle dernier, les **bois de Scheveningse** et le **parc Zorgvliet** séparaient nettement La Haye de

Le Madurodam.

Scheveningen. Depuis, ces espaces verts ont partiellement laissé la place à une urbanisation élégante, très influencée par l'architecture moderne, dont La Haye fut l'un des foyers actifs.

Le **Haags Gemeentemuseum** (suivre Meedervoort en direction de l'ouest, puis s'engager dans Hertoginnelaan et Stathouderslaan) occupe un édifice en brique conçu par Hendrik petrus. Berlage. Le musée compte quatre principaux départements.

Celui des arts décoratifs expose des verreries et des faïences italiennes anciennes, des porcelaines de Delft, une maison de poupés, des meubles des XVIIᵉ et XVIIIᵉ siècles, des objets antiques et des céramiques chinoises. La section musique possède une collection exceptionnelle d'instruments européens, dont les plus anciens datent du XVIᵉ siècle. Quelques salles présentent des objets liés à l'histoire de La Haye.

Enfin, l'important département de peinture comprend des œuvres classiques et romantiques du XIXᵉ siècle, et surtout de l'art moderne, notamment une centaine de toiles de Piet Mondrian, des fauves, des expressionnistes et des œuvres contemporaines hollandaises (groupe Cobra).

Le **Madurodam** se trouve à environ six cents mètres au nord-est du Gemeentemuseum (suivre Eisenhowerlaan, puis Pr B. M. Teldersweg). Baptisé en l'honneur de George Maduro, combattant de la Seconde Guerre mondiale et mort en déportation, ce site expose des reproductions miniaturisées de bâtiments (y compris les infrastructures) représentant les principaux styles architecturaux des Pays-Bas.

De l'époque où elle était la station balnéaire la mieux fréquentée de Hollande et le rendez-vous des peintres impressionnistes néerlandais, **Scheveningen** a conservé une certaine élégance, surtout en automne et en hiver. A cette période de l'année, les milliers de touristes (dont une proportion importante vient d'Allemagne du Nord) qui se pressent l'été le long du **Strandweg**, le boulevard long de 3 km

Ci-dessous le département d'histoire de la mode au Gemeentemuseum de La Haye à droite, Autoportrait de Rembrand peint en 1629.

REMBRANDT

Le plus grand peintre hollandais est né à Leyde en 1606, huitième enfant de Harmen Gerritszoon Van Rijn et de Cornelia Van Zuytbrouck. Son père possédait une scierie sur un bras du Rhin, d'où ce nom de Van Rijn, et la famille jouissait d'une certaine aisance. Rembrandt fréquenta l'école latine, puis, en 1620, il s'inscrivit à l'université. Mais il abandonna très vite ses études de droit pour la peinture, et son père l'envoya en apprentissage pendant trois ans chez le peintre Jacob Van Swanenburg. Rembrandt passa ensuite six mois décisifs à Amsterdam, dans l'atelier d'un peintre d'histoire renommé, Pieter Lastman, disciple du Caravage.

A son retour à Leyde, en 1624, Rembrandt était un jeune artiste talentueux, sûr de lui et déjà très original, comme le montrent l'*Autoportrait* peint en 1629 et sa première toile signée et datée, *La Lapidation de saint Étienne*. Leur style vigoureux marque l'indifférence du jeune artiste pour le « soigné » extérieur du tableau qui plaisait tant au public bourgeois d'alors. Au secrétaire du stathouder Constantijn Huygens qui le pressait d'aller se parfaire en Italie, il répondit qu'il était trop occupé pour voyager et que la Hollande lui offrait plus de sujets qu'il n'en saurait jamais peindre. Au cours de ces années leydoises, Rembrandt, qui partageait un atelier avec Jan Lievens, travailla avec acharnement, dessinant beaucoup, et notamment des visages dont il apprit à capter l'expression grâce, en partie, aux jeux de lumière. De cette époque datent *La Présentation au temple* et *Les Pèlerins d'Emmaüs*.

La commande de *La Leçon d'anatomie du docteur Tulp* vers 1631 le rappela à Amsterdam, où il s'installa définitivement.

En 1634, il épousa Saskia Van Uylenburg, fille d'un riche échevin de Leeuwarden, qui lui apporta en dot argent et relations. Les commandes affluant (portraits de grands personnages et même une série de compositions illustrant la Passion) pour le compte du stathouder Frédéric-Henri, Rembrandt acheta une vaste maison dans Jodenbreestraat, qu'il décora avec soin. *La Ronde de nuit*, achevée en 1642, marqua l'apogée de cette période faste.

La même année, le décès de Saskia, le ralentissement des commandes ainsi que le début des ennuis d'argent trouvèrent leur épilogue, en 1656, avec la liquidation judiciaire des biens du peintre. Pourtant, la puissance et l'universalité de son art ne cessèrent de s'accentuer.

Au « style harmonieux » des années 1640, qui traduisait un regain d'intérêt du peintre pour l'art de la Renaissance, succéda le « style majestueux », également qualifié d'héroïque, des années 1650. Plus seul que pauvre, plus rien ne pouvait désormais le détourner de la vie spirituelle, dont son art est le reflet. Des dernières années naquirent les chefs-d'œuvre qui font de Rembrandt un génie universel : *Les Syndics des drapiers*, *Saül et David*, *Le Retour du fils prodigue* et *La Fiancée juive*. Maître incontesté du clair-obscur, il en fit un langage si personnel, si intimement lié à sa quête intérieure que ses élèves n'ont pu ensuite qu'imiter ses effets, et seulement dans les portraits.

Quelques mois après la mort de son fils, Titus, Rembrandt s'éteignit à son tour le 4 octobre 1669. Si celui qu'André Malraux a appelé « le frère de Dostoïevski, hanté de Dieu » fut, de son vivant, considéré comme un très grand peintre, cette admiration se teinta cependant de nuances au cours des siècles. C'est avec les romantiques, et notamment Delacroix, qu'il est définitivement devenu l'une des grandes figures de l'histoire de l'art.

qui longe la plage, la désertent. L'édifice le plus intéressant est sans conteste le **Kurhaus**, un grand hôtel de la fin du XIXᵉ siècle, cadre des manifestations culturelles (notamment musicales avec le **Festival de Hollande**) qui se déroulent entre mai et septembre.

Leyde

Nichée au bord d'un bras du Rhin, dans une région de bulbiculture entre La Haye et Haarlem, la ville de **Leiden** (106 000 habitants) est une cité universitaire, pleine de cafés et de librairies.

L'université de Leyde est la plus ancienne et la plus prestigieuse des Pays-Bas. Elle fut fondée en 1575 par Guillaume d'Orange en témoignage de reconnaissance pour l'héroïque résistance de la ville devant les troupes espagnoles. Malgré la famine et les épidémies, les Leydois soutinrent vaillamment 131 jours de siège et repoussèrent finalement les assaillants en sacrifiant plusieurs digues, permettant ainsi aux soldats de l'amiral Boisot de leur venir en aide. Une magnifique tapisserie exposée au musée Lakenhal relate ce glorieux épisode.

Depuis sa création, l'université de Leyde a compté parmi ses enseignants des scientifiques de grande renommée : le médecin et botaniste hollandais Hermann Boerhaave (1668-1738), et les physiciens Heike Kamerlingh Onnes (1853-1926), créateur du laboratoire de cryogénie, et Hendrik Lorentz (1853-1928), tous deux titulaires du prix Nobel. René Descartes y donna quelques conférences, tandis que son ami Guez de Balzac et le poète Théophile de Viau (1590-1626) y suivirent l'un des cours de médecine, l'autre de droit. La ville s'enorgueillit également d'avoir vu naître Lucas de Leyde, Jan Van Goyen, Rembrandt, Gerard Dou (1613-1675), et Jan Steen.

Vers le musée Lakenhal

Non loin de la gare, sur la gauche, se dressent les sept étages du **Molenmuseum « De Valk »**. Construit sur un

L'hôtel Kurhaus, à Scheveningen.

rempart, ce moulin du XVIIIᵉ siècle accueille un musée consacré à la meunerie. Le rez-de-chaussée, ancien logis du meunier, a conservé son ameublement d'époque.

Fondé en 1837, le musée national d'Ethnographie, **Rijksmuseum voor Volkenkunde** (n°1 Steenstraat), l'un des plus anciens d'Europe dans ce domaine, possède de très belles collections d'objets provenant d'Indonésie (Java, Bali, Bornéo, Sumatra), de Nouvelle-Guinée, d'Asie du Sud-Est, de Chine, du Japon, d'Asie centrale, d'Afrique, du Moyen-Orient et d'Amérique.

Le **Stedelijk Museum De Lakenhal** (nᵒˢ 28-30 Oude Singel) occupe l'ancienne maison des syndics des drapiers, construite en 1640 par Arent Van's Gravesande. Le moulin à foulon flanqué de tissu et de laine situé au-dessus de l'entrée rappelle l'ancienne fonction du bâtiment. Les marchands de drap s'y réunissaient pour contrôler la conformité du drap aux normes de leur profession.

Maisons fronton, à Leyde.

L'industrie du tissu fut introduite à Leyde au XIVᵉ siècle par des artisans flamands originaires d'Ypres fuyant la peste. Sur la façade du musée, des bas-reliefs illustrent les principales étapes de la fabrication du drap (peignage, tissage, cardage, tordage et teinture).

Le département de peinture présente des œuvres d'artistes leydois des XVIᵉ et XVIIᵉ siècles. Le joyau de cette collection est sans conteste le tryptique du *Jugement dernier*, peint en 1526 par Lucas de Leyde pour la Pieterskerk. On remarquera également des œuvres de Cornelis Engelbrechtsen (mort en 1533), le maître de Lucas.

De Rembrandt, le musée ne possède qu'une toile, *Palamède en présence d'Agamemnon*, exécutée en 1626. On la comparera avec les tableaux de Jan Lievens (1607-1674), avec qui l'artiste partagea un atelier. Leur collaboration et leur influence réciproque furent si intenses que les experts hésitent à déterminer la paternité de certaines de leurs œuvres. Enfin, on ne manquera pas d'admirer une *Vue de Leyde* de

Jan Van Goyen, l'un des plus grands peintres du siècle d'or, natif de Leyde et qui, pourtant, ne rencontra sans doute jamais Rembrandt.

Le Lakenhal possède également plusieurs salles consacrées aux arts décoratifs. Dans l'aile Pape, du nom d'un des bienfaiteurs du musée, on visitera le « salon jaune » meublé dans les styles Louis XV et Louis XVI, une chambre Empire, une autre Biedermeier, ainsi que des collections de verrerie et d'argenterie. L'aile Lakenhal est principalement consacrée aux métiers du drap avec la salle des syndics, la chambre des gouverneurs et la chambre des tailleurs.

Le quartier de l'Université

En suivant le **Rapenburg**, le plus joli canal de Leyde – percé à l'emplacement de l'ancienne enceinte – bordé par d'aristocratiques demeures des XVIIe et XVIIIe siècles, on aboutit dans le quartier de l'Université. Sur la rive gauche, juste avant Houtstraat, vous pouvez voir le **Rijksmuseum Van Oudheden**. Dans ce musée national, fondé en 1818, sont exposées des antiquités égyptiennes (un ensemble de sculptures d'une valeur exceptionnelle), mésopotamiennes, grecques, étrusques, romaines, et de la préhistoire européenne.

Le mystérieux temple de Taffel installé dans le hall d'entrée fut offert par le gouvernement égyptien en témoignage de gratitude pour l'aide que les Pays-Bas apportèrent dans les opérations de sauvetage des monuments menacés par la construction du barrage d'Assouan.

Sur l'autre rive, au n° 25, on aperçoit la **bibliothèque Thyssania**, bâtie en 1655. Jan Thyssen commanda cet édifice à Arent Van's Gravesande afin d'accueillir ses ouvrages. **Descartes** séjourna, en 1640, dans la maison sise au n° 21. Fondée en 1575, l'**Université** occupa dès 1578 un couvent de sœurs blanches. Demeuré intact depuis sa construction, au XVIIe siècle, le **grand auditorium** accueille les événements

A gauche masque indonésie au musée national d'Ethnographie de Leyde à droite, la Hooglandse Kerk illuminée

prestigieux de la faculté, soutenances de thèses, leçons inaugurales. A côté de l'Université s'étend le **Hortus Botanicus**, l'un des plus vieux jardins botaniques du monde, créé en 1587. A visiter notamment pour son Victoria Regia, un fastueux de nymphéas.

Sur l'autre rive du canal se dresse l'église Saint-Pierre, **Pieterskerk**, un édifice gothique achevé au début du XVIe siècle. L'intérieur abrite les tombeaux du peintre Jan Steen, du botaniste Boerhaave et du théologien Arminius. La **faculté de droit** est située à gauche de l'église dans le **Gravensteen**, l'ancienne prison des comtes de Hollande (la façade à frontons date de 1655). Les amateurs de flânerie en profiteront pour découvrir les ruelles du quartier, jalonnées de cafés et de librairies.

Parvenu dans la **Breestraat** (rue Large), la principale artère de Leyde qui était à l'origine une route aménagée au sommet d'un remblai destiné à contenir les eaux du Rhin tout proche, vous apercevrez la longue façade Renaissance du **Stadhuis** (l'hôtel de ville) conçue par Lieven de Key en 1595. A gauche se dresse le **Rijnlandshuis**, construit en 1578 par le même architecte pour le compte de la puissante administration des Eaux et des Polders.

Probablement construite au IXe siècle sur un monticule artificiel au confluent du Vieux et du Nouveau Rhin (Nieuwerijn et Ouderijn), la tour du **Burcht** offre la meilleure vue sur Leyde. Non loin, dans Nieuwstraat, se dresse l'imposante **Hooglandse Kerk**, une église gothique édifiée vers la fin du XVe siècle, et ne comportant pas moins de trois nefs et un triple transept.

Delft

Située au bord de la **Vliet**, Delft occupe le centre d'une importante zone industrielle et possède une université technique très réputée, ainsi que de nombreux laboratoires de recherche. Pourtant, la vieille cité, qui compte 87 500 habitants, a miraculeusement

Reproduction d'un moulin du VIIe siècle, au sud du Vorspoort, à Leyde.

peu changé depuis que Vermeer, qui y naquit, a peint sa légendaire vue de la ville exposée au Mauritshuis. Du **Hooikade**, d'où l'artiste exécuta ses croquis en ces matinées de l'été 1660, on aperçoit encore les briques foncées de l'Armamentarium et la fine aiguille blanche de la Nieuwe Kerk.

Fortifié au XIe siècle par Godefroi le Bossu, duc de Lorraine, Delft, le « fossé », se développa grâce au travail de la laine et à ses brasseries et devint, au XVIIe siècle, l'une des cités les plus riches de Hollande. Mais, c'est la fabrication de ses fameuses faïences qui lui apporta la renommée.

Devenue, à l'époque de la guerre contre l'Espagne, le principal arsenal de la République, la ville fut, en octobre 1654, dévastée par l'explosion du Secreet Van Hollandt, un entrepôt de poudre caché dans le jardin d'un ancien couvent. Le sinistre détruisit un tiers des habitations de la ville et fit 2 000 victimes. L'une d'elles était Carel Fabritius (vers 1622-1654), sans doute l'élève le plus doué de Rembrandt.

Autour du Markt

Dominant le côté est du **Markt** (la vaste place du marché), la **Nieuwe Kerk** fut construite au XVe siècle. Cette église gothique de brique et de pierre blanche possède une tour haute de 108 m, plusieurs fois reconstruite.

Le chœur abrite, au-dessus du caveau des princes de la maison d'Orange, le **mausolée de Guillaume le Taciturne**, père de la Patrie, une œuvre commencée en 1614 par Hendrick de Keyser et achevée par son fils Pieter huit ans plus tard. Un monument érigé en 1781 honore la mémoire du grand juriste **Grotius**, né à Delft en 1583. Au centre du Markt, une **statue** (exécutée en 1866) lui rend également hommage.

L'hôtel de ville, le **Stadhuis**, fut détruit par un incendie en 1618 à l'exception du beffroi qui date du XVe siècle. Nous devons le nouveau bâtiment, reconstruit en 1620, à Hendrick de Keyser. En quittant le Stadhuis en direction de l'Oude Delft, le

Les toits de tuiles de Delft.

Koornmarkt, un canal bordé de très belles demeures, se trouve à une centaine de mètres sur la gauche. Au n° 67, le **musée Tetar Van Elven** occupe la demeure du peintre Paul Constantin Tetar Van Elven (1823-1896), et abrite les collections de l'artiste.

Le long de l'Oude Delft

Une promenade le long de l'**Oude Delft**, un canal bordé de tilleuls et coupé de ponts en dos d'âne, vous permettra de découvrir quelques-uns des plus beaux édifices de la ville.

Quant on vient du Markt, l'**Oude Kerk** se trouve sur la droite. Construit sur ce site au milieu du XIIIᵉ siècle, le premier édifice, consacré à saint Hippolyte, fut plusieurs fois remanié et agrandi aux cours des trois siècles suivants. Du XVIᵉ siècle date notamment le magnifique transept nord, de style gothique flamboyant, dû au célèbre architecte de Malines, Anthonis Keldermans. La puissante tour qui domine le canal abrite une grosse cloche.

Sur le vaste Markt, le Stadhuis de Delft.

A l'intérieur, on peut voir les tombeaux des amiraux **Piet Hein** (mort en 1629) et **Maarten Harpertszoon Tromp** (mort en 1653), célèbres, le premier pour avoir capturé des galions espagnols transportant un trésor d'une valeur de 11,5 millions de florins, le second pour avoir livré une trentaine de batailles navales. Un autre monument commémore la mémoire du naturaliste **Antonie Van Leeuwenhoek** (Delft, 1632-1723) qui, l'un des tout premiers, fabriqua un microscope lui permettant d'observer des protozoaires et des bactéries.

En face, sur l'autre rive du canal, vous apercevrez le **Prinsenhof Museum**. Ce couvent de style gothique bourguignon du XVᵉ siècle (le seul des Pays-Bas dont le cloître soit surmonté d'un étage), transformé en poste d'état-major par Guillaume le Taciturne, fut le théâtre de son assassinat le 10 juillet 1584 par Balthazar Gerards, un espion à la solde de l'Espagne. Les impacts des balles dans le mur du Moordzaal sont soigneusement préservés derrière des

glaces. Musée d'histoire, le Prinsenhof est essentiellement consacré aux événements et aux personnages de la guerre d'indépendance contre l'Espagne, ainsi qu'à la famille d'Orange-Nassau. On peut également y admirer des faïences de Delft.

A deux pas du Prinsenhof, dans Agathaplein, les amateurs d'instruments de musique exotiques ne manqueront pas de rendre visite au **musée d'Ethnographie**. Plus haut dans Oude Delft, au n° 199, le **musée Huis Lambert Van Meerten** occupe une maison Renaissance et expose des carreaux de faïence de Delft.

Au bout du canal, un peu après le **Begijnhof** (le béguinage), un jardin public aménagé sur l'emplacement d'un ancien cimetière abrite la tombe de Karl Wilhelm Naundorff. Cet horloger de Spandau, mort à Delft en 1845, prétendit toute sa vie être le dauphin de France, Louis XVII. L'authentique fils de Louis XVI mourut vraisemblablement dans la prison du Temple en 1795, mais après la

Restauration plusieurs aventuriers tentèrent de se faire passer pour le prince héritier.

Bâtie en 1510, la magnifique demeure de pierre de style gothique flamboyant située au n° 167 est l'un des rares édifices à avoir survécu au grand incendie de 1536. Les trois lettres VOC gravées sur la maison de style Renaissance sise au n° 39 rappellent que Delft participa à la fondation de la Compagnie des Indes orientales. L'édifice massif de brique qui lui fait face, l'**Armamentarium**, faisait autrefois fonction d'arsenal, comme le souligne le cartouche comportant une figure de Mars, dieu de la Guerre, perché sur un lion et des canons. Le **Koninklijk Nederlands Legermuseum** (le musée de l'Armée royale néerlandaise) occupe désormais l'édifice.

Le pont situé à l'extrémité est du canal marque l'emplacement de l'une des portes d'enceinte médiévales, la **Rotterdampoort**. Des huit portes d'origine, seule la **Oostpoort** (plus à l'est) est encore visible.

Ci-dessous et à droite, le célèbre bleu de De

FAÏENCES DE DELFT

Le Delft désigne un type de faïence en camaïeu de bleu, produite à Delft et dans d'autres villes hollandaises. D'origine persane, cet art connut un brillant développement dans la civilisation hispano-mauresque avant de se transmettre à l'Italie, au XIIIe siècle, puis à l'Europe entière à la fin du XVe siècle. Longtemps d'ailleurs, l'Europe continua d'appeler ces objets (pots d'apothicaires, drageoirs, vases, plats, assiettes) des « *majolicas* », du nom de Majorque, qui en devint l'un des grands centres de fabrication.

Décorée, jusqu'à la Renaissance, de motifs géométriques et floraux, la céramique d'ornement produite en Italie, à Faenza (dont le mot faïence dérive), à Caffagiolo, à Deruta, à Gubbio, et surtout à Urbino, prit ensuite un caractère historié.

C'est d'ailleurs à cette époque qu'un célèbre potier italien, Guido Da Savino, émigra à Anvers où il établit l'un des premiers ateliers de fabrication de faïence des Pays-Bas. Cette industrie profita du rayonnement commercial d'Anvers et exporta ses produits aux quatre coins de l'Europe. Le déclin relatif de la ville, au-delà de 1585, incita de nombreux artisans à émigrer vers la Hollande, et notamment vers Delft et Haarlem, où ils développèrent de nouvelles applications de la faïencerie telles que les carreaux muraux et les cheminées.

Au début du XVIIe siècle, les navires marchands de la Compagnie des Indes orientales rapportèrent de leurs voyages en Extrême-Orient des curiosités parmi lesquelles des porcelaines chinoises décorées de motifs bleu et blanc. D'emblée, ces objets (notamment des boîtes à sel cubiques) rencontrèrent un vif succès auprès des Néerlandais. Bientôt, on vit apparaître des copies de porcelaines chinoises produites à Delft, souvent décorées de motifs bibliques ou de scènes de la vie quotidienne, dont le succès profita des irrégularités d'approvisionnement liées à la guerre civile qui sévit en Chine à partir de 1645. Supplantant l'étain et la terre cuite, la céramique s'imposa alors comme le principal matériau utilisé pour la vaisselle d'usage.

Mais, à partir du milieu du XVIIIe siècle, l'artisanat néerlandais eut à subir la concurrence croissante des produits industriels anglais. Un siècle plus tard, l'entreprise *De Porceleyne Fles*, créée en 1653 par David Van der Pyet, était le dernier atelier encore en activité de Delft. En 1876, Joost Thooft donna un second souffle à cet artisanat en restaurant la décoration peinte à la main (motifs traditionnels et Art nouveau). Pour cela, il s'adjoignit les services d'un conseiller artistique en la personne d'Adolf Le Comte, professeur à l'école des Arts décoratifs de Delft. Devenu un artisanat original et très recherché, le Delft est encore produit avec succès.

De nombreux musées néerlandais possèdent d'importantes collections de faïences de Delft. Le Gemeentemuseum de La Haye abrite l'une des plus remarquables, grâce notamment à la donation Van den Burgh. Le Rijksmuseum d'Amsterdam expose quelques belles pièces, entre autres des vases à tulipes très à la mode dans les années 1650. Le Museum Het Prinsenhof de Leeuwarden présente, outre des céramiques chinoises et néerlandaises, une magnifique collection de carreaux de faïence venant de Perse, d'Espagne, de France et de Hollande. Enfin, si l'occasion se présente, ne manquez d'aller admirer la décoration de céramique (exécutée chez *De Porceleyne Fles*) de l'hôtel Die Port van Cleve (178-180 Nieuwezijds Voorburgwal), à Amsterdam.

ROTTERDAM ET SES ENVIRONS

Établi sur les deux rives de la **Nieuwe Maas**, entre la ville de Rotterdam (1 026 000 habitants) proprement dite et le **Hoek van Holland** (le « crochet de Hollande »), le port de Rotterdam domine toute la région de Hollande-Méridionale (Zuid-Holland). Mais, en dépit de cette intense activité économique, la ville est étonnamment calme et accueillante, riche en musées et en cafés.

Rotterdam

Dévastés par les bombardements allemands en 1940, le centre-ville et le port ont été reconstruits après la guerre, donnant naissance à de nouveaux ensembles architecturaux : le **Nieuwe Binnenstad** (le nouveau centre), entièrement tourné vers l'accueil des grandes sociétés, des administrations et des magasins, le **Lijnbaan**, achevé en 1953, et ses vastes espaces piétonniers bordés d'immeubles modernes. Sur **Coolsingel**, la grande artère routière de la ville, on peut encore voir le **Stadhuis**, l'hôtel de ville, édifié en 1914-1920 dans le style néo-Renaissance flamand.

L'**Oude Haven**, l'ancien port de Rotterdam, n'accueille plus désormais que des barges inutilisées appartenant au musée de la Marine. C'est là que l'on trouve l'architecture la plus étonnante. Réduite en cendres par les bombes incendiaires tombées le 14 mai 1940, cette partie de la ville n'a conservé qu'un seul monument médiéval, la **Grote Kerk**, ou **église Saint-Laurent**. Cet édifice de style gothique brabançon, fondé en 1469 près de la digue sur la **Rotte** (un petit affluent de la Meuse qui a donné son nom à la ville), fut lui-même très endommagé pendant la guerre, mais il a depuis été patiemment restauré.

Au centre de la place austère qui fait face à l'église se dresse une **statue d'Érasme**. Celui qui allait incarner l'humanisme et la tolérance s'appelait en réalité Geert Geertszoon et naquit à Rotterdam en 1469. Sa vie commença dans le scandale, car il était né d'un père prêtre. Cet européen exemplaire resta cependant attaché à sa ville, dont l'université porte désormais son nom. La statue de bronze qui le représente, due à Hendrick de Keyser, date de 1622.

Laissé à l'abandon pendant des années, le quartier du vieux port connut d'importantes transformations à la fin des années 1980, avec notamment la construction d'une grande **bibliothèque** de verre et d'acier. Depuis les escaliers mécaniques, on a une vue magnifique sur le port, et sur les jardins suspendus qui se trouvent à l'intérieur de l'édifice. Plus surprenant encore, le **Blaakse Bos** voisin, conçu par Piet Blom, se présente comme un encastrement de volumes cubiques juchés au sommet d'étroites colonnes. Avec la rue piétonnière (la **Promenade Overblaak**), jalonnée de magasins, qui serpente sous les maisons, l'architecte a souhaité créer une version moderne du

Pages précédentes gauche : maisons cubiques du vieux port dues à l'architecte Blom. A droite, une statue d'Érasme.

Ponte Vecchio de Florence. La visite du **Kijk Kubus**, avec son mobilier adapté aux murs inclinés, vous donnera une idée du mode de vie compatible avec ces habitations futuristes.

Une promenade au bord de l'eau, le long du **Boompjes**, vous conduira au bassin du **Leuvehaven**. Au bout de la jetée, derrière un vieux phare rouge désaffecté, vous apercevrez le **Maritiem Museum Prins Hendrik**, un musée moderne consacré à l'aventure maritime de Rotterdam. A l'intérieur, les longues passerelles de métal qui conduisent d'un étage à l'autre rappellent l'atmosphère d'un navire de commerce. Au sommet du bâtiment, la terrasse d'un café offre l'un des plus beaux panoramas sur la ville. Le musée a également pris possession du quai et de ses vieilles grues, et il y installe régulièrement des expositions. Le **bateau-musée Buffel**, un bâtiment de guerre en métal du XIXᵉ siècle, y est amarré en permanence. On remarquera la décoration très victorienne du mess des officiers.

Au centre de la place balayée par les vents située à côté du musée se dresse le **monument d'Ossip Zadkine**, « Pour une cité dévastée » (De Verwoeste Stad), érigé en 1953 et symbolisant le martyre de Rotterdam pendant les bombardements.

Environné d'immeubles de bureaux, le **Historisch Museum Schielandshuis** occupe une jolie demeure datant du XVIIᵉ siècle qui abritait autrefois l'administration des Eaux. Ce petit musée présente une collection de peintures, des meubles d'époque et des maisons de poupés. Il possède également le fameux Atlas van Stolk, un important ensemble de textes historiques et de cartes.

Si vous souhaitez visiter les installations portuaires en bateau, rendez-vous au **Spido Havenrondvaarten**, juste en face du bassin de Leuvehaven, au début du **Willemskade**. Au bout de ce quai, le bâtiment néo-classique aux teintes pastel accueille le **Museum voor Land en Volkenkunde**. Ce musée d'ethnographie présente des collections

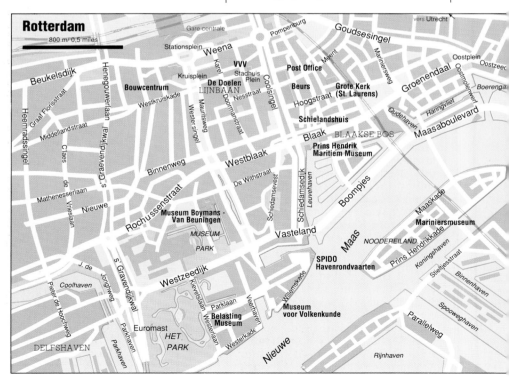

principalement consacrées aux pays d'Asie du Sud-Est, à la Chine, au Tibet, à la Micronésie et à la Nouvelle-Guinée.

Tout autour du bassin du **Veerhaven**, on aperçoit plusieurs immeubles du XIXe siècle dont les détails décoratifs évoquent le caractère maritime des compagnies qui les occupent.

Westerkade vous conduira ensuite au **Het Park**, en bordure de fleuve, un espace semé de pelouses et de pièces d'eau et agrémenté de monuments divers, telle cette église norvégienne en bois, ou le café Zocher avec sa façade sortie d'un décor de Tchekhov. Dominant l'ensemble, il est difficile d'ignorer les 185 m de la **tour Euromast**. Élevée en 1960, elle ne mesurait alors que 104 m et fut rehaussée jusqu'à sa taille actuelle en 1970. Du salon d'observation, du restaurant de luxe ou de la cafétéria, la vue est imprenable.

Fondé au XIVe siècle, **Delfshaven** fut d'abord le port de Delft avant d'être rattaché à la commune de Rotterdam, en 1886. Son nom est associé à l'aventure des **pères pèlerins** qui, quittant leur retraite de Leyde, s'embarquèrent le 22 juillet 1620 sur le *Speedwell* à destination de Southampton. Là, rejoints par d'autres pèlerins, ils prirent place à bord du célèbre *Mayflower* qui les conduisit en Amérique, où ils fondèrent la Nouvelle-Angleterre. Ville natale de l'amiral Piet Heyn, Delfshaven échappa en grande partie aux bombardements de 1940 et la plupart des édifices font partie du patrimoine protégé.

Le musée **De Dubbelde Palmboom** a établi domicile dans l'un de ces entrepôts à pignons du XIXe siècle. Comme il convient à une cité dont le labeur est la fierté, le musée est consacré à l'activité économique dans le delta du Rhin depuis les artisans du Moyen Age jusqu'aux groupes industriels contemporains.

Construite en 1653, la **Zakkendragershuisje**, aujourd'hui transformée en musée, abritait autrefois le siège de la guilde des porteurs de grain. On peut

Une des nombreuses maquettes du musée maritime de Rotterdam.

DANS LE PORT DE ROTTERDAM

A la fin du XIXᵉ siècle, le port de Rotterdam éclipsa son rival amstellodamois et devint le premier port des Pays-Bas. L'événement décisif qui contribua à ce succès fut le creusement d'une voie d'eau, la **Nieuwe Waterweg**, inaugurée en 1872 et reliant la Nieuwe Mass à la mer du Nord. Cette voie accessible par tous les temps et à tous les types de bateaux remplaça une série de chenaux difficiles à franchir et qui freinaient le trafic. La réalisation de deux autres canaux, le **Calandkanaal** et le **Hartelkanaal**, complétèrent le dispositif. En quelques années, le port se dota des infrastructures les plus modernes et amorça une croissance stupéfiante.

Au lendemain de la guerre, Rotterdam renouvela entièrement ses équipements portuaires. Le premier port du monde est désormais installé sur les deux rives des 37 km qui séparent le Crochet de Hollande de la ville de Rotterdam. Près de 4 % du tonnage mondial total transporté transite par Rotterdam. Environ 32 000 bateaux entrent

dans le port, mettant en action 400 grues et 450 remorqueurs, tandis que 180 000 barges et péniches quittent ses quais et s'enfoncent à l'intérieur de l'Europe. Depuis longtemps, cette activité se caractérise à la fois par la prédominance des produits pondéreux (pétrole, minerai, charbon, céréales) et une balance entrées-sorties très déséquilibrée au profit des entrées.

Le port de Rotterdam doit plus de la moitié de son succès à sa position de débouché naturel de l'espace rhénan, l'une des plus puissantes régions industrielles du monde. Par le **Lek**, il est lié aux industries chimiques, métallurgiques et mécaniques d'Allemagne, de France et de Suisse.

Commencé en 1907, le **Waalhaven**, l'ancêtre du port actuel, était, dès son achèvement en 1930 (qui nécessita le sacrifice de 300 ha de polders), le plus grand port artificiel du monde, au premier rang pour le trafic du charbon et des céréales. La plus grande partie de cet espace est désormais réservé aux conteneurs, une technique de conditionnement, de manipulation, et de transport dont Rotterdam fut le pionnier. Le premier porte-conteneur en provenance du Japon accosta dans le Waalhaven en 1972. Depuis, ces bâtiments ont considérablement augmenté en volume et il n'est pas rare de voir des bateaux de 300 m de long emporter jusqu'à 3 000 de ces énormes caisses métalliques qui, mises bout à bout, représenteraient une distance de 18 km. Le plus vaste terminal de conteneurs d'Europe, le Europe Container Terminus, est aménagé dans **Eemhaven** et doté de 14 grues géantes, qui manipulent en moyenne un million de conteneurs par an.

Mais Rotterdam est aussi le plus grand centre de raffinage du monde. Le pétrole entra pour la première fois dans le port en 1888, puis une petite raffinerie fut construite en 1902 à côté de la ville. Aujourd'hui cinq des plus grandes compagnies pétrolières mondiales, Shell, BP, Esso, Chevron et Gulf, possèdent des équipements dans le port, principalement situés dans l'**Europoort**, un bassin très profond construit en 1958 pour accueillir les super-tankers.

Depuis le Wilhelminakade, des bateaux Spido effectuent des promenades de 75 min permettant de découvrir une partie de cet immense complexe portuaire, et en particulier Eemhaven et Waalhaven. Mais si vous préférez explorer tout cela depuis la terre ferme, sachez que la Rotterdamse Haven Route, longue de 100 km, relie Rotterdam à l'Europoort. Des espaces verts ont été aménagés entre les raffineries.

y voir une exposition centrée sur la fabrication des étains.

Bien que Rotterdam n'ait donné son nom à aucune école de peinture, la ville possède, dans ce domaine, plusieurs musées de premier plan. Fondé en 1847, le **musée Boymans-Van Beuningen** renferme l'une des plus belles collections d'art des Pays-Bas, même si beaucoup d'œuvres majeures léguées par Frans Boymans disparurent dans l'incendie de 1864. L'actuel édifice fut construit en 1931-1935, et agrandi en 1972.

Le musée comprend un département de peinture (des primitifs à nos jours), un autre de sculpture, une section des arts appliqués et décoratifs, ainsi qu'un cabinet des estampes et des dessins. Parmi les nombreux chefs-d'œuvre que l'on peut admirer, notons : *Les Trois Marie au tombeau*, de Hubert et Jan Van Eyck, la *Déploration* de Hans Memling, le *Fils Prodigue* et *Saint Christophe* de Jérôme Bosch et l'une des deux versions de la *Tour de Babel* de Pieter Breughel l'Ancien.

Le musée compte plusieurs salles consacrées à la peinture du siècle d'or, où sont notamment exposés des Rembrandt (dont l'*Homme au béret rouge* et *Titus à l'écritoire*), et des Ruisdael, ainsi que des salles de peinture italienne des XVe, XVIe et XVIIe siècles. On peut ensuite suivre un siècle de recherche picturale, depuis l'impressionnisme jusqu'à Wassily Kandisky – dont le musée possède un magnifique ensemble.

Pour vous remettre des fatigues de la visite, le **café De Unie** vous attend au n° 35 Mauritsweg. Ce curieux édifice est la reconstitution d'un immeuble dessiné en 1924 par l'architecte Oud selon les principes élaborés par le groupe De Stijl, dont Mondrian fut le principal animateur.

Dordrecht

Dordrecht (107 000 habitants) offre un plaisant contraste avec les élans futuristes de Rotterdam. Ce vieux port fluvial, magnifiquement situé dans

otterdam : à gauche, l'infrastructure complexe du port ; ci-dessous, le musée Boymans-Van Beuningen.

l'embouchure du Rhin et de la Meuse (et plus précisément sur l'Oude Mass), est sans doute l'une des plus anciennes cités des Pays-Bas, comme le suggère une chronique médiévale qui rapporte qu'elle fut détruite en 937 par les Normands. Le comte Dirk III y édifia, au XIe siècle, une puissante forteresse de manière à contrôler cet accès stratégique à la Hollande. La ville se développa autour du château et reçut sa charte municipale du comte Willem Ier, en 1220.

Dordrecht joua un rôle considérable dans l'émergence de l'État néerlandais. Devenue l'une des principales bases de repli pour les Gueux de mer (lire les pages 34-35), la ville accueillit en 1579, dans le **Statenzaal** (toujours visible autour du **Hof**), la réunion des États de Hollande, qui désigna Guillaume d'Orange comme stathouder.

Dordrecht fut également le théâtre du fameux synode de 1618-1619, au cours duquel les remontrants (ou arminiens), partisans d'une attitude religieuse modérée, affrontèrent les gomaristes, favorables à un calvinisme radical, sur la question de la prédestination et de la grâce. En arrière-plan de cette querelle religieuse majeure se jouait un autre conflit, politique celui-là, opposant la grande bourgeoisie (arminienne) de Hollande et de Zélande à la noblesse (gomariste) et aux paysans de l'est des Provinces-Unies.

Bien que de nombreux entrepôts y tombent en ruine, ce sont sans doute les **quais** qui constituent la partie la plus intéressante de la ville. De nombreux édifices portent des noms de villes allemandes, rappelant que Dordrecht était autrefois le principal port de transit des vins rhénans et mosellans. On se rendra dans le quartier du port en suivant **Wijnstraat**, une vieille rue bordée d'entrepôts humides et de magasins de brocante. On y trouve même une antique librairie encombrée de romans poussiéreux en plusieurs langues, de vieux disques, de cartes défraîchies, le tout entassé dans des caisses de saint-émilion.

La Grote Kerk de Dordrecht.

En tournant à gauche au bout de la rue, vous découvrirez la **Groothoofds Poort**, construite au XVIIᵉ siècle sur le site d'une porte d'enceinte médiévale. Cet édifice baroque, autrefois entrée principale de la ville, porte un large cartouche représentant la « jeune fille de Hollande ».

Le pont occupe un site spectaculaire, au confluent de trois voies fluviales majeures. A droite, dans le nouveau port, la **Beneden Merwede**, qui prend alors le nom d'Oude Mass, remonte vers l'est en direction de Gorinchen. En face, le **canal du Nord** court rejoindre le Lek et Rotterdam, tandis qu'à gauche le **De Kil** achemine du fret maritime vers le Hollands Diep (le bras le plus méridional et le plus important des bouches de la Meuse) et Anvers. On estime à environ 1 500 le nombre de barges et de péniches qui empruntent chaque jour ce carrefour, le plus fréquenté d'Europe. Le quai, en revanche, est constamment désert, sauf lorsque le **Pieter Boele** accoste. Ce remorqueur à vapeur, construit en

1893, effectue des promenades touristiques dans les environs.

En prenant sur la gauche, en descendant la Meuse, vous déboucherez sur le **Nieuwe Haven**, un bassin pittoresque où de vieilles coques grinçantes finissent leurs jours.

Dominant l'ensemble, le **musée Simon Van Gijn** occupe une jolie demeure, édifiée en 1729 et acquise en 1864 par le banquier et amateur d'art Simon Van Gijn. Devenue un musée à sa mort, en 1922, elle offre au visiteur des pièces meublées et décorées dans différents styles. La maison comporte, entre autres, une grande salle de style Louis XIV garnie de tapisseries, un salon de musique Louis XVI, une cuisine décorée de carreaux de Delft et, à l'étage, une très belle salle Renaissance avec sa cheminée en chêne sculpté. Outre des tableaux allant du XVᵉ au XIXᵉ siècle, le musée possède des modèles réduits de navires, des costumes, des maisons de poupées, des lanternes magiques, ainsi qu'une maquette de Dordrecht datant de 1544.

n remor *eur dans* *e port de* *ordrecht.*

La **Grote Kerk** voisine fut construite par des architectes anversois aux XIVᵉ et XVᵉ siècles sur le site d'une chapelle datant du XIᵉ siècle. Cette église de style gothique brabançon se distingue par sa tour, commencée vers 1339, et dont les dimensions imposantes annonçaient une flèche très élevée. Elle ne fut jamais achevée. L'ouvrage comporte à la place une horloge à quatre cadrans du XVIIᵉ siècle.

L'étroit canal (**Voorstraatshaven**) qui longe l'aile sud de l'église conduit vers le centre-ville et passe sous le **Stadhuis**, l'hôtel de ville. Cet édifice néo-classique, surmonté d'un petit beffroi, fut bâti en 1840 sur l'emplacement d'un hôtel de ville médiéval datant de la fin du XIVᵉ siècle. Plus loin, à côté du pont (Visbrug), un **monument** commémore la mémoire de Johan et de Cornelis de Witt. Ce dernier fut bourgmestre de Dordrecht de 1666 à 1672. A quelques pas de là, au début de Visstraat, un joli café, le **Crimpert Salm**, occupe une demeure Renaissance de 1608 où se réunis- saient autrefois la guilde des marchands de poissons.

Installé dans un ancien asile d'aliénés, le **Dordrecht Museum** mérite une visite pour sa collection de peintures d'artistes locaux du XVIIᵉ siècle, Albert Cuyp, Samuel Van Hoogstraten, Nicholas Maes et Ferdinand Bol. De ce dernier, on peut voir un autoportrait où se lit l'influence de son maître, Rembrandt. De Jan Van Goyen, on admirera une *Vue de Dordrecht*, peinte en 1651, depuis la rive nord de l'Oude Mass. Dans un tableau de 1629 représentant une vue panoramique de la ville (accroché dans l'escalier principal), Adam Willaerts a, quant à lui, tenté de saisir l'intense activité régnant sur les quais. On notera également plusieurs natures mortes ou vanités, dont les éléments, pipes et bougies éteintes, apparaissaient au XVIIᵉ siècle comme autant de symboles du caractère passager des biens de ce monde et des joies qu'ils procurent.

Le musée expose également de nombreuses œuvres des XIXᵉ et XXᵉ siècles.

Un banquet en plein air à Dordrecht

Une salle est notamment consacrée à Ary Scheffer (1795-1858), natif de Dordrecht et naturalisé français, qui fut un peintre académique très apprécié de son époque et en particulier du roi Louis-Philippe. Une des toiles du musée, exécutée par un de ses amis, le montre d'ailleurs au travail dans son studio parisien.

Dans Museumstraat, au n° 56, vous apercevrez le **Arend Maartenhof**, un hospice du XVIIᵉ siècle, précédé d'un très beau portail Renaissance orné d'une inscription latine, *Vita Vapor*, qui invitait peut-être les anciens pensionnaires à renoncer aux illusions de ce monde.

Gouda

Située au confluent de l'IJssel et du Gouwe, dont elle tire son nom, **Gouda** (61 000 habitants) était autrefois un centre drapier important et un port fluvial actif. La ville doit désormais sa renommée au célèbre fromage rond et jaune, dont le marché traditionnel se

tient chaque jeudi matin de juin à septembre. Le gouda se déguste tendre ou vieilli. Sachez que *jong* désigne une pâte encore crémeuse, *belegen* un fromage vieilli pendant quatre mois, *oud* un fromage vieilli pendant dix mois, et enfin *overbelegen* un gouda sec et friable. Autre spécialité locale, les *Goudse stroopwafels*, de fines gaufres nappées de sirop.

Au centre de la ville s'étend la place du marché, le **Markt**, aux dimensions inhabituellement grandes pour la Hollande. Dominant la place, le **Staduis**, l'hôtel de ville, est un édifice de style gothique flamboyant construit vers 1450 et orné des statues des ducs et des duchesses de la maison de Bourgogne. Le double perron fut ajouté à la Renaissance. Au nord de la place se dresse le **Waag**, le Poids public, un imposant bâtiment de style classique construit en 1668 par Pieter Post et orné de bas-reliefs exécutés par Bartholomeus Eggers.

Du Markt, **Kerkstraat** s'enfonce dans un quartier d'allure médiévale et

On peut acheter sa roue de Gouda sur la grand-place, chaque jeudi matin de juin à septembre.

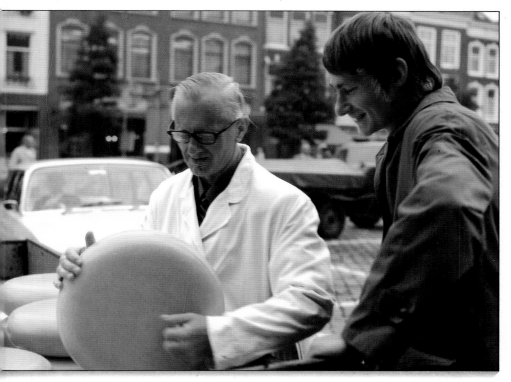

sillonné de ruelles pavées qui entourent la **Sint Janskerk** (Saint-Jean). Cette très longue église gothique reconstruite en 1552 possède de magnifiques **vitraux**, dont une soixantaine datent de sa reconstruction. On distingue les vitraux de la période catholique, réalisés entre 1555 et 1573 principalement par Dirck (mort en 1577) et Wouter Crabeth (mort en 1590), de ceux exécutés après la reconversion de l'église au culte protestant, dans les années 1594-1603, par des élèves des frères Crabeth.

Ces œuvres d'art furent offertes à l'église par différents donateurs : des municipalités, des abbayes, des guildes, des marchands et des princes. Le plus souvent, ils choisissaient un épisode de la Bible symbolisant un métier ou illustrant une conviction. Ainsi, en 1565, la guilde des pêcheurs commandait un vitrail (n° 30) représentant *Jonas rejeté par la baleine*, tandis que les bouchers faisait don d'un *Baalam et son âne* (n° 31). En 1561, Guillaume d'Orange offrit un *Jésus chassant les*

marchands du Temple (n° 22) bien peu innocent, où ses contemporains virent sans doute une accusation de simonie lancée contre l'Église catholique. En 1577, Philippe II d'Espagne répliquait avec la *Cène* (n° 7), qui, en tant que fondement mystique de l'eucharistie, représente le moment le plus important du rituel catholique.

De l'époque protestante on notera, outre d'autres scènes bibliques, quelques pages d'histoires telle la libération de Leyde en 1574 et un portrait de Guillaume le Taciturne (n° 25), offerts par Delft en 1603, ou la prise de Damiette par Saint Louis (n° 2), commandée par Haarlem. Jan Schouten de Delft réalisa (au XIXᵉ siècle) trois curieux vitraux (numérotés 1A, 1B, 1C) à partir de fragments anciens.

En face de l'église, un portail en grès (de 1609) s'ouvre sur les jardins de l'**hospice Sainte-Catherine**, fondé au XIVᵉ siècle puis reconverti en hôpital. L'édifice abrite aujourd'hui le **Stedelijk Museum**. Ce petit musée possède une remarquable collection de peintures comprenant des œuvres de l'artiste local Pieter Pourbus l'Ancien, le touchant portrait d'un enfant mort de Bartholomeus Van der Helst, ainsi que des toiles de membres des écoles de Barbizon et de La Haye.

La rue Archter de Kerk conduit à une curieuse **chapelle** de brique, reproduisant l'église du Saint-Sépulcre de Jérusalem. De là, en prenant à droite dans Spieringstraat, on passe le portail (du XVIIᵉ siècle) de l'**orphelinat** (sur la gauche), tandis qu'en face on aperçoit un **hospice**. Sur la droite de Minderbroederssteeg, on remonte une ruelle bordée de vieux entrepôts pour atteindre alors **Oost Haven**, un ancien port devenu bassin.

Sur le quai opposé, on peut voir un magasin du XVIIᵉ siècle, surmonté d'un fronton Renaissance, où l'on vendait jadis du tabac, du café et du thé. Son enseigne, **De Moriaan** (« le Maure »), indique la provenance « orientale » des produits vendus. L'intérieur, également du XVIIᵉ siècle, renferme une importante **collection de pipes**, dont la fabrication fut introduite à Gouda vers 1620 par des artisans anglais.

A gauche autrefois, chaque ville néerlandaise possédait sa propre brasserie ; à droite, un vitrail de Sint Janskerk.

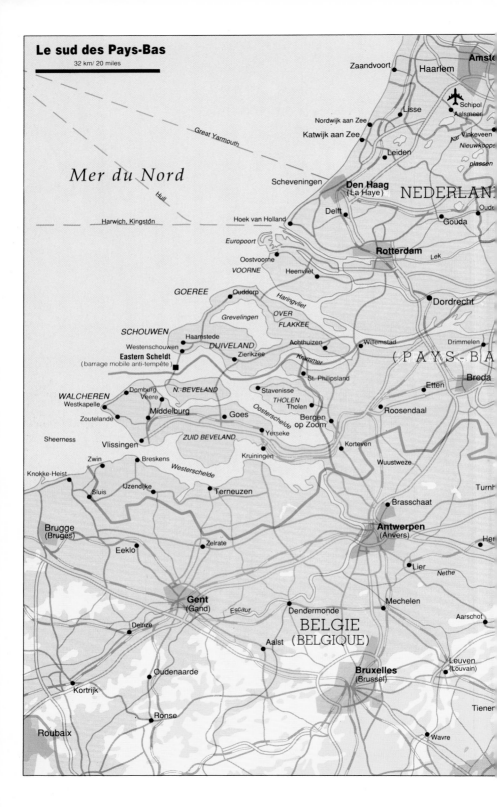

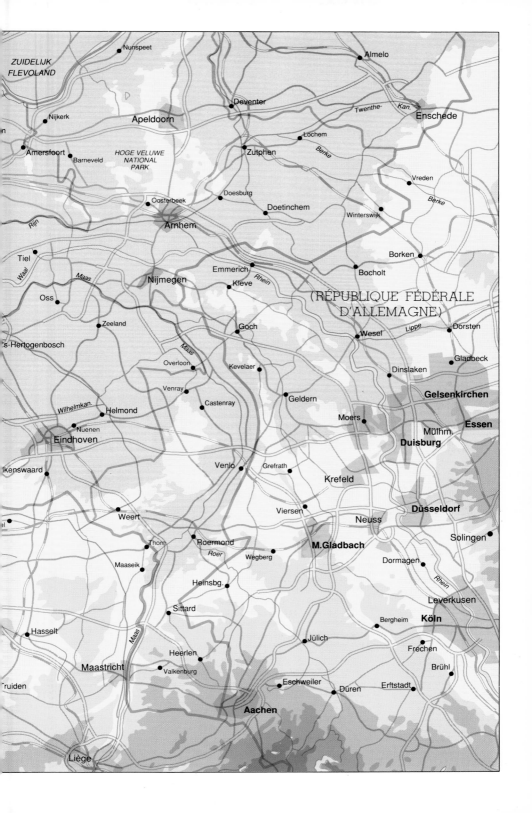

LA ZÉLANDE

Le destin de la province de **Zélande** (*zeeland* signifie « pays de mer ») peut se résumer presque tout entier dans sa devise, *Luctor et Emergo*, « je lutte et émerge ». Cette dentelle de terre située au sud-ouest du territoire néerlandais semble en effet appartenir moins aux Pays-Bas qu'à la mer du Nord, qui l'a d'ailleurs plusieurs fois reprise. Mais ce n'est pas tout, la Zélande est également une vaste région deltaïque qui reçoit les eaux de trois grands fleuves : le Rhin, la Meuse et l'Escaut.

A l'époque romaine, la région se composait d'un seul bloc de terre, fendu en deux par une profonde entaille allant approximativement de la pointe de l'actuel Duiveland jusqu'à Bergen op Zoom. Une dizaine de siècles plus tard, le littoral s'était morcelé en une quinzaine d'îles plus ou moins importantes.

Aujourd'hui, la Zélande se compose, outre sa partie continentale (la Flandre zélandaise), de trois îles (Schouwen-Duiveland, Tholen, et Noord-Beveland) et d'une presqu'île constituée de deux anciennes îles, Walcheren et Zuid-Beveland. Il existe peu d'endroits au monde où l'homme ait autant façonné son environnement. L'achèvement du plan Delta a, en principe, définitivement mis la région à l'abri des tempêtes. Et ce sont près de 400 km de digue qui protègent ces terres, dont une proportion importante est située au-dessous du niveau de la mer.

Dans bien des domaines, la Zélande a précédé les Pays-Bas et leur a indiqué la voie à suivre. Réunie au comté de Hollande dès le XIIᵉ siècle, la région sut très tôt tirer parti de sa position géographique privilégiée à proximité des grandes villes de Flandre (Bruges, Gand et Anvers) et du trafic nord-sud des comptoirs de la Hanse, ainsi que de son savoir-faire séculaire en matière maritime. Pays rude, fortement enraciné dans une culture communautaire rendue indispensable par la lutte contre les éléments naturels, peu réceptive au faste liturgique, elle a, la première, développé un calvinisme rigide et donné ses premières troupes à la rébellion contre l'Espagne.

Mais le déplacement de la vie économique vers le nord-ouest et la Hollande, à la fin du XVIᵉ siècle, a amorcé son déclin. Paradoxalement, ce pays de mer est devenu, grâce à ses polders, une région principalement agricole, qui complète ses ressources avec la pêche et le tourisme. Cette dernière activité connaît une forte expansion depuis vingt ans.

Le plan Delta

A plusieurs reprises au cours de son histoire et pour la dernière fois le 1ᵉʳ février 1953, la conjonction de tempêtes exceptionnelles et la crue des fleuves et des tempêtes livra la Zélande à l'invasion des eaux. Commencés après ce désastre, les travaux du plan Delta (lire pages 23-31) ont abouti à l'érection d'une série de digues géantes et de barrages mobiles, devenus des sites touristiques très fréquentés. Raccourcies de 700 km, les côtes de Zélande ont laissé place à des jardins et à des étangs très appréciés des amoureux de la nature.

L'échelle de quelques-uns de ces ouvrages dépasse l'imagination, surtout lorsqu'on parcourt ces sites en suivant les autoroutes qui relient sans effort les îles les unes aux autres. Dernier inauguré (le 1ᵉʳ novembre 1987), chef-d'œuvre d'audace technologique, le **barrage mobile antitempête de Oosterschelde** (reliant l'île de Schouwen au Noord-Beverland) a nécessité dix ans de travaux.

Dès qu'une tempête s'annonce, les soixante-cinq énormes portes coulissantes se ferment, isolant l'arrière-pays de la mer. En temps normal, les vannes demeurent ouvertes pour laisser passer l'eau salée indispensable aux ostréiculteurs et aux mytiliculteurs installés en amont. La visite du **musée Delta Expo** vous permettra d'en savoir plus sur le fonctionnement général du plan Delta et sur les

Pages précédentes, les huîtriers travaillant sur l'Escaut oriental. Ci-dessous, le barrage mobile de l'Oosterschelde (Escaut oriental).

ouvrages qui le composent. Le musée est située dans l'île artificielle de **Neeltje Jans**, au milieu du barrage de l'Oosterschelde.

L'île de Schouwen-Duiveland

L'île de Schouwen-Duiveland est accessible de plusieurs façons. Au sud, par le **pont de Zélande** (5 022 m), ou **pont de l'Oosterschelde**, reliant Zierikzee au Noord-Beveland, ou par le barrage de l'Oosterschelde, reliant Westenschouwen au Noord-Beveland. A l'est, par le barrage sur le Hollands Diep. Au nord par la route côtière qui emprunte le Haringvlietdam (un barrage muni d'une écluse d'évacuation séparant la mer du Nord du bassin d'eau douce de **Haringvliet**) puis le Brouwersdam (qui sépare la mer du Nord du lac de Grevelingen).

Au nord et au sud du Brouwersdam, le littoral est formé d'un cordon dunaire frangé de très belles **plages**. Parsemée de quelques bunkers allemands de la dernière guerre, la zone dunaire est sillonnée de sentiers ouverts aux marcheurs, aux cavaliers et aux cyclistes. Depuis les hautes dunes qui dominent la **plage de Westenschouwen**, on a une vue excellente sur le monumental barrage mobile de l'Oosterschelde. Si vous ne redoutez pas l'altitude, vous pouvez découvrir cette région en planeur (se renseigner au **terrain d'aviation de Nieuw-Haamstede**). Signalons que, à proximité de **Renesse** (une station balnéaire), on peut visiter le **château de Moerdam**, bâti au XIVe siècle et plusieurs fois restauré.

Bénéficiant à la fois d'un vent de mer et d'un plan d'eau peu agité, le **lac de Grevelingen** attire de nombreux véliplanchistes. On y pratique également la pêche, depuis deux villages riverains, **Scharendijke** et **Brouwershaven**.

Entièrement consacré à l'agriculture, l'intérieur de l'île séduira surtout les amateurs de promenade. Ils en exploreront les petites routes reliant des villages qui ne se distinguent les uns des autres que par leur église, seul élément

Le temps s'écoule lentement n Zélande.

saillant du relief. Aussi net et paisible qu'un intérieur hollandais, **Dreischor** est représentatif de ces minuscules bourgs zélandais. Entourée d'un canal bordé de charmantes maisons, son **église** date de 1340.

Fondée au IXe siècle et prospère dès le XIVe siècle, **Zierikzee** est la principale agglomération de l'île. Une fois traversés les nouveaux faubourgs de la ville, on accède à l'un des plus ravissants centres villes historiques de Hollande. Vestiges des anciens remparts – les deux portes puissamment fortifiées la **Zuidhavenpoort** (au sud) et la **Noordhavenpoort** (au nord du vieux port, l'**Oude Haven**) – datent des XVe et XVIe siècles. En suivant l'un des deux quais du port, on aboutit au **Stadhuis**, l'hôtel de ville, construit à l'origine au XIVe siècle, puis restauré au milieu du XVIe siècle. En flânant dans les ruelles pavées de la Zierikzee, on ne peut manquer de remarquer l'imposante tour gothique, dite **Sint Livens Monstertoren**, édifiée vers 1450 par deux des frères Keldermans.

Les îles de Tholen et du Noord-Beveland

Essentiellement tournée vers l'agriculture et l'ostréiculture, **Tholen** est la plus petite (125 km²) et la moins développée des îles zélandaises. Bien que peu fréquentée, la côte située le long de l'Escaut oriental se prête également à la pratique des sports nautiques. Bras d'eau salée subissant les marées, l'Escaut oriental a conservé quelques pêcheurs originaires, pour la plupart, du petit port de **Stavenisse**.

Une petite réserve naturelle, où l'on peut observer un grand nombre d'oiseaux, a été aménagée à côté de **Sint Martensdijk**. Capitale de l'île, **Tholen** est un gros bourg rural qui vit de ses marchés agricoles. A noter cependant son hôtel de ville, construit en 1460. Tholen est reliée au continent par une route qui franchit le canal assurant la communication entre le Rhin et l'Escaut.

Autrefois reliée aux îles voisines par bateau, l'**île du Noord-Beveland**, est

Zierikzee : à gauche, une porte fortifiée ; à droite, l'hôtel de ville.

désormais soudée à l'île de Walcheren par deux barrages construits en 1960. Il s'agit à l'ouest, et très exposé aux assauts de la mer du Nord, du **Veerse-gatdam** (formé d'une digue de 2 700 m) et, à l'est, du **Zandkreekdam**. Entre ces deux ouvrages surmontés de routes, une étendue d'eau salée sans influence des marées a été préservée. Cet étroit plan d'eau, le **Veersemeer**, est surtout animé par les bateaux et les planches à voile venant des ports de plaisance de **Serooskerk** et **Kortgene**.

Le Noord-Beveland vit d'agriculture, d'un peu de pêche (comme à **Colijns-plaat**) et de plus en plus du tourisme. Un centre de vacances, le **Schotsman** (dont le nom fait allusion aux liens qui unissaient jadis Veere et l'Écosse), a même été construit à l'abri de la digue.

L'île de Walcheren

Walcheren est la plus fréquentée et la mieux équipée sur le plan touristique des îles zélandaises. Cette belle plaine fertile, bordée à l'ouest par un cordon de dunes, a également payé un lourd tribut à la lutte opposant les Zélandais à la mer du Nord. En octobre 1944, avec l'objectif de chasser les troupes allemandes tenant l'embouchure de l'Escaut occidental et bloquant Anvers, le commandement allié prit la douloureuse décision de bombarder les digues protégeant Walcheren. En quelques heures, l'eau s'engouffra dans les brèches, recouvrit une partie de l'île et emporta des franges de terre. Mais, dès mai 1945, toutes les énergies se mobilisèrent et, dans un sursaut héroïque, les Zélandais reconquirent ce que la mer leur avait arraché. L'île retrouva alors son aspect d'antan.

La côte est jalonnée de plusieurs stations balnéaires d'importance variable. Outre sa plage de sable fin et ses hautes dunes, **Domburg** doit sa renommée à un sanctuaire celte du Ier siècle, découvert au XVIIe siècle. De **Westkapelle**, on aperçoit d'abord l'impressionnante tour d'église, un édifice gothique qui semble défier la mer.

Une des trois portes fortifiées de Zierikzee. Elles datent des XIVe et XVIe siècles.

Le bourg est construit à l'abri de la célèbre **digue de Westkapelle** (4 km de long sur environ 100 m de large, et 5 m plus haut que le niveau de l'eau des plus fortes marées), l'une des principales cibles des bombardements de 1944. Enfin, on recommande la longue plage de **Zoutelande**.

Commandant l'embouchure de l'Escaut occidental, **Flessingue** ou **Vlissingen** (45 000 habitants) est le port industriel (construction navale, pétrochimie) le plus important de Zélande. L'activité de la ville dépend également de l'importante liaison (trafic commercial, passagers) avec le port anglais de Sheerness.

Flessingue est la ville natale du plus grand amiral hollandais, **Michiel Adriaanszoon de Ruyter** (1607-1676), qui s'illustra en incendiant, en 1667, la flotte anglaise basée sur la Tamise, et du peintre français **Constantin Guys** (1805-1892), auquel Baudelaire consacra un essai, le *Peintre de la vie moderne*. Station balnéaire en vogue au début du siècle, Flessingue possède

quelques monuments intéressants : l'**Oude Markt** (la place du vieux marché) où se dresse la **Grote Kerk**, une vaste église gothique restaurée, et le front de mer avec sa **tour des Prisonniers**, un important ouvrage défensif édifié par les Espagnols en 1563.

Située au bord du canal de Walcheren et comptant 39 000 habitants, la cité de **Middelburg**, le « bourg du milieu », est la capitale régionale de l'île. Le drap anglais, le vin français et le commerce avec les Indes firent la fortune de ses négociants entre le XVe et le XVIIIe siècle, comme en témoigne le magnifique **Stadhuis**, l'hôtel de ville, le plus beau des Pays-Bas dit-on. Ce bâtiment, construit au XVe siècle, fut entièrement remanié au début du XVIe siècle par Antoon Keldermans. Sa façade finement ouvragée est un des chefs-d'œuvre du style gothique flamboyant.

Fondée au début du XIIe siècle par des moines prémontrés, l'**abbaye** de Middelburg forme le point d'origine autour duquel la ville s'est développée.

Le port de Goes.

L'administration provinciale et le **musée de Zélande** occupent l'aile nord, tandis que l'aile sud abrite deux églises, **Nieuwekerk** (XVe siècle) et **Koorkerk** (XIVe siècle). Le **parc Miniature de Walcheren** présente une maquette de l'île de Walcheren au 1/20e, avec ses routes, ses digues, ses ports et ses villes. Enfin, on ne saurait trop recommander la promenade le long des quais perment d'emprunter successivement Rotterdamsekai, **Rouaanse Kai** (le vin français venait de Rouen), Bierkai et **Londensekai**.

On dit souvent de **Veere** qu'elle est la ville médiévale la mieux préservée de Zélande. On s'en convaincra en admirant l'**hôtel de ville** gothique bâti vers 1470 et l'imposante **Kampveerse Toren**, une tour poudrière datant du XVe siècle, aujourd'hui reconvertie en hôtel. Vers le milieu du XVe siècle, Wolfert, un puissant seigneur des environs, épousa une princesse de la famille royale d'Écosse (les Stuart) et obtint le monopole d'importation des laines écossaises (la matière première

Un canal des Flandres landaises.

des drapiers flamands) faisant la fortune des négociants de la ville.

La paisible plage de **Vrouwenpolder**, au bord du Veersemeer, sera la dernière étape de ce circuit autour de Walcheren.

Le Zuid-Beveland

Vaste plaque de limon déposé par l'Escaut, l'ancienne île du **Zuid-Beveland** vit principalement de deux activités : l'ostréiculture et l'horticulture (fruits et légumes). Résidence des comtes de Hollande, et notamment de leur ultime héritière, Jacqueline de Bavière (1401-1436), **Goes** fonda sa prospérité sur le commerce du sel et de la garance. Avec ses 32 000 habitants, elle est la principale agglomération des îles Beveland. Cet ancien port de mer a su conserver intact son centre-ville tout en se dotant d'un centre commercial moderne.

De style gothique flamboyant, l'église Marie-Madeleine ou **Grote Kerk** fut édifiée au XVe siècle puis reconstruite

au début du XVIIᵉ siècle. Le **Stadhuis**, l'hôtel de ville, est un édifice baroque datant de 1775. Depuis Goes, vous pouvez découvrir les paysages du sud de l'île à bord d'un vieux **train à vapeur**. Mais pour se faire une idée exacte de la géographie complexe de la Zélande, rien ne remplace l'avion, et l'aérodrome situé près de **Arnemuiden** propose justement des vols à bord de petits appareils.

Méconnu, **Yerseke** est pourtant le principal centre ostréicole et mytilicole zélandais. C'est même la sauvegarde de ces activités hautement rentables qui a justifié la construction du barrage mobile sur l'Escaut oriental plutôt qu'une digue étanche. De juillet à avril, ne vous privez pas de déguster les délicieuses, et bon marché, *Zeeuwse Mosselen*. On dit cependant que le haut de gamme de la production de moules est réservé au marché belge. Pour en savoir plus, on recommande la visite du marché aux enchères. Quant aux huîtres, elles sont comparables aux belons bretonnes.

La Flandre zélandaise

Constituée aux deux tiers de terres reconquises sur la mer ou sur l'Escaut, la **Flandre zélandaise** est délimitée au sud par la Flandre belge et au nord par la rive sud de l'Escaut occidental. A moins de contourner l'embouchure de l'Escaut et de passer par Anvers (en Belgique), cette campagne plate, sillonnée de canaux, n'est accessible qu'en empruntant les lignes de ferry-boat reliant Vlissingen à **Breskens**, et Kruiningen à **Perkpolder**.

Bien que cette région ne manque pas de charme, son relatif isolement l'a tenue jusqu'à présent à l'écart des circuits touristiques. Avec ses 35 000 habitants, **Terneuzen** est la principale agglomération et essentiellement un pôle industriel. Ce port, ouvert en 1827, occupe en effet l'extrémité du **canal de Terneuzen** (33 km) reliant Gand à la mer du Nord.

A l'est du canal, de grandes étendues jadis asséchées ont été reprises par les eaux de l'Escaut. C'est dans ce décor aquatique, fréquenté par de nombreuses espèces d'oiseaux, qu'a été aménagée la réserve naturelle de **Saeftinge**. Bien qu'elle possède encore ses remparts des XVIᵉ-XVIIIᵉ siècles, la petite ville de **Hulst** (à une vingtaine de kilomètres au sud-est de Terneuzen) ne commande plus le passage de la frontière, située 5 km plus loin. A côté de la **porte de Gand** (Gentse Poort), un petit monument rappelle qu'une version du *Roman de Renart* fut composée dans la région au milieu du XIIᵉ siècle.

Sur les bords de la mer du Nord, on trouvera quelques plages agréables dans les environs de **Cadzand Bad**. Non loin de **Zwin**, se prolongeant du côté belge, s'étend une zone de dunes transformée en sanctuaire ornithologique. La ville frontalière de **Sluis** est sans doute plus connue des Belges que des Néerlandais. On raconte que des citoyens belges viennent y déposer de l'argent afin de le soustraire aux impôts de leur pays, et profitent du voyage pour visiter des établissements nocturnes dont la réputation n'est pas au-dessus de tout soupçon.

Ci-dessous, au pied des hautes dunes, la Zélande possède quelques très belles plages; à droite, un bateau de pêche aux moules de retour au port.

UTRECHT ET SES ENVIRONS

Quatrième ville des Pays-Bas par le nombre de ses habitants (512 000 si l'on inclut son agglomération) et chef-lieu de la province homonyme, **Utrecht** est, d'abord, à bien des titres, une ville historique. Sa fondation remonte au Ier siècle av. J.-C., lorsque, à l'issue de la conquête du sud des actuels Pays-Bas, les légions romaines édifièrent, le long du Rhin, des camps fortifiés destinés à contenir la pression des Saxons. De sa situation à proximité d'un gué sur le Rhin, la petite localité tira son nom latin de *Trajectum ad Rhenum*.

Autour du Ve siècle, les régions situées au sud du Rhin passèrent sous le contrôle des Francs Saliens. Ville frontière, Utrecht fut, dès cette époque, dotée d'une forteresse et même d'une abbaye. Vers 689, le roi franc Pépin de Herstal chassa les Frisons de la ville et les repoussa définitivement au nord du Rhin. Puis, en souverain chrétien, il voulut évangéliser Utrecht et sa région. Pour y parvenir, il invita le moine anglais Willibrord qui en devint le premier évêque. L'évêché fut officiellement créé en 780.

Au cours des siècles suivants, la principauté épiscopale d'Utrecht reçut des rois et des empereurs germaniques – qui ne craignaient pas de la voir exprimer des revendications dynastiques – un grand nombre de domaines, au point de devenir, au début du XIIe siècle, la principale entité politique des Pays-Bas (s'étendant de la Groningue à la Zélande et du Rhin à la pointe septentrionale de la Hollande). Mais en moins d'un siècle, les comtes de Hollande et de Gueldre dépecèrent ce vaste territoire à leur profit.

En 1528, fidèle à la tradition centralisatrice de ses prédécesseurs, Charles Quint mit un terme au pouvoir temporel des évêques d'Utrecht. En contrepartie, le roi d'Espagne érigea la ville en archevêché. Elle restera une capitale religieuse et culturelle, ainsi qu'un carrefour commercial dynamique jusqu'au

XVe siècle. Son déclin coïncida avec la montée en puissance politique et économique de la Hollande dont le pacte d'Utrecht (première étape vers la fondation de la république des Provinces-Unies), signé en 1579, marqua le commencement.

Malgré l'adhésion de la ville au protestantisme devenu religion d'État, la hiérarchie catholique put se maintenir en place. Puis, moins d'un siècle plus tard, elle entra elle-même en dissidence avec la papauté pour cause de jansénisme, doctrine dont elle accueillit de nombreux partisans fuyant la France. Ces dissensions oubliées, Utrecht redevint, en 1853, le siège d'un archevêché catholique.

De la gare à l'Oudegracht

Depuis la gare centrale, on se dirigera vers la **Maria Plaats**, laissant sur la droite les espaces verts du **Moreelse Park**. Un peu en retrait de cette petite place, vous apercevrez les ruines du **cloître roman de Sainte-Marie**, vestiges d'une église construite vers 1080 pour compléter le grand ensemble architectural imaginé cinquante ans plus tôt par l'évêque Bernulphe (1027-1054). Souhaitant faire d'Utrecht le foyer spirituel de l'Europe du Nord, ce dernier lança la construction de quatre églises se dressant aux quatre points cardinaux d'une croix centrée sur la Domkerk. L'église Sainte-Marie en constituait la base, tandis que la Pieterskerk en occupait le sommet, la Janskerk au nord et l'église du cloître au sud formant la branche transversale. Un peu plus loin se dresse **Gertrudiskerk**, l'église Sainte-Gertrude, où, au XVIIe siècle, se réunissaient les vieux catholiques, partisans du jansénisme.

Juste avant le **Sint Maartensbrug** (le pont Saint-Martin), qui enjambe l'Oudegracht, une petite rue part sur la gauche et conduit à la **Buurkerk**, la vieille église paroissiale d'Utrecht, autrefois dédiée à la Vierge et désormais consacrée au culte réformé. Bâti au XIIe siècle, l'édifice fut transformé au XVIe siècle en une église-halle,

Pages précédent, le château de Haar et ses mag fiques jardins; le Vieux Canal d'Utrecht, l'Oudegracht, et, en arrière-plan, la Domtoren Ci-dessou le château Huis Doo.

caractérisée par une hauteur et une largeur identiques. Il abrite à présent le **musée Van Speeldoos tot Pierement** et ses collections d'instruments de musique mécaniques.

Creusé au XIVᵉ siècle au-dessous du niveau de la chaussée pour absorber les crues du Rhin, l'**Oudegracht** est le plus vieux canal de la ville et reliait autrefois la Vecht au Rhin. Il est bordé de quais de brique et de caves, dont les extrémités communiquent avec les maisons des rues voisines. Autrefois utilisés comme entrepôts de marchandises, ces celliers voûtés abritent aujourd'hui des restaurants et des bars très fréquentés par les étudiants. L'été, les terrasses des cafés se serrent les unes contre les autres le long des quais situés entre le Bakkersbrug et le Stadhuis.

Plusieurs demeures anciennes surplombent encore l'Oudegracht. Au n° 99 se dresse la **Huys Oudaen** bâtie au XIVᵉ siècle pour Dirck Van Oudaen. L'abbé de Polignac, représentant la France lors de la signature des traités d'Utrecht (1713-1715) mettant fin à la guerre de la Succession d'Espagne, y séjourna. Récemment restaurée, la maison abrite un magnifique café au rez-de-chaussée et un restaurant à l'étage. A quelques pas de là, sur le quai opposé au n° 114, le bâtiment appelé **Drakenborch** date, dit-on, de la fin du XIIIᵉ siècle. Il a fait l'objet de plusieurs restaurations.

La cathédrale et ses environs

Dans le prolongement de la Zadelstraat, sur l'autre rive de l'Oudegracht, la Servestraat passe sous les arcades de la Domtoren avant de déboucher sur le **Domplein**, la place du Dôme. Sur la droite se dresse l'**Université**, un édifice néo-Renaissance de la fin du XIXᵉ siècle.

Construit en 1321-1322, le **Domtoren**, la tour du Dôme, constitue l'un des joyaux de l'art gothique néerlandais. L'édifice est composé de trois étages, les deux premiers carrés (où sont aménagées la chapelle de

pâtissier d'Utrecht expose le blason la famille royale -landaise.

l'évêque d'Egmond et la chapelle Saint-Michel), le troisième octogonal. L'ensemble ne mesure pas moins de 112 m. Ce clocher resta longtemps le plus haut bâtiment des Pays-Bas et fit l'objet de nombreuses imitations (à Amersfoort, Delft, Groningue, Maastricht et Breda). Son élégante silhouette figure également dans plusieurs tableaux, et notamment la peinture du maître-autel par Van Eyck exposé à Gand, dont on peut admirer une reproduction dans l'église Saint-Jean.

L'édifice eut aussi ses détracteurs, le plus acharné étant sans doute le moine Geert Groot, fondateur d'une communauté monastique observant une règle ascétique. Au moment de la construction du troisième étage – l'actuel clocher abrite un carillon de 48 cloches, dont la plus lourde pèse plus de 8 t – Groot publia une diatribe mettant en garde contre les vices qu'un tel édifice allait encourager : la vanité, la curiosité et l'orgueil. Il prétendit même avoir vu en songe, à plusieurs reprises, l'effondrement de la tour.

Commencée en 1254 sur le site de plusieurs édifices religieux primitifs, la construction de la **Domkerk**, l'église épiscopale, ne s'acheva qu'au début du XVIe siècle, mêlant le style gothique d'origine à d'autres influences ultérieures. Entre-temps, en 1674, un ouragan emporta la nef (qui ne fut jamais reconstruite) séparant définitivement le clocher (le Domtoren) du reste de l'édifice formé par le transept et le chœur. La disposition du bâtiment est marquée au sol par des pavés de couleur.

Pieterskerk et Janskerk

Deux rues plus loin, vous découvrirez la **Pieterskerk**, l'église Saint-Pierre, qui, achevée en 1048, fut le premier des quatre édifices commandés par Bernulphe, et sans doute le préféré de l'évêque qui choisit d'y être inhumé. Bien que, au cours des siècles, de nombreuses restaurations aient introduit de nouveaux styles, l'église a conservé, dans ses grandes lignes, son plan

Au bord de l'un des bras de la Vech

d'origine, chef-d'œuvre d'architecture romane. Au narthex flanqué de deux tours massives succède une nef bordée de deux bas-côtés jusqu'au transept, sur lequel viennent se greffer le chœur et l'abside. A l'intérieur, la nef est soutenue par des colonnes de grès rouge, coiffées de chapiteaux de grès jaune. L'évêque repose dans la crypte située sous le chœur. Parmi les parties du bâtiment détruites par le cataclysme de 1674 (le toit, les tours), le seul cloître ne fut pas reconstruit.

De retour dans la rue **Achter Sint Pieter**, vous apercevrez au n° 8 une curieuse maison baptisée **De Krakeling** (le « bretzel »). Elle fut construite en 1663 pour Everard Meyster, un aristocrate un peu excentrique qui lança un jour le pari qu'il parviendrait à convaincre les habitants d'Amersfoort de rouler un rocher de 9 t, le *kei*, à l'intérieur des murs de la ville. Avec le gain de l'enjeu, il organisa un banquet de bière et de bretzels pour les quatre cents personnes qui avaient réussi cet exploit. La cloche en forme

Une sirène dans le parc du château de Huis Doorn.

de bretzel qui pend devant la maison rapelle cet événement insolite.

Dans le prolongement de la rue Achter Sint Pieter, Keistraat – dont le nom commémore également l'étrange exploit – conduit au pied de la **Janskerk**, la seconde, par la date de construction, des églises de l'évêque Bernulphe. Fondée vers 1040, l'église Saint-Jean présente les mêmes caractéristiques architecturales romanes que Saint-Pierre. Mais aux premiers signes de faiblesse, les colonnes de grès rouge soutenant la nef furent encastrées dans des structures de brique.

Au cours du temps, l'édifice perdit son cloître roman et ses deux tours, laissant la place à la façade ouest aménagée à la fin du XVIIe siècle. Après la Réforme, le chœur – qui avait déjà fait l'objet d'une reconstruction au début du XVIe siècle dans le style gothique flamboyant – accueillit la bibliothèque de l'université. En 1660, l'une des chapelles de l'aile nord fut reconvertie en salle des gardes et ses murs décorés aux armes de la république des Provinces-Unies portent notamment cette devise : « *Concordia res parvae crescunt* » (l'entente fait croître les choses). Chaque samedi, des pépiniéristes tiennent un marché aux abords de l'église.

Épousant les méandres de l'ancien cours du Rhin, le **Kromme Nieuwgracht** contourne le quartier de Pieterskerk avant de passer sous l'élégant **pont Pausdam**. Surplombant la place, se dresse la magnifique demeure de style gothique flamboyant bâtie au début du XVIe siècle pour Adrian Floriszoon, le pape Adrien VI (le seul souverain pontife d'origine hollandaise), né à Utrecht en 1459. Fait pape en 1522 par Charles V, dont il fut le lieutenant général pour l'Espagne, cet homme sévère tenta sans succès de réformer la curie romaine et mourut l'année suivante.

En suivant le Nieuwegracht

Plus au sud commence le **Nieuwegracht**, un canal étroit et profond creusé à la fin du XIVe siècle. Comme l'Oudegracht, il est bordé de quais percés de caves, mais celles-ci ont toutes été abandonnées. Quelques beaux exemples d'architecture domestique néerlandaise surplombent le canal, tel que l'étroite demeure de style classique sise au n° 37. Jadis, plusieurs monastères occupaient également les environs.

L'ancien couvent des carmélites abrite désormais le **Rijksmuseum Het Catharijneconvent**, un musée passionnant consacré à l'histoire des religions aux Pays-Bas, et plus particulièrement à l'histoire comparée du catholicisme et du protestantisme. On peut y admirer des collections de sculptures, de peintures, de costumes, de maquettes et de documents relatifs à la Réforme.

L'église Sainte-Catherine voisine, **Catharijnekerk**, occupe une place particulière dans l'histoire ecclésiastique néerlandaise. En effet, cette chapelle carmélite devint la cathédrale des catholiques néerlandais lorsque la pluralité religieuse fut rétablie au XIXe siècle. Dans leur enthousiasme,

les fidèles entreprirent d'y élever une flèche et de décorer l'intérieur dans le style néo-gothique si apprécié à l'époque. Mais ces transformations soulevèrent l'hostilité des protestants qui insistèrent pour que l'édifice retrouvât sa simplicité d'origine, plus en accord avec l'architecture inspirée par la Réforme.

Sur l'autre rive du canal, la Brigittenstraat vous emmènera dans le **parc** qui longe les anciennes douves de la ville. Lorsque les murs de la ville furent détruits, au XIXe siècle, la municipalité fut en effet bien inspirée d'aménager une ceinture d'espaces verts à la périphérie de la cité. Les amateurs de trains poursuivront tout droit et découvriront, de l'autre côté d'un pont métallique, le **musée national des Chemins de fer**.

En prenant à droite, le long d'une ruelle pavée, on gagne le **Bruntenhof**, un hospice fondé en 1521 par Frederik Brunt et composé d'une série de bâtiments blancs. Symboles de la brièveté de l'existence, un sablier et un crâne

Le musée du Catharijne-convent d'Utrecht possède plusieurs œuvres majeures du XVe siècle.

figurer sur la porte Renaissance (au n° 5) conduisant à l'appartenant du directeur.

Le Centraal Museum

A l'extrémité sud du Nieuwegracht, dans Agnietenstraat, vous pouvez admirer les douze demeures de l'institution **Pallaeskameren**, fondée par Maria Van Pallaes en 1651. Cette date et les armes de la famille apparaissent d'ailleurs sur les linteaux de chaque porte d'entrée. Non loin de là, dans Lange Nieuwestraat, Adriaen Beyer fit édifier, en 1597 (la date est gravée sur la serrure du n° 120), les seize maisons mitoyennes formant la **Beyerzkameren**.

Lorsque Maria Duist van Voorhout, baronne de Renswoude, décida, en 1757, de créer une institution destinée à l'éducation des enfants pauvres, elle ne lésina pas sur les moyens. La **Fundatie Van Renswoude** (plus bas dans Agnietenstraat) est un très bel édifice rococo de grès, décoré aux armes de la fondatrice et des treize membres du conseil d'administration.

L'ancien couvent voisin abrite désormais le **Centraal Museum** d'Utrecht. Ce musée possède de magnifiques collections d'objets relatant l'histoire locale, de meubles, de sculptures et de peintures. On y admirera notamment les œuvres d'artistes appartenant à l'école d'Utrecht qui, contrairement aux autres foyers artistiques des Pays-Bas du Nord, fut profondément influencée par les divers courants italianisants des XVIe et XVIIe siècles, et notamment par le plus puissant d'entre eux, le caravagisme.

Grand voyageur – il se rendit en Palestine en 1521 –, proche du pape Adrien VI, qui le nomma conservateur des trésors du Belvédère au Vatican, Jan Van Scorel (1495-1562) s'établit à Utrecht à son retour de Rome et y diffusa les idées et les techniques italiennes. On peut voir plusieurs œuvres de ce grand portraitiste exposées dans l'ancienne chapelle, ainsi que les trois grands panneaux

Une sculpture moderne u Centraal Museum d'Utrecht.

PORTRAITS DE FEMMES

Utrecht peut sembler un rien collet monté, il n'en reste pas moins que la ville s'honore d'avoir compté parmi ses habitants plusieurs femmes d'exception qui, à un titre ou à un autre, ont étonné, choqué ou fait l'admiration de leur société.

En 1529, une certaine **sœur Bertken**, alors âgée de trente ans, prit la résolution de se retirer du monde dans une cellule murée du chœur de la Buurkerk. En d'autres termes, de s'emmurer vivante pour le reste de ses jours. Or, cette partie de l'église (vestige d'un édifice plus ancien) étant plus basse que le reste de la nef, les autorités religieuses souhaitaient la remplacer par une construction plus adéquate. Mais, n'osant pas déranger la sainte femme dans l'accomplissement de son martyre volontaire, elles durent attendre plus d'un demi-siècle que sœur Bertken s'éteigne finalement, dans sa quatre-vingt-septième année.

C'est les armes à la main que **Catharina Van Leemputte** passa à la postérité. En 1577, elle prit la tête d'une troupe comptant quelques femmes aussi décidées qu'elle et prit d'assaut la citadelle de **Vredenburg**. Ce château de la Renaissance construit par Charles Quint peu après qu'il eut réuni la principauté à son empire était en effet devenu à leurs yeux le symbole de la « tyrannie » espagnole. Catharina et ses compagnes d'armes démolirent si complètement l'édifice qu'il n'en reste aujourd'hui que quelques fragments de maçonnerie. Le nom de Vredenburg, qui signifie « château de la Paix », a été donné à la pacifique salle de concert qui s'élève désormais sur ce site.

Isabella Agneta van Tuyll van Serooskerken naquit à Utrecht, en 1740, dans une famille de puissants aristocrates possédant de nombreux châteaux dans la province (dont celui de Slot Zuylen sur la rivière Vecht), ainsi qu'une sombre demeure en ville, dans Krommeb Nieuwegracht. Se dissimulant sous le pseudonyme de Belle van Zuylen (ou Belle de Charrière), elle publia un roman satirique, *Le Noble*, mettant en scène un aristocrate à moitié fou habitant un château en ruines ressemblant étrangement à celui de Slot Zuylen. L'ouvrage fit scandale et son père lui interdit formellement d'écrire d'autres livres. Elle tourna alors son talent et son exceptionnelle liberté d'esprit vers la rédaction d'une abondance correspondance. Établie en Suisse, elle fut l'amie intime de Mme de Staël et de Benjamin Constant. Intelligente, talentueuse, Belle de Zuylen était également d'une grande beauté comme le montre le portrait (exposé au musée de Genève) que Maurice-Quentin de la Tour fit d'elle.

Truus Schroeder brûlait de devenir architecte, mais, en ce début de XXe siècle, la carrière était rarement ouverte aux femmes. A la mort de son mari, en 1923, elle décida de s'imposer par les faits en construisant elle-même une maison. Avec l'aide de l'architecte Gerrit Rietveld, elle conçut une petite maison familiale qui resta une source d'inspiration majeure pour l'architecture néerlandaise contemporaine.

Décorée de carreaux de couleur à la manière de Mondrian, le revêtement extérieur de la bâtisse choqua énormément la bourgeoisie d'Utrecht. Pourtant, les innovations décisives se trouvaient à l'intérieur. En effet, un mécanisme permettait d'escamoter tous les murs de séparation et de créer de nouvelles pièces selon les besoins. Précurseur des éléments à double usage, Rietveld imagina ainsi une porte de salle de bains faisant office d'écran de projection, et un tiroir en bois devenant une petite voiture d'enfant (exposé au Centraal Museum d'Utrecht).

Leur maison fut détruite en 1963 pour cause de construction de route. Rietveld décéda l'année suivante, peut-être victime d'une modernité que Truus Schroeder et lui-même avait aidé à créer.

représentant les membres du chapitre de la Fraternité de Jérusalem. Natif d'Utrecht, Antoon Mor Van Dashorst (1517-1576), dit Antonio Moro, connut un destin inverse. En effet, le plus brillant des élèves de Scorel réalisa la plupart de ses œuvres à l'étranger, et notamment à la cour d'Espagne, dont il fut l'un des peintres favoris.

Au rez-de-chaussée, six pièces illustrent l'évolution de l'ameublement aux Pays-Bas entre le Moyen Age et le XVIII⁰ siècle. A l'extérieur, le jardin est semé de fragments appartenant à de vieux édifices détruits. L'allée conduit à l'église paroissiale Saint-Nicolas, **Nicolaaskerk**, construite en 1150. Cette église à triple nef était autrefois surmontée de deux flèches : la première a été remplacée par un clocher octogonal en 1586, la seconde s'effondra en 1674. Le clocher abrite un très beau carillon du milieu du XVI⁰ siècle, dû aux frères Hemony.

On retournera vers le centre en suivant les anciens remparts plantés d'espaces verts. Chemin faisant, vous

apercevrez la silhouette d'une église néo-gothique désaffectée, **Sint Martinuskerk**, qui surplombe une petite cité ouvrière avec ses rangées de maisons mitoyennes, baptisées **De 7 Steegjes**, «les 7 allées», et ses rues pavées de brique.

Remontant la rue Springweg, vous passerez devant les onze maisons (situées aux nᵒˢ 110-130) d'un hospice fondé en 1583, avant de regagner la Mariaplaats.

Amersfoort

Située à une vingtaine de kilomètres au nord-est d'Utrecht, au bord de l'**Eem**, **Amersfoort** (89 000 habitants) se développa à partir du XII⁰ siècle à l'abri d'une forteresse dressée sur une île artificielle. Grâce aux industries de la brasserie, du drap et du tabac, la cité dut connaître une certaine prospérité, comme semble l'indiquer la construction (aux XV⁰ et XVI⁰ siècles) d'une seconde ligne d'enceinte beaucoup plus vaste.

A gauche, un portrait de Belle Van Zuylen, alias Isabelle de Charrière ; ci-dessous, à Utrecht, ne manquez pas de déguster une des pâtisseries locales.

Vestiges du Moyen Age devenus assez rares, les **Muurhuizen** (« maisons de remparts ») sont des allées bordées de maisons dont la rangée extérieure s'élève sur l'emplacement des remparts médiévaux (du XIVᵉ siècle) dressés le long du canal qui ceinture la ville. En suivant les Muurhuizen à partir du musée d'histoire locale, le **Flehite-museum**, on peut ainsi pratiquement faire le tour du centre historique d'Amersfoort. Au n° 19, vous apercevrez la maison d'enfance de **Johan Van Oldenbarnevelt**, fondateur de la VOC, exécuté sur l'ordre de Maurice de Nassau, en 1619. Amersfoort est également la ville natale de **Piet Mondrian** (1872-1944).

La démolition de la seconde ligne d'enceinte, au XIXᵉ siècle, laissa place à une ceinture d'espaces verts longée, au nord et à l'est, par un canal. Ces travaux ont cependant épargné plusieurs portes fortifiées, telles que la **Koppelpoort** (au confluent du **canal de Plantsoen** et de l'**Eem**) défendue par ses deux tours.

Du principal édifice religieux d'Amersfoort, l'église Notre-Dame, la **Onze Lieve Vrouwekerk**, détruite au XVIIIᵉ siècle par l'explosion d'un stock de poudre, ne subsiste que la tour, copie de la Domtoren d'Utrecht. A la lisière de la vieille ville, on peut admirer le fameux **Amersfoorte Kei** (lire l'anecdote page 217). Enterré par les habitants d'Amersfoort parce qu'il était devenu un sujet de plaisanterie, le rocher ne fut exhumé et hissé sur un piédestal qu'en 1903.

Sachez qu'un marché aux fleurs très coloré se tient le vendredi le long du **quai Havik**. Le lendemain, un grand marché s'empare de la place du **Hof**, dominée par l'église Saint-Georges, **Sint Joriskerk**, de style roman, fondée au XIIIᵉ siècle.

D'un château à l'autre

Bâti vers la fin du XIIIᵉ siècle et remanié au XVIIIᵉ siècle par l'architecte huguenot Daniel Marot, le château de **Slot Zuylen** (à 6 km au nord-est de la ville) est un curieux mélange de tourelles médiévales et d'éléments baroques, comme sa façade. L'architecture néo-gothique du **château de Haar** (à Haarzuilen), construit par P. J. H. Cuypers, est un vibrant éloge à la chevalerie. Construit à la fin du siècle dernier (l'édifice d'origine datait du XIVᵉ siècle) pour le baron Van Zuylen, ce château abrite également de magnifiques collections d'œuvres d'art.

Dressé au milieu d'un joli parc, le château de **Huis Doorn** (à Doorn, en direction d'Amerongen) présente une architecture du XVIIIᵉ siècle sans éclat. Mais cet édifice fut la résidence d'exil de l'empereur d'Allemagne Guillaume II, de 1920 à sa mort, en 1941. Au moment de son abdication, en 1918, le kaiser résida d'abord au **château de Zuylenstein** (à Amerongen), une forteresse du Moyen Age rebâtie au XVIIᵉ siècle et possédant un magnifique ameublement.

La petite ville d'**Oudewater** (au sud-ouest d'Utrecht) ne possède pas de château, mais un bâtiment du Poids public, le **Heksenwaag**, très intéressant. On y pesait jadis les sorcières !

A gauche, un orgue mécanique et son automate au musée Speeldoos tot Pierement d'Utrecht ; à droite, jour de marché à Oudewater.

LE BRABANT-SEPTENTRIONAL

Pages précédentes : couleurs d'automne dans le Brabant-Septentrional. A gauche, la voûte de cathédrale Saint-Jean, à Bois-le-Duc ; ci-dessous, un salon du Markiezenhof, Bergen op Zoom.

Délimité au sud par la frontière belge et bordé au nord par la Meuse et le Limbourg, le Brabant-Septentrional (Noord-Brabant) est la province la plus vaste des Pays-Bas. Outre les polders situés à l'ouest de Breda, la région est formée d'une vaste plaine basse (située cependant au-dessus du niveau de la mer) aux paysages variés. D'épaisses forêts, des landes de bruyères (Kempenland) et des tourbières (Peelland) y alternent.

Bergen op Zoom

A une trentaine de kilomètres au nord d'Anvers, la ville-citadelle de **Bergen op Zoom** (46 000 habitants) fut jadis édifiée afin de défendre l'Escaut oriental et les riches cités des Flandres. Ses puissantes fortifications lui ont d'ailleurs valu plusieurs surnoms tels

que la ville-crabe, ou plus fréquemment la « pucelle ». En effet, grâce à ses remparts, Bergen op Zoom repoussa victorieusement l'assaut des troupes espagnoles à quatre reprises, en 1585, en 1588, en 1605 et en 1622. Elle ne céda finalement en 1747 que devant une armée française placée sous le commandement du comte de Loewendal. Ce dernier reçut de Louis XV son bâton de maréchal pour cette brillante action. Les soldats révolutionnaires du général Charles Pichegru s'emparèrent de ce verrou des Flandres en janvier 1795. Puis, redoutant un débarquement anglais, Napoléon fit renforcer la garnison qui mit en échec toutes les tentatives britanniques et ne quitta Bergen op Zoom qu'à la signature du traité de Paris, en juin 1815.

La traversée des quartiers périphériques, en direction du centre-ville, n'est guère encourageante avec son architecture en blocs bas et ternes et ses complexes industriels (chimie et agroalimentaire). Le cœur historique lui-même a perdu son allure de place forte inexpugnable depuis la démolition des murs au XIXᵉ siècle. Les travaux ne laissèrent que des vestiges de la splendeur d'antan.

Une exploration minutieuse de la ville révélera les signes de son passé maritime : les vastes entrepôts de brique rouge, les girouettes en forme de dauphin ou de sirène. Si le vieux marché au beurre n'est plus exclusivement fréquenté par les femmes de marins, on entend encore aux alentours, comme au **café Africa**, quelques histoires salées.

Dominant la grand-place, la **Grote Markt**, l'**hôtel de ville** a évolué parallèlement à la prospérité de la cité, fondée notamment sur le commerce avec l'Angleterre. Sur l'emplacement d'un premier édifice détruit par le feu en 1397, on construisit, au XVIIᵉ siècle, un *stadhuis* doté d'une monumentale façade Renaissance, dont les armoiries proclament cette devise : « *Mille periculus supersum* » (Je surmonte mille périls).

Sur la place, on aperçoit l'étroite façade de l'**église Sainte-Gertrude** et surtout son imposante tour carrée coiffée d'un beffroi octogonal. Cet ouvrage fut ajouté au XVIIIᵉ siècle, après qu'un incendie eut détruit la majeure partie de cette église gothique des XVᵉ et XVIᵉ siècle, lors du siège de 1747.

En suivant Fortuinstraat, on aboutit devant le **Markiezenhof**, la «cour des marquis», le plus bel édifice de la ville, construit par Anton et Rombout Keldermans au début du XVIᵉ siècle. Assez proche du Ridderzaal de La Haye, le bâtiment fait irrésistiblement penser à l'architecture des Flandres catholiques et notamment à celle de Bruges. L'imposant portail s'ouvre sur une cour intérieure ornée d'une élégante galerie. Depuis sa restauration, cette partie du palais abrite les collections du musée municipal, et notamment des tapisseries flamandes et de l'ameublement Louis XV.

Dans l'arrière-cour, vous sentirez peut-être les arômes appétissants provenant de **La Pucelle**, le meilleur restaurant de la ville, installé dans une maison voisine de style gothique tar-dif. Mais avant de vous mettre à table, vous visiterez la **Gevangenpoort** (dans Mostraat), l'unique porte fortifiée médiévale encore visible. De style gothique et d'influence flamande, cette porte à tourelles repose sur des murs qui sont les vestiges des puissantes fortifications aujourd'hui disparues. Autrefois utilisée comme prison, la Gevangenpoort s'anime quelques jours dans l'année, au moment des défilés du carnaval précédant le carême.

Willemstad

Traversant une région de polders, la route N 259 relie Bergen op Zoom à **Willemstad**, une petite ville fortifiée au bord de la rive sud du **Hollands Diep** (un bras de la Meuse et du Rhin). Ce simple village de pêcheurs vivait presque exclusivement du hareng avant d'être transformé en place forte par Guillaume le Taciturne, en 1583. Conçue et édifiée afin de commander l'entrée du fleuve,

Le port de Bois-le-Duc.

Willemstad demeure la forteresse la mieux préservée des Pays-Bas.

Compacte et admirablement proportionnée, la petite cité s'organise autour du **port intérieur**, qui abrite à présent une élégante marina. Les bateaux néerlandais, belges et allemands s'y côtoient. Derrière, on aperçoit des ouvrages défensifs datant de la Seconde Guerre mondiale, et notamment des bunkers en ciment perchés au sommet de bastions en étoile. Non loin se trouve un cimetière où sont inhumés 134 marins belges tués dans l'explosion de leur navire par une mine, en 1940.

Un peu plus au sud, on distingue le **Prisenhof Mauritshuis**, un édifice de brique rouge de style Renaissance hollandaise du XVIe siècle. Ce bâtiment aux lignes sévères faisait, à l'origine, office de pavillon de chasse du prince Maurice de Nassau, avant d'accueillir la résidence du gouverneur provincial. Sur le toit de ce qui est aujourd'hui l'hôtel de ville, on peut voir une girouette en forme de sirène qui ornait autrefois le Markiezenhof de Bergen op Zoom. Près de la tour, un pont de bois conduit de l'autre côté des bastions restaurés en 1990.

Les cafés, les magasins de sabots et, plus dissimulées, les discothèques qui bordent le chemin menant à l'église rappellent que Willemstad est devenue, depuis la fermeture du Haringvliet, un centre de sports nautiques. Mais contrairement à d'autres stations balnéaires des Pays-Bas, les maisons blanches respirant la propreté, les canaux sillonnés de canards et les ponts de bois n'ont rien d'artificiel. On s'en convaincra en constatant que le lundi est bien le jour de nettoyage et que, le dimanche, l'église est pleine.

Construite en 1607, l'**église** protestante se dresse au centre d'un paisible cimetière, ceinturé par une petite douve. De là, on gagne en quelques pas l'**Oranjemolen**, un grand moulin du XVIIIe siècle (restauré) surplombant la berge et l'*oude yachtshaven*, le vieux port. Au-delà s'étend le vaste estuaire du Hollands Diep, que les péniches

Quelques entreprises ont conservé le savoir-faire traditionnel pour fondre des statues et les cloches qui sonnent juste.

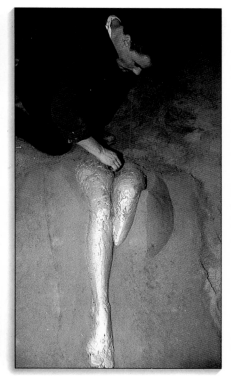

LE «SUD PROFOND»

La loyauté à la nation n'interdisant pas de manifester la spécificité de son identité culturelle, les provinces du Sud se sont toujours réclamées de leur double héritage, bourguignon et catholique. Autant dire que ces «méridionaux» ne se reconnaissent que très peu dans le portrait classique, et par conséquent caricatural, du Néerlandais moyen : insensible, réservé et sérieux en toute occasion. En privé, les adjectifs choisis se font parfois plus durs, et ils accusent volontiers leurs compatriotes du Nord de mesquinerie et d'avarice, et se trouvent, au contraire, chaleureux et généreux.

Les «nordistes» ne se font pas prier pour répondre à ces piques, et les calembours visant les gens du Sud constituent le pain quotidien de certains cabarets de La Haye et d'Amsterdam. On s'y moque surtout de leur accent flamand traînant, de leur «papisme» étroit et de leur morale douteuse.

Mais derrière ces stéréotypes se cachent des démarcations anciennes, produites par la géographie et entérinées par l'histoire. Utilisée pour désigner les habitants des régions situées au sud des fleuves, l'expression *benenden de Moerdijk* peut être étendue aux Flamands belges, impliquant une communauté culturelle ignorante des frontières modernes. De fait, les Néerlandais méridionaux partagent avec les Flamands cette culture où se mêlent étroitement le latin et le nordique. Et qui mieux que Rubens incarne cette double influence, comme l'écrivit d'ailleurs Élie Faure : « Rubens, homme du Nord et catholique, accordera une minute l'âme de Michel-Ange et l'âme de Dürer.»

Ce «Sud profond», intimement lié aux capitales flamandes et brabançonnes (Gand, Anvers, Bruxelles et Liège), à leur prospérité comme à leur déclin, demeura étranger à l'épopée glorieuse, militaire et commerciale du siècle d'or. Rattaché aux Pays-Bas par le traité de Münster, en 1648, le Brabant n'en devint véritablement partie intégrante que grâce à la volonté de centralisation des fonctionnaires impériaux (1804-1814). Quant aux frontières du Limbourg, dont la partie sud forme une véritable enclave dans le territoire belge, elles découlent de la sécession entre Belges et Néerlandais, amorcée en 1830.

Le roi Guillaume occupant Maastricht avec ses troupes, il fallut tailler (en 1867) cet appendice pour maintenir la ville en territoire néerlandais. Consultée par référendum, la population approuva ce découpage, mais n'en resta pas moins plus proche de Liège ou d'Aix-la-Chapelle que de la lointaine Amsterdam.

Ces terres pauvres, méprisées par la bourgeoisie marchande hollandaise, prirent cependant une éclatante revanche au moment de la révolution industrielle. En effet, tandis que la Hollande vivait des rentes acquises dans le passé, le Limbourg, riche en charbon, profita du boum économique et qui saisit le nord de la France et la Belgique dans les années 1830. A l'économie fondée sur les mines du Limbourg s'ajouta, dans les années 1890, l'industrie électrique dont Philips et Eindhoven devinrent les symboles.

Pourtant, ce qui fut dans l'après-guerre le cœur industriel des Pays-Bas connaît aujourd'hui de sérieuses difficultés. DAF, le constructeur de poids lourds et d'automobiles, ne survit que grâce aux aides de l'État et de la région flamande (Belgique). Fokker (aéronautique) est passé sous le contrôle de l'entreprise allemande DASA, et le géant Philips est, plus que jamais, menacé par son concurrent japonais Sony. Malgré cela, l'«équilibre nord-sud» a été rétabli aux Pays-Bas.

empruntent avant de s'engager au sud dans le Krammer Volderak, puis dans le canal les conduisant vers l'Escaut et la Belgique, ou en remontant au nord vers Dordrecht et Rotterdam.

On peut alors soit se balader le long des anciennes fortifications, soit couper au plus court et rejoindre le nouveau port en suivant les principaux canaux. Les visiteurs affamés feront sans doute une halte devant l'**Arsenal**, un édifice reconstruit par les Français en 1793, et récemment converti en restaurant.

Les marais du Biesbosch

De Willemstad, une route secondaire s'enfonce vers l'est, traversant les villages de Oudemolen, **Klundert** (hôtel de ville Renaissance), Zevenbergen et Made avant d'aboutir à **Drimmelen**, le meilleur point de départ pour explorer les **marais du Biesbosch**, le « bois de jonc ». Le Biesbosch, ou Biesbos, est une ancienne région de polders rendue aux marécages à l'issue du cata-

clysme de 1421. Cette année-là, dans la nuit du 19 novembre, les flots brisèrent les digues sur le Waal et la Meuse et engloutirent polders et villages, faisant apparaître le Hollands Diep. Au cours des siècles, le Waal et la Meuse y déposèrent du sable et des alluvions, créant un milieu favorable au développement du jonc, du roseau et du saule. Depuis la fin du XVIIᵉ siècle, une partie des ressources naturelles du Biesbos sont exploitées pour la production d'objets de vannerie.

Récemment affecté par les travaux du plan Delta, et notamment la construction de la digue fermant l'Haringvliet, le Biesbos n'en demeure pas moins un écosystème unique aux Pays-Bas. On ne saurait trop conseiller une visite au centre nature de Drimmelen, en prélude à une promenade en bateau, le seul moyen de découvrir la faune et la flore de cet univers aquatique. Les observateurs attentifs apercevront peut-être des faucons, des hérons, des cygnes, des spatules, des flamants roses et des martins-

A gauche, le Brabant est une province à grande majorité catholique ; ci-dessous, récolte du jonc destiné à la vannerie dans le Biesbosch.

pêcheurs, et sûrement des canards et des oies. Si les écureuils et les chauves-souris habitent les bouquets de saules, les castors et les putois se dissimulent parmi les soucis de marécage et les iris jaunes.

Heusden

Établie sur la rive sud de la Meuse, **Heusden** est une ville fortifiée qui présente de nombreuses similitudes avec Willemstad et **Woudrichem** (sur la rive gauche de la Merwede, à une dizaine de kilomètres au sud de Gorinchem). Après la signature du traité d'Union à Utrecht en 1579, la ville prêta allégeance au camp protestant et éleva des remparts en étoile autour de son château et de son port fluvial.

A l'abri de ces murs, l'élégante cité sillonnée de canaux prospéra grâce à la construction navale, le commerce des armes et, naturellement, la pêche au hareng. Elle demeura une place forte protestante et une ville de garnison jusqu'à sa prise par les troupes françaises en 1795. Bombardée en 1940, Heusden a été entièrement restaurée, et certains quartiers n'ont guère changé depuis le siècle d'or.

L'un des endroits les plus animés de la ville, le **marché aux poissons** (Vismarkt) est situé entre le **marché au beurre** (Botermarkt) et le port. Ces deux places sont bordées de maisons à pignons dont quelques-unes abritent des restaurants de poisson très réputés. A l'extrémité du Vismarkt se dresse un curieux portique de pierre qui présente plus l'allure d'un ouvrage romain que celle d'une **maison du Poids public**, sa véritable fonction.

Une fois que l'on a franchi l'arche et que l'on est parvenu sur l'embarcadère en bois, les bruits du marché s'estompent. Autour de ces eaux calmes, on aperçoit quelques arbres, un petit pont, un moulin à vent et la maison d'un éclusier. Le caractère profondément néerlandais de ce décor réside dans la perfection des proportions et la puissante impression de naturel qui s'en dégage. Comme bien d'autres villes

Ci-dessous, une rue d'Heusden à droite, costume et maquillage de carnaval à Bergen op Zoom.

LE CARNAVAL

Si le goût des grandes fêtes est resté particulièrement vivant aux Pays-Bas – la Saint-Nicolas, le 6 décembre, ou le jour anniversaire de la reine, fixé le 30 avril, sont l'occasion de joyeuses pagailles – la célébration du carnaval prend, à Bergen op Zoom, ou à Bois-le-Duc, un tour spectaculaire attirant des visiteurs de tout le pays.

La tradition du carnaval remonte au Moyen Age, où il eut d'abord pour cadre les grandes villes des Flandres et du Brabant. Il semble qu'à Liège cette fête ait existé dès le XIIIᵉ siècle. Coïncidant avec une phase de prospérité économique (autour du XVᵉ siècle), l'influence de la civilisation bourguignonne favorisa l'éclosion d'un nouvel art de vivre dans les villes brabançonnes.

Au goût pour les belles demeures et les objets d'art s'ajouta celui pour le faste, qu'il s'agisse de célébrations religieuses, de représentations théâtrales, ou de banquets corporatifs. Mais aucune de ces réjouissances n'atteignait en théâtralité, en ferveur et, souvent, en exubérance, le carnaval qui, plusieurs jours durant, renversait les hiérarchies et bafouait les autorités.

Signalons, au passage, que le terme kermesse est un emprunt linguistique au néerlandais *kermissen* (qui désigne toutes sortes de festivités), formé à partir du mot *kerkmisse*, signifiant « fête d'église ».

Avec quelques nuances selon les villes, cette fête est devenue avant tout la célébration d'un esprit communautaire, et il est toujours assez mal vu de ne pas y participer. Son organisation exige plusieurs mois de préparation, avec : les répétitions des centaines de fanfares, la création des costumes, la réparation ou la fabrication des géants, la mise au point des spectacles et des défilés et, enfin, la composition de la chanson du carnaval, le plus souvent en patois. Pour présider à tout cela, on procède à l'élection d'un prince du carnaval, auquel les fonctions de maître de cérémonie imposent de rechercher le financement de la fête.

Trois semaines avant le début des festivités, les magasins revêtent leurs plus beaux atours, tandis que les fanfares chauffent l'ambiance dans les cafés et dans les clubs pour enfants. La nuit, des étudiants drapés dans des fichus rouges et des tissus de rideaux vont de bar en bar en chantant. Dans les rues, des tourbillons d'enfants masqués tourmentent les passants avec de fausses versions de la chanson du carnaval, *Wa d'n Kemedie* (« la vie est une comédie »). Quelques jours avant le grand week-end se déroule la fête des « vieilles veuves » qui réunit des jeunes femmes déguisées en harpies et en sorcières et leurs chevaliers servants. Enfin arrive le carnaval. Abandonné l'an passé, il refait son apparition. A Bergen op Zoom, la scène se déroule aux alentours de la Gevangenpoort.

Le week-end est l'occasion d'aller dans des restaurants ou des tavernes envahis par la musique des fanfares. Le lundi appartient tout entier aux enfants qui, déguisés, se rendent à la rencontre du prince du carnaval sur le Grote Markt. Déguisé en géant, le prince, aidé de plusieurs imposteurs, invite les enfants à le poursuivre dans la ville. Surtout destinée aux visiteurs, la procession des géants, des chars et du prince a généralement lieu le lendemain.

A minuit, toutes les festivités s'interrompent pour laisser la place à l'austérité du carême. Si Jan Steen a magnifiquement peint l'enthousiasme des Néerlandais pour cette fête, c'est sans doute Pierre Bruegel l'Ancien, un peintre du Sud, qui, dans son tableau intitulé *Le Combat du carnaval*, en a donné la vision la plus profonde, mettant en scène la confrontation entre l'église et la taverne.

néerlandaises, Heusden semble être une émanation du paysage et pourtant tout y est artificiel : le bassin, les canaux, les berges de la rivière, même les canards qui s'y ébattent sont domestiqués.

Mais le tableau ne serait pas complet si Husden ne possédait pas, en outre, son **église gothique** (Sainte-Catherine), son **Stadhuis**, mélange d'élégance architecturale et de fonctionnalité, ses demeures de marchands des XVIIe et XVIIIe siècles, son **château** en ruine, sa **résidence préfectorale**, et ses taches de verdure qui font respirer la ville. Construit au XVIIIe siècle sur le site d'une fabrique d'armes du Moyen Age, le **Woonhuis** abritait encore récemment une entreprise familiale spécialisée dans le secteur de l'armement.

Bois-le-Duc

Chef-lieu du Brabant-Septentrional, **'S-Hertogenbosch** (87 000 habitants), ou plus simplement **Den Bosch** (il faut prononcer « *den boss* »), est située au confluent de l'Aa et la Dommel (deux affluents de la Meuse), sur le canal Guillaume. La ville s'est développée autour d'un ancien pavillon de chasse des comtes de Brabant et de Louvain. Au XIIe siècle, Henri Ier, duc de Brabant, y fit construire un château, puis, en 1185, il octroya une charte municipale à l'agglomération naissante.

Prospère dès le XIVe siècle grâce au commerce de la laine, Bois-le-Duc connut son apogée au XVe siècle, après son entrée, en 1430, dans le puissant État bourguignon fondé par Philippe le Bon (1419-1467), le père de Charles le Téméraire. Siège d'un évêché et capitale d'une région fidèle à l'Espagne, la cité fut durement éprouvée par les guerres de Religion. Assiégée à trois reprises, Bois-le-Duc ne tomba aux mains des protestants qu'en 1629, sa reddition faisant d'ailleurs basculer le Brabant-Septentrional dans le camp des Provinces-Unies.

Depuis cette date, et exception faite de l'intermède français (1794-1814) au

La place de la gare de Bois-le-Duc.

cours duquel Bois-le-Duc devint la préfecture du département des Bouches-du-Rhin, la ville et sa région sont restées attachées aux Pays-Bas. Den Bosch n'en conserve pas moins son identité brabançonne et catholique, où se lisent encore les derniers signes de son lointain héritage bourguignon, comme en témoignent d'ailleurs son carnaval exubérant et les saveurs de sa gastronomie.

Pôle économique avec les usines Heineken, les pneumatiques Michelin, des industries chimiques et des marchés agricoles importants, Bois-le-Duc a cependant su préserver la quiétude et le charme de ses vieux quartiers, et notamment ceux du centre-ville, inscrit dans le triangle délimité par la Dommel, le canal Singel et le canal Zuid Willems, et centré sur le Markt.

Le Markt

Au centre du **Markt**, particulièrement animé en période de carnaval, se dresse la statue de Hieronymus Van Aken, dit **Jérôme Bosch** (v. 1450-1516), né à Bois-le-Duc, et qui y travailla toute sa vie. A l'écart des courants, notamment italianisants, Bosch resta très imprégné par l'art du Moyen Age comme le montrent sa technique de miniaturiste, son symbolisme outrancier, funambulesque et bizarre, ainsi que son enfer grouillant de monstres composites. En revanche, son sens de la couleur et la facture très moderne de ses toiles anticipent sur la peinture vénitienne. La trentaine d'œuvres connues de ce génie fantaisiste et fantastique, très apprécié de Philippe II d'Espagne et des cours d'Europe, sont, pour la plupart, exposées au musée Boymans-Van Beuningen, à Rotterdam, ou au Prado de Madrid.

Parmi les cafés, les restaurants et les magasins qui bordent la place, deux bâtiments se détachent : le petit **château** en pierre construit par le duc de Brabant vers 1220 et plusieurs fois remanié et, à l'opposé, le **Stadhuis**, l'hôtel de ville de style classique édifié à la fin du XVIIe siècle, et dont les

Le marché aux bestiaux de Bois-le-Duc.

fondations remontent au début du XIVe siècle. Une brasserie a élu domicile dans cette cave.

Vers le musée du Noord-Brabant

En descendant la **Verwerstraat** en direction du Singelgracht et des jardins du **Zuiderpark**, on peut admirer de très belles maisons à pignons, parmi lesquelles une boulangerie du XIVe siècle et, au n° 78, une façade décorée de carreaux de Delft. Perpendiculaire à Verwerstraat (sur la gauche), **Pepperstraat**, elle-même bordée de plusieurs édifices des XVIIe et XVIIIe siècles – la demeure du n° 15 date de 1800 –, remonte vers la cathédrale Saint-Jean.

Au bout de Verwerstraat, une petite allée, **Oude Bogardenstraatje**, franchit un canal, puis conduit à un portail enclos et à des écuries d'où l'on aperçoit l'arrière du **musée du Brabant-Septentrional** et ses jardins semés de sculptures modernes. En prenant l'étroite Beurdsestraat, on gagne le musée installé dans une demeure patricienne du XVIIIe siècle. Ce bâtiment abrite des collections consacrées à l'histoire antique, franque et médiévale de la province, des sculptures, de l'orfèvrerie religieuse, ainsi que des œuvres de maîtres néerlandais.

La cathédrale Saint-Jean

La ville est fière de posséder, avec la **Sint Janskathedraal**, la plus belle église gothique des Pays-Bas, dont l'architecture extérieure offre, dit-on, quelques similitudes avec celle de la cathédrale d'Amiens. Ce magnifique exemple de style gothique flamboyant fut construit entre 1330 et 1550 sur le site de deux précédents édifices du XIIIe siècle : le premier, de style roman, dont le seul vestige semble être la base du clocher, le second, de style gothique, dont il ne subsiste que le baptistère et la chapelle Notre-Dame. Gravement endommagée par un incendie à la fin du XVIe siècle, l'imposante tour de la croisée fut prolongée par une coupole.

Venant de la **place Parade**, on pénètre dans la cathédrale par le porche de l'aile sud. D'emblée, on est saisi par les proportions impressionnantes de cet édifice à cinq nefs coiffées par de hautes voûtes à nervures. Ravagée en 1566 par des extrémistes iconoclastes, puis consacrée en 1629 au culte protestant – l'église ne sera rétrocédée aux catholiques qu'en 1810 –, Saint-Jean a perdu l'essentiel des peintures de Jérôme Bosch qui la décoraient. On peut cependant encore admirer dans le transept nord, à côté d'une statue de la Sainte-Famille, deux toiles attribuées au maître et représentant la Vierge Marie et saint Jean de Patmos (l'Évangéliste), le saint patron de la cathédrale.

A côté de la chaire en bois du XVIe siècle, on aperçoit un orgue remarquable dont la menuiserie date du début du XVIIe siècle. Très bel ouvrage de cuivre, les fonts baptismaux, hauts de 4 m, furent exécutés à la fin du XVe siècle. Non loin du porche nord, adjacent à la chapelle Notre-Dame, la chapelle consacrée à saint Antoine possède un magnifique retable de la Passion du début du XVIe siècle.

Jérôme Bosch, natif de Bois-le-Duc.

La Hinthamerstraat

Parvenu dans **Hinthamerstraat**, vous apercevrez sur la droite, en venant de la cathédrale, la **demeure** où Bosch, bourgeois respecté de la cité, mena une existence confortable. Juste à côté, au n° 94, se trouve la **Zwanenbroeder-huis**, la vénérable bâtisse où se réunissent les membres – Bosch fut l'un d'entre eux – de la célèbre confrérie de Marie, fondée en 1318, et dont la principale occupation consiste à animer la liturgie et à organiser des processions et, naturellement, un banquet annuel.

En 1629, la confrérie ouvrit ses portes aux protestants et, depuis le milieu du XVIIe siècle, ses 36 membres se répartissent pour moitié entre catholiques et protestants. Peu visitée, cette demeure renferme une grande variété d'objets anciens (des étains, des porcelaines, un retable, des manuscrits et des livres) et surtout une magnifique collection de recueils de chants et de musique liturgiques.

Outre quelques vieilles demeures des XVIIe et XVIIIe siècles, situées plus haut en direction du Markt aux nos 55-57, Werverstraat n'est plus bordée que de boutiques et de restaurants.

Eindhoven

L'autoroute qui relie directement Bois-le-Duc à Eindhoven traverse le **Kempenland**, une région de forêts, de bruyères et de dunes. Cet espace naturel intact, arrosé par le Lei, la Beerge et la Dommel, joue un peu le rôle de poumon vert du triangle industriel Bois-le-Duc-Tilburg-Eindhoven.

Avec la campagne à ses portes, **Eindhoven** (192 000 habitants) n'en est pas moins l'un des principaux pôles industriels du pays. Outre les deux grands noms symboles de la ville et de sa région, DAF (construction mécanique) et Philips (construction électrique et électronique grand public), Eindhoven compte un important secteur papetier, des entreprises agroalimentaires, notamment des laiteries,

Dans ces immenses cuves de brassage s'élabore la fameuse bière Heineken.

et des manufactures de tabac. Les sportifs se souviennent sûrement du PSV Eindhoven qui fut, à la fin des années 1970, l'un des meilleurs clubs de football européens, et a largement contribué à la renommée de la ville.

Cette dernière n'était qu'un petit bourg lorsque le banquier Frederik Philips y fonda son entreprise en 1891. Elle ne possède aucune richesse architecturale particulière. Du «vieil Eindhoven» subsiste cependant le **Markt**, une place animée l'été, et le **Stadhuisplein** que surplombent l'**ancien hôtel de ville Renaissance** et le nouveau, construit par J. A. Van der Laan.

D'emblée, le visiteur est accueilli, à la sortie de la gare, par une impressionnante **statue du docteur Anton Philips**, le fils du fondateur. La découverte de l'épopée Philips se poursuit dans **Emmasingel** (traverser la Stations Plein, puis remonter la 18 September Plein), où le tout premier bâtiment Philips a été préservé, avec ses cheminées d'un autre âge et son buste de G. L. Philips.

Devant le Philips Ontspanning Centrum, dans **Mathildelaan** (dans le prolongement de la 18 September Plein), on peut admirer le **Natuursteen**, une sculpture de bronze de Fred Carasso dédiée à la nature. Autrefois symbole de la vocation technologique d'Eindhoven, l'**Evoluon** (à environ un kilomètre plus à l'ouest), sorte de palais de la Découverte inauguré en 1966, a récemment fermé ses portes.

Moins bucolique, l'**automate**, dû à Mario Negri, domine la grande place. Il évoque plutôt l'univers du film *Metropolis*, avec ses tubes de métal dont la forme fait penser à un composant électronique. Agrandi et réaménagé en 1978, le **musée municipal Van Abbe** (n° 14 Bilderdijklaan) est un espace agréable à parcourir, doté d'une bibliothèque ouverte au public, d'un restaurant et d'une cafétéria.

Depuis sa création en 1936 par l'industriel H. J. Van Abbe, il n'a cessé d'enrichir son patrimoine et peut prétendre aujourd'hui rassembler des œuvres de tous les courants ayant fait

Les façades simples mais élégantes des maisons de Bois-le-Duc.

l'art du XXᵉ siècle : cubisme (Picasso, Braque, Delaunay et des toiles apparentées au cubisme de Léger et de Kandinsky), surréalisme (Miró, Ernst, Chagall, Delvaux), expressionnisme (Kirchner, Kokoschka, Permeke), groupe De Stijl et néoplasticisme (Mondrian, Van Doesburg), nouvelle école de Paris (Bissière), expressionnisme abstrait (Sam Francis, Morris Louis).

Enfin, le groupe Cobra est représenté par des œuvres de Karel Appel. En outre, le musée est fier de posséder une collection exceptionnelle d'œuvres du peintre russe El Lissitzky (1890-1941), qui fut, avec Malevitch, l'un des artistes les importants du «suprématisme», un courant engagé dans la voie de l'abstraction pure.

Les environs d'Eindhoven

A une douzaine de kilomètres au sud d'Eindhoven se dresse le château de **Heeze**, un édifice bâti au XVIIᵉ siècle sur les fondements d'une forteresse médiévale du XIIIᵉ siècle. La château a conservé une partie de son ameublement d'époque et notamment de très belles tapisseries des Gobelins.

Seulement 7 km séparent le centre d'Eindhoven de la petite ville de **Nuenen** (15 000 habitants), au nord-est. De décembre 1883 à novembre 1885, **Van Gogh** (né à Zundert, 17 km au sud de Breda) résida au presbytère de cette ville dont son père fut pasteur jusqu'à sa mort, en 1885. Ce séjour à Nuenen venait après l'échec de sa mission évangélique auprès des mineurs du Borinage, en Belgique, et son initiation au dessin, à Anvers en 1880, puis à la peinture au contact de son cousin le peintre Anton Mauve (artiste connu de l'école de La Haye), en 1882. Il constitue en quelque sorte la première période créatrice de Van Gogh.

Durant cette époque de travail acharné, où se lit l'influence de Millet, l'artiste réalisa de nombreux croquis de mains et de visages, des paysages, des natures mortes, dont les éléments réunis donneront des scènes de la vie

La renommée et la prospérité d'Eindhoven sont, depuis un siècle, liées à entreprise Philips.

paysanne d'un réalisme sombre et mystique. *Les Mangeurs de pommes de terre* en sont le symbole.

Près du presbytère aux volets verts, un **monument** du sculpteur français d'origine russe **Ossip Zadkine** honore la mémoire du peintre. Une exposition permanente lui est en outre consacrée au **Van Gogh Documentatiecentrum**, situé près de la mairie. Signalons au passage que Zadkine fit lui-même de nombreux séjours dans la région, notamment à **Deurne** (à une dizaine de kilomètres à l'est d'Helmond).

Outre son **hôtel de ville** installé dans un imposant château médiéval du XVᵉ siècle, doté de tours d'angle, **Helmond** (une dizaine de kilomètres plus à l'est) présente peu d'intérêt sinon celui de border le **Peelland**, une région de tourbière et de marais qui s'étend à l'est jusqu'à la frontière du Limbourg. Ayant la réputation d'être malsaine et fréquentée par des vagabonds et des hors-la-loi, le Peelland demeura à peu près inhabité pendant des siècles. Vers 1850, on commença cependant à en extraire de la **tourbe**, faisant apparaître un sol sablonneux et stérile, très vite envahi par les eaux. Impropres à la poldérisation, ces marais et ces étangs attirent de nombreuses espèces d'oiseaux. Bien que, au cours de ce siècle, des programmes de reforestation aient transformé une partie du Peelland en forêts et en landes de bruyères, il subsiste, à l'est d'Eindhoven, plusieurs zones de tourbières.

Pour plus d'information sur les réserves naturelles de **De Grote Peel**, **Peel de Veluwe** et **Helena Peel** (accessibles par Moostdijk, près de Meijelsedijk), on pourra s'adresser au **Natuurstudiecentrum**, à **Asten**, au sud d'Helmond. Ces sanctuaires ornithologiques accueillent notamment, de mars à juillet, d'importantes colonies de goélands à tête noire.

Breda

Vaincue par les Espagnols en 1581, reconquise par les Néerlandais en 1590, à nouveau perdue par ceux-ci en

Les Mangeurs de pomme de terre, de Van Gogh.

1625, puis finalement reprise en 1637, **Breda** (120 000 habitants), la résidence des princes de Nassau, fut âprement disputée pendant les guerres de Religion. Outre cette intense page militaire, la ville a laissé son nom à plusieurs événements diplomatiques, dont le plus décisif fut sans conteste le traité de Breda (1667), mettant fin à la « Seconde Guerre anglaise » et redistribuant les zones d'influence dans l'Atlantique et en Amérique du Nord et marquant le début de la domination britannique dans l'Atlantique.

Au cœur de la ville, l'**Havermarkt** (Marché au foin) est une place bordée de nombreuses brasseries, où vous pourrez déguster un petit déjeuner à la hollandaise : un *broodje*, petit pain moelleux, accompagné d'un café, ou un *uitsmitjer* (sorte de croque-madame très copieux) du nom du garçon qui, dans un café, renvoie les ivrognes.

Bâti au XVIIIe siècle, l'**hôtel de ville** abrite dans son hall une reproduction de *La Reddition de Breda* (1635-1636) par Velázquez.

En face se dresse l'**église Notre-Dame**, un édifice de style gothique brabançon du XVe siècle. On dit souvent de son clocher, érigé en 1468-1509, qu'il est le plus beau de Hollande. Le chœur et le déambulatoire recèlent les tombeaux des deux derniers seigneurs de la baronie de Breda, dont les héritières apportèrent le titre en mariage aux comtes de Nassau. On peut d'ailleurs admirer les mausolées des comtes Engelbrecht Ier et II de Nassau.

Derrière l'église, de petites rues conduisent au port, Haven, d'où l'on aperçoit la **cathédrale Sainte-Barbe**, construite par Cuypers. De là, on se rendra à la **Spanjaardsgat** (la porte des Espagnols), vestige des anciennes fortifications. Le **château** (du XVIe siècle), dissimulé derrière deux grosses tours, était la retraite préférée de Guillaume le Taciturne.

Si le temps s'y prête, vous pourrez vous allonger dans le **Valkenberg**, l'ancien parc du château, et contempler son **béguinage** : la dernière béguine des Pays-Bas y vit encore.

Les marais du Peelland abritent de nombreuses espèces d'oiseaux.

LE LIMBOURG

*Pages
récédentes :
les collines
du
Limbourg,
baptisées,
non sans
humour,
les Alpes
néerlan-
daises.
A gauche,
alkenburg ;
ci-dessous,
un vitrail
représentant
l'hôtel de
ville de
Maastricht.*

Limité au nord par la Gueldre, à l'est par l'Allemagne, au sud par le Limbourg belge et la province de Liège, et enfin à l'ouest par le Brabant-Septentrional, l'actuel Limbourg néerlandais, longtemps l'enjeu des rivalités opposant les puissants duchés riverains, resta très morcelé jusqu'à la fin du Moyen Age. Découpé artificiellement après 1830 (lire page 230), il ne présente pas cette forte unité qui caractérise les autres provinces néerlandaises, et on a pris l'habitude de le diviser en trois régions.

S'étendant sur les deux rives de la Meuse, entre les forêts allemandes et la plaine brabançonne, le Limbourg septentrional est principalement un pays de landes sauvages, recouvertes de bruyères, présentant, à l'exception de Weert et de Venlo, un habitat dispersé. Centré autour de Roermond, au confluent de la Meuse et de la **Roer**, le Limbourg central est une région d'étangs, de rivières et de canaux. A l'approche des **Hautes-Fagnes** (en Belgique), le relief du plateau limbourgeois s'accentue, donnant naissance à des collines dont la plus haute, le **Vaalserberg** – le point culminant des Pays-Bas –, s'élève à 323 m ! Et ce n'est pas sans humour qu'on appelle parfois le Limbourg méridional les **Alpes néerlandaises**.

L'opération Market Garden

Entre Venlo et Venray, sur les sols fertiles qui bordent la Meuse, s'étend une très belle région essentiellement tournée vers les cultures maraîchères et l'horticulture. Mais c'est sans doute plutôt le goût de l'histoire qui décidera les visiteurs à venir découvrir sur place le théâtre de l'**opération Market Garden** – terme anglais qui, ironie de l'histoire, signifie précisément jardin maraîcher –, l'un des épisodes les plus intenses de la Seconde Guerre mondiale.

Le **musée national de la Guerre et de la Résistance** d'**Overloon** (à 5 km au nord de Venray) est situé sur le lieu d'une des batailles de cette vaste opération lancée en septembre 1944 (lire pages 59-66 et 266). On peut d'ailleurs y voir des exemples de l'armement employé (chars, avions, canons, mines, bombes), ainsi qu'une exposition consacrée à la Seconde Guerre mondiale aux Pays-Bas.

Trois semaines durant, Overloon fut l'enjeu d'un terrible combat de divisions blindées et l'on compare souvent cette bataille à celle de Caen en raison de l'importance des moyens engagés et des pertes en hommes et en matériel. Des milliers de Britanniques, de Canadiens, d'Américains, de Polonais et d'Allemands tombèrent, et plus de trois cents chars furent détruits au cours de cet épisode tragique qui stoppa net l'offensive alliée dans les plaines du Nord.

Le seul **cimetière d'IJsselsteyn**, entre Deurne et Venray, abrite les tombes de 30 000 soldats allemands. Dans celui de **Groesbeek** (à la sortie du village de Mook, à une dizaine de kilomètres au

Stadhuis

sud de Nimègue) reposent les soldats britanniques tombés pendant la bataille de Nimègue.

Depuis, la nature a repris ses droits et, à quelques kilomètres au nord d'Overloon, sur la rive droite de la Meuse, s'étend une **zone de bois et de bruyères** qui mérite bien que l'on quitte la route principale.

De Venlo vers Nimègue

Avec ses 64 000 habitants, **Venlo** est d'abord un grand centre agricole (fleurs et légumes). Les fêtes de la ville perpétuent la tradition du fondateur légendaire de Venlo, le géant **Valuas**, chef des Bructères (une des tribus germaniques établies au nordest des Pays-Bas, dans l'actuelle Westphalie allemande) et le souvenir de sa femme Suzanne. Située à proximité de la frontière allemande, cette ancienne forteresse avait jadis pour mission de contrôler un passage sur la Meuse. Venlo s'est enrichi de quelques jolis édifices, tels que le **Stadhuis** Renaissance du XVIe siècle et l'**église Saint-Martin** du XVe siècle, et possède même un musée, le **Goltziusmuseum**.

Les amateurs de vieilles pierres ne manqueront d'aller admirer le **château d'Arcen** (à 12 km au nord de Venlo, en retrait de la route N 271), une élégante bâtisse du XVIIIe siècle entourée d'eau – le château d'origine commandait autrefois une place forte. La propriété compte également une orangerie, un lac ornemental, une roseraie, des jardins tropicaux et naturellement des canaux. A environ 3 km d'Arcen dans la direction de Nimègue, vous pourrez admirer, à l'entrée de **Well**, l'un des plus beaux châteaux Renaissance du Limbourg.

De là, une petite route vous conduira à **Venray** (à une dizaine de kilomètres à l'est) qui compte un peu plus de 32 000 habitants et dont le plus bel édifice est sans doute l'**église gothique Saint-Pierre**. A l'intérieur, on peut admirer un bel ensemble de statues de bois (du XVIe siècle) représentant les apôtres ainsi que des saints, et dont le style poursuit la tradition de l'art mosan du Moyen Age.

C'est bien un trait caractéristique du Limbourg (et du sud des Pays-Bas) que d'avoir reçu l'influence architecturale à la fois de la France et de la Rhénanie. Et en effet, la cathédrale de Cologne (milieu du XIIIe siècle), que l'on considère généralement comme le premier véritable édifice gothique allemand, n'est qu'à une cinquantaine de kilomètres de la frontière.

Le Limbourg central

Roermond (39 000 habitants), ou Ruremonde, a deux visages. Le premier est celui d'une ville industrielle spécialisée dans la construction électrique (Philips), tandis que le second rappelle que la cité fut jadis la capitale de la Haute Gueldre et le siège d'un évêché. Fort heureusement le cœur historique de la ville a été préservé et la plupart de monuments restaurés.

Autour du Markt, on remarquera le **Stadhuis** de style baroque et la **cathédrale Saint-Christophe** (du XVe siècle) de style gothique flamboyant. Non

Roermond.

loin, sur le Musterplein, on admirera l'**église Notre-Dame**, Musterkerk, dont les nefs, le transept et le chœur appartiennent au style roman d'influence rhénane. Mais la grande attraction de Roermond, ce sont les **Maasplassen**, ces lacs artificiels situés à la sortie de la ville et qui attirent de nombreux amateurs de sports nautiques.

Avec ses cottages de briques roses ou blanches (couleur résultant du mélange de la peinture blanche et de la brique rouge à mesure que les matériaux vieillissent), ses rues pavées et ses anciens hospices, **Thorn** (situé sur la frontière belge) semble avoir conservé cette quiétude digne du grand centre religieux qu'il fut dès le Xe siècle.

De l'ancienne abbaye fondée à cette époque ne subsiste que l'**église abbatiale** (bordant la place Wijngaard), maintes fois remaniée au cours des siècles. De l'édifice roman d'origine, on peut encore voir la crypte et le clocher. Le reste de l'édifice conjugue avec élégance les styles gothique, Renaissance (l'autel) et baroque (la façade). Parmi les trésors de l'église, on peut admirer un Rubens et les restes momifiés de chanoines et de chanoinesses du chapitre.

Le Limbourg méridional

Au sud de Thorn et à l'est de la Meuse, on pénètre dans une région dont le relief vallonné et le paysage alternant bois et prés sont assez inhabituels aux Pays-Bas, et attirent, pour cette raison, de nombreux visiteurs néerlandais.

Outre la beauté de son décor naturel, ce pays possède une grande variété de châteaux – il ne s'agit parfois que de fermes fortifiées – dont certains remontent à l'époque carolingienne. Ce qui n'a rien d'étonnant puisque Aix-la-Chapelle (Aachen), à seulement quelques kilomètres de là, était la résidence préférée de Charlemagne et l'épicentre du royaume franc.

En empruntant les petites routes, on pourra ainsi découvrir, entre Maastricht et Heerlen, les **châteaux** de **Genhoes** (des Xe et XIIIe siècles), de **Wittem**

Thorn.

(édifice du XVe siècle transformé en hôtel), de **Limbricht** et de **Neubourg** (transformé en hôtel), près de Gulpen.

Construit au XIVe siècle, puis remanié au XVIe siècle dans un style Renaissance d'influence rhénane, le **château de Hoensbroek** est souvent considéré comme le plus bel édifice de ce genre entre Meuse et Rhin. Si le bâtiment a conservé ses vieilles tours de brique rouge plantées dans l'eau trouble de l'étang, l'ameublement intérieur date de l'époque de sa restauration.

Heerlen

Avec ses 94 000 habitants, ses industries et ses commerces, **Heerlen** se veut, à première vue, la réplique limbourgeoise d'Eindhoven.

Il y a vingt ans pourtant, son bassin minier, qui avait largement contribué au développement industriel des Pays-Bas (les Mines nationales néerlandaises, les DSM, étaient nées à Heerlen en 1902), fermait ses portes, ruiné par la concurrence du gaz naturel

découvert en Groningue dans les années 1960. Depuis, toute la région s'est mobilisée – avec succès – pour obtenir la décentralisation des administrations, ou des services (bureau central des Statistiques, fonds de retraite), et l'implantation de nouvelles entreprises (chimie, construction mécanique), de manière à préserver l'emploi. Si ces transformations ont indéniablement rapproché Heerlen du reste des Pays-Bas, et notamment de la Hollande, la ville tient à conserver quelques-unes de ses particularités et, entre autres, son accent flamand traînant et sa prononciation douce du « g ».

Les vestiges d'un site romain, Coriovalum, ont été mis au jour dans les années 1960, et un petit musée, le **Thermenmuseum** (situé dans le centre-ville), a été construit pour en abriter l'installation thermale.

Sous ce hangar en métal, peint en rouge, jaune et bleu, on peut également voir les restes d'un temple, la reconstitution de l'atelier d'un potier, ainsi que des collections de bijoux, de

Thermae 2000, le centre thermal de Valkenburg.

pièces de monnaie et de statuettes découvertes pendant les fouilles.

Valkenburg

Nichée dans la vallée boisée de la Guel, **Valkenburg** est, grâce à ses installations thermales (Thermae 2000), son casino et ses grottes, l'un des sites touristiques les plus fréquentés des Pays-Bas.

En bas de la **Grotestraat**, conduisant du Spaans Leenhof (l'office du tourisme) au château, vous apercevrez le **Streekmuseum** qui vaut pour le bel édifice de pierres marneuses qui l'abrite. Au pied du tertre rocheux et boisé couronné par les ruines du château, la rue de gauche (Berkelstraat) conduit à la **Berkelpoort**, l'une des deux portes d'enceinte (avec la Grendelpoort) encore visibles, vestiges des anciennes fortifications, d'où part la route en direction de Wittem et Gulpen.

Bâti au XIIIe siècle, le **château** des seigneurs de Valkenburg (Fauquemont) subit bien des sièges avant d'être partiellement démoli par les troupes de Louis XIV, en 1672. De cet édifice ne subsiste qu'une tour, une chapelle, un arsenal, ainsi qu'un réseau de tunnels conduisant à la Fluwelengrot et aux anciennes carrières.

Depuis la Berkelstraat, il faut s'engager dans la Munstraat, puis passer la **Grendelpoort** (qui indique la direction de Maastricht) pour se rendre aux «grottes de Lourdes». Réplique du célèbre lieu de pèlerinage, les **Lourdengrot** occupent l'une des nombreuses cavités dont sont trouées les collines calcaires de Valkenburg. A mi-chemin entre la Grendelpoort et les Lourdengrot, vous pourrez ainsi visiter (à pied ou en train) les grottes les plus étonnantes de la région, les **Gemeentegrot**, site d'extraction de la marne depuis l'époque des Romains.

Ces excavations s'étendent sur une superficie d'environ 110 ha, parcourus par 75 km de tunnels. Trois kilomètres seulement sont ouverts au public. Bénéficiant d'une température constante d'environ 11°C et d'une bonne aération grâce à la porosité de la roche, ces lieux ont servi d'abri aux habitants de la région probablement depuis des temps très lointains.

Mais les sculptures et les bas-reliefs attestant de cette présence ne remontent, pour les plus anciens, qu'au XVe siècle. Depuis, toutes les générations ont laissé dans la pierre la trace de leurs préoccupations, faisant de ces cavernes un musée de la sculpture bien insolite. Curieusement, les dinosaures sont l'œuvre de forgerons du XIXe siècle, quant aux formes inspirées de l'art primitif, elles ont été gravées par des étudiants de l'université de Breda dans les années 1960.

Au cours de la Seconde Guerre mondiale, 3 000 personnes trouvèrent refuge dans ces cavernes, laissant sur les parois leurs noms, des messages, et, quelquefois, des peintures. Puis les Allemands y installèrent une usine secrète (détruite à la Libération) destinée à produire des bombes volantes. Plus récemment, en 1979, on y aménagea un abri antiatomique prévu pour accueillir 15 000 personnes, soit la population totale de Valkenburg.

Les grottes de Valkenburg.

MAASTRICHT

Depuis que la cité a accueilli les négociations et la signature – le 7 février 1992 – du traité créant l'Union européenne, plus personne en Europe n'ignore encore le nom de **Maastricht** (115 000 habitants). Ce que l'on sait moins en revanche, c'est que la capitale de la province du Limbourg est sûrement l'une des villes les plus accueillantes et les plus attachantes des Pays-Bas.

Une histoire tourmentée

Comme Utrecht, Maastricht tire son nom, d'origine latine, de son antique fonction de gué (*trajectum*) sur la Meuse (Mosam). En raison de sa position stratégique le long de la grande voie romaine reliant Cologne, la Belgique et les ports du nord de la France, les Romains choisirent ce site pour y établir un camp militaire dont la présence favorisa le développement d'une petite agglomération marchande. La fondation de la ville se situe autour du IVe siècle lorsque saint Servais y installa son siège épiscopal, source de richesse et de pouvoir territorial. Mais, au début du VIIIe siècle, Maastricht perdit son évêché au profit de Liège. A partir du XIIe siècle, la cité devint l'enjeu d'un conflit de pouvoir opposant les princes-évêques de Liège aux ducs de Brabant.

La situation politique dans la région se compliqua encore davantage lorsque le Brabant tomba (en 1430) sous la suzeraineté du duché de Bourgogne. En effet, au conflit portant sur la possession de Maastricht se s'ajouta la rivalité entre le duc de Bourgogne et le roi de France pour le contrôle de Liège.

Mais loin de l'affaiblir, cette dualité politique permit à la ville de se développer dans une relative indépendance. A son apogée, aux XIIIe et XIVe siècles, elle rivalisait de prospérité avec Bruges ou avec Gand.

Une 2 CV dans le style de Mondrian.

Située sur la frontière séparant les provinces protestantes du Nord des Pays-Bas catholiques, possession espagnole, Maastricht paya un lourd tribut aux guerres de Religion. Après une éphémère liberté conquise à la suite de l'effondrement de l'État bourguignon, à la fin du XVᵉ siècle, la ville fut ravagée par les troupes espagnoles en 1579. Reprise par le stathouder Frédéric-Henri de Nassau, surnommé le « forceur de villes », elle fut annexée aux Provinces-Unies.

Mais l'histoire tourmentée de Maastricht ne s'arrête pas là. En effet, aux Espagnols succédèrent les Français, qui s'emparèrent de la ville à deux reprises. Le siège de 1673, auquel Vauban participa, coûta même la vie à Charles de Batz, comte de Montesquiou, plus connu, grâce à Alexandre Dumas, sous le nom de d'Artagnan, le fougueux capitaine des mousquetaires de Louis XIII et de Louis XIV.

Reconquise par les Néerlandais trois ans plus tard, elle retomba entre les mains de Louis XV en 1748, et resta française jusqu'en 1815. A l'issue de la division du royaume des Pays-Bas en 1830, le roi Guillaume occupa Maastricht avec ses troupes. Il fallut ensuite créer de toutes pièces le Limbourg méridional pour maintenir la ville en territoire néerlandais.

Un riche héritage culturel

Enrichie dès le XIIᵉ siècle par la fabrication et le commerce du drap, Maastricht connut un très bel âge roman, notamment dans le domaine de la sculpture, de l'orfèvrerie et du travail des métaux, dont elle hérita le savoir-faire des régions germaniques. On s'en convaincra en admirant les admirables objets d'art mosan, réalisés en cuivre repoussé et en bronze, parfois rehaussés d'émaux. Ils font la richesse des trésors de la basilique Notre-Dame et de la cathédrale Saint-Servais.

Sur le plan architectural, la ville possède des édifices de tous les styles depuis le premier âge roman. Mais, outre cette diversité, commune à bien

Les cafés bordant le Vrijthof, la grand-place de Maastricht.

des vieilles cités d'Europe, la principale caractéristique de ce patrimoine réside dans la multiplicité des influences étrangères – rhénanes, bourguignonnes, hollandaises et françaises – et des styles qui s'y entrecroisent. On remarquera notamment les toits à pans très inclinés et sans pignon, que l'on ne rencontre que dans le Limbourg méridional, et qui révèlent l'influence des pays rhénans tout proches.

Sur le plan culturel, la multiplicité de ces influences, loin d'avoir diminué l'identité locale, l'a renforcée dans ses traditions – notamment son catholicisme et son attachement au dialecte local – et a développé son esprit d'ouverture. Dans cette ville fortement intégrée à la vie économique du triangle qu'elle forme avec Aix-la-Chapelle et Liège, on parle trois langues (le néerlandais, le flamand et l'allemand), on accepte trois monnaies. Mais Maastricht régale avec sa propre gastronomie. Les touristes allemands franchissent régulièrement la frontière pour visiter les expositions d'art, acheter des céramiques et savourer la nourriture franco-néerlandaise. Les étudiants belges viennent surtout pour la vie nocturne. Quant aux visiteurs néerlandais, sans doute apprécient-ils aussi ce dépaysement, accessible sans franchir les frontières.

Sur la rive ouest de la Meuse

Le centre-ville de Maastricht est localisé sur la rive ouest de la Meuse et sa périphérie s'étire jusqu'à la frontière belge. Si vous arrivez par le train, suivez **Stationstraat** dès la sortie de la gare (située sur la rive est), puis **W. Brugstraat** que prolonge le Sint Servaasbrug franchissant la Meuse. Si vous venez en voiture de Roermond, Nimègue, ou Eindhoven, vous traverserez le fleuve sur le Wilhelminabrug, aux abords duquel il est recommandé de se garer.

Dans le cœur historique, quatre quartiers retiendront plus particulièrement votre attention : le Markt, la Stokstraat, le Jaeker et le Vrijthof.

A gauche, la Meuse à Maastricht ; à droite, le Vrijthof.

Le Markt

Venant du Wilhelminaburg, vous pénétrerez sur le **Markt**, la place du Marché, qui dispute au Vrijthof le titre de centre-ville. Un match qui tourne à son avantage chaque mercredi et vendredi matin à l'occasion du grand marché qui s'y tient et qui attire du monde de Liège et d'Aix-la-Chapelle. Les autres jours, les bars de la place et les éventaires des marchands de harengs ne désemplissent pas, tandis que des étudiants sèment la pagaille autour du *'t Mooswief*, la **statue** d'un marchand un peu enrobé.

Sur votre gauche se dresse le **Stadhuis**, l'hôtel de ville, un édifice baroque d'allure assez sévère, bâti au milieu du XVIIe siècle et rehaussé d'un beffroi abritant un carillon comptant 43 cloches. Le bâtiment est précédé par un double escalier destiné à éviter les querelles de préséance que se livraient (lire pages 250-251) les deux autorités de la cité. Le hall d'entrée, un peu froid est égayé par un plafond rococo exubérant. C'est dans cette pièce que le maire remet solennellement les clés de la ville au prince du carnaval. Quant au carillon, le conseil municipal décida, au XVIIe siècle, qu'il jouerait un air folklorique joyeux plutôt que le traditionnel hymne funèbre.

En face, vous remarquerez, sur le flanc ouest de la place, plusieurs belles maisons datant du XVIIIe siècle. En suivant Boschstraat, sur la droite, vous gagnerez l'**église Saint-Mathieu**, dont la construction fut commandée et payée, au XIIIe siècle, par la guilde des tisserands. Elle fut ensuite largement remaniée au XVe siècle, comme en témoigne son style gothique flamboyant.

Revenu aux abords du fleuve, vous noterez au n° 20 du **Van Haasseltkade**, percé à l'emplacement d'un canal, une façade Louis XVI, tandis qu'au n° 23 se dresse une demeure patricienne construite en 1641. Si le mélange brique et style baroque excite votre curiosité, rendez visite à **Saint-Joseph**, l'ancien oratoire d'un monastère

Le chevet de Saint-Servais.

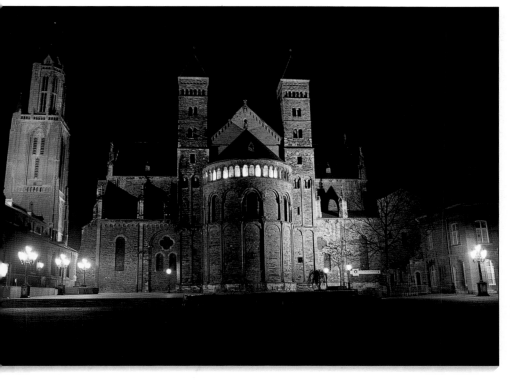

d'augustins. A l'intérieur, les stucs baroques valent le coup d'œil. Plus haut en remontant le fleuve, vous irez à la rencontre du **pont Saint-Servais**, sans doute l'un des plus beaux ouvrages de ce type aux Pays-Bas. Précédé d'une **sculpture** de **Mari Andriessen** intitulée *Meestrichter Geis* (le « génie de Maastricht »), le vieil édifice fut bâti en 1281-1298, et conserve, malgré d'importants travaux effectués au lendemain de la Seconde Guerre mondiale, son allure romane.

Vers le quartier de Stokstraat

Du Markt, la **Grote Straat**, une grande artère commerçante, conduit vers le quartier de Stokstraat. Chemin faisant, arrêtez-vous dans l'une des **pâtisseries** ou chez l'un des fromagers qui bordent la rue pour déguster un une spécialité locale de flan, du *rommedou* (du fromage), ou de délicieuses *vlaai* (des tartes aux cerises).

Ceux que ni les omelettes aux asperges, ni les truites ne tentent succomberont peut-être aux étalages de pralines et de gâteaux au gingembre. L'usage local est de se rafraîchir d'une bière ou d'un verre de vin de Maastricht. La région possède en effet trois petits vignobles et produit 25 000 bouteilles par an.

Au terme de la Grote Straat se dresse le **Dinghuis**, un étroit bâtiment de style gothique tardif érigé entre la fin du XVe et le XVIe siècle et qui abritait autrefois la cour de justice. Notez que l'édifice présente, comme le Stadhuis – et pour les mêmes raisons –, un double escalier. Napoléon en avait fait une prison... il accueille à présent l'**office du tourisme**.

Dans le quartier occupant les alentours de la Stokstraat se tenaient, au Moyen Age, plusieurs marchés, comme le rappellent les noms de rues évoquant le blé, la viande, ou le bois. Quant au tracé de la **Stokstraat**, il épouse les contours d'un quartier de l'agglomération romaine.

De part et d'autre, vous pourrez admirer d'élégantes demeures patriciennes des XVIIe et XVIIIe siècles, très bien restaurées. Le n° 26 offre un très bel exemple d'architecture de style Renaissance mosane, encore influencé par le gothique. Le n° 17 se signale par une façade rococo, décorée de coquilles Saint-Jacques.

Au début de la Stokstraat, on ira flâner du côté de la **place Op de Thermen**, avec ses quelques boutiques, sa tour médiévale partiellement construite en bois, et sa statue d'amazone décapitée. Sous la place se trouvaient les **bains romains** dont on a tracé les limites sur la chaussée. Le **musée Derlon**, situé à l'angle de Plankstraat, présente les antiquités découvertes à l'occasion de la construction de l'hôtel Derlon. Parmi les vestiges de ce site du IIe siècle, on peut voir un mur, un portail, un puits et une partie d'un temple dédié à Jupiter.

Au XIXe siècle, le cœur de la cité se déplaça vers le Vrijthof, s'éloignant de Stokstraat, de sa population déshéritée et de ses ruelles malsaines régulièrement ravagées par des épidémies de choléra. C'est seulement dans les années 1960 que d'importants travaux

Une pause entre les défilés du carnaval.

de restauration ont réhabilité le quartier, où l'on trouve désormais de nombreuses boutiques de mode.

La basilique Notre-Dame

Fondée vers 380 sur l'emplacement d'un temple païen romain, la **Onze Lieve Vrouwe** est sans conteste le sanctuaire religieux le plus ancien de la ville, et peut-être du pays. Mais de ce bâtiment – le siège épiscopal de Saint-Servais – il ne reste rien. L'actuelle basilique fut construite sur ce site au début du XIe siècle. Avec sa tour de grès, sorte de donjon fortifié, l'église dégage une incontestable impression de puissance. La série de petites arcades qui percent les étages supérieurs de l'ouvrage sont de style roman tardif et datent de la fin du XIIe siècle, tout comme, probablement, la voûte de l'église, surélevée à cette occasion.

Contrairement à Saint-Servais, l'**intérieur** a conservé son atmosphère de recueillement grâce, notamment, à sa double galerie dont les voûtes reposent sur des chapiteaux élégamment sculptés. On remarquera également les magnifiques fresques – récemment restaurées – qui ornent l'abside et les piliers. Les éléments du mobilier sont plus tardifs : la chaire date de 1721, le buffet d'orgue de 1652 et les fonts baptismaux du début du XVIe siècle (le baptistère est de style gothique).

Au XVe siècle, la basilique perdit de son influence au profit de Saint-Servais, et se vit retirer le droit de montrer des reliques et de vendre des indulgences. Mais, bien que moins important que celui de sa rivale, son **trésor** n'en compte pas moins quelques pièces magnifiques : un coffret d'émail et un reliquaire byzantin du XIe siècle, une châsse en cristal du XIIIe siècle, etc.

Le quartier de Jeker et la Helpoort

Depuis la place qui s'étend au pied de Notre-Dame, la Sint Bernardusstraat conduit, en direction du sud, vers le **quartier de Jeker**. Cette partie de la

Le café Den Ouden Vogelstruys, sur la place Vrijthof.

ville un peu délabrée, avec ses anciens moulins et ses vestiges de **fortifications**, est également le quartier préféré des étudiants qui, pour un grand nombre, y résident. Les amateurs de bars « branchés » y trouveront sûrement des lieux intéressants. Les autres préféreront peut-être flâner dans les **parcs** qui bordent les remparts.

Au bout de la Sint Bernardusstraat se dresse la **Helpoort**, la « porte de l'enfer », une porte d'enceinte bastionnée du XIIIe siècle. La tour voisine, la **Jekertoren**, marquait autrefois la frontière entre le territoire de l'évêque de Liège et celui du duc de Brabant.

Poursuivant vers le sud, de l'autre côté de la **Jeker**, vous apercevrez un puissant ouvrage fortifié, le **bastion à Cinq Têtes**, édifié en 1516. De l'ancien **béguinage**, situé dans la Begijnenstraat voisine, il ne reste qu'une rangée de cottages du XVIIe siècle. Au bout de la rue, vous verrez, sur la droite, la **Pater Vink Toren**, une tour bâtie au XIIIe siècle à l'occasion de la modification du tracé de l'enceinte.

Plutôt que de suivre les remparts, on explorera les allées qui séparent la Helpoort du **Lange Gracht**, un bras de rivière asséché. Celui-ci conduit ensuite vers **Grote Looierstraat**, un des plus jolis quartiers de la ville. Jusqu'à la fin du XVIe siècle, la rue abritait surtout des tanneries (installées à proximité du canal pour leurs besoins en eau), avant de devenir une zone résidentielle très recherchée.

On peut aujourd'hui encore y admirer d'élégantes demeures des XVIIe et XVIIIe siècles. Le n° 27 était autrefois un hospice administré par le clergé catholique, tandis que l'Armenhuis du n° 17 – reconnaissable à son portail rococo – accueillait les pauvres, comme le laisse entendre la devise inscrite au dessus de la porte : « Que celui qui donne au pauvre ne souffre aucune injustice ».

En passant, vous jetterez un coup d'œil au **groupe de statues** en bronze, assises sur un banc dans une attitude très familière. La sculpture est dédiée à Fons Olterdissen, un conteur local.

Restaurateurs à Maastricht une ville réputée pour sa gastronomie.

Le quartier de l'Université

De la Grote Looierstraat, on rejoint la **De Bosquetplein** et le quartier de l'**Université**, tassé entre les bras de la Jeker. Dans la **Hekenstraat** (la « rue de la sorcière » comme le montre un cartouche gravé sur un mur), une rue escarpée voisine, on peut apercevoir un moulin, et l'on a une très belle vue sur la rivière, plus fougueuse à cet endroit.

L'**Académie de musique** toute proche se signale de loin par des flots mêlés de jazz et de musique classique. Toujours sur la même rive de la Jeker, ne manquez pas d'aller admirer la **Huis op de Jeker**, une demeure Renaissance très bien conservée enjambant la rivière. A côté se trouve un ancien **couvent**.

De là, vous reviendrez vers le centre en empruntant la Platielstraat et **Sint Amorsplein**, une place à la mode dominée par une statue très controversée du saint. Sur la place, vous ferez une halte dans un café, le *Trou-badour chantant*, une sorte de cabaret essentiellement fréquenté par des étudiants et dont l'animation est à la hauteur de l'enseigne. Si cet établissement vous semble par trop bruyant, vous pouvez vous rabattre sur les terrasses qui bordent le Vrijthof.

Le Vrijthof

Au cœur de Maastricht s'étend le **Vrijthof**, une vaste esplanade sablée et bordée d'arbres. Les origines de cette place d'Armes sont incertaines, mais il semble qu'elle occupe un terrain autrefois marécageux et par conséquent impropre à la construction. Au Moyen Age, on y procédait aux exécutions capitales – Guillaume de La Marck, le fameux Sanglier des Ardennes, allié de Louis XI avant de le trahir, y fut décapité en 1485.

Le Vrijthof accueillait également les foules de pèlerins réunis pour les fêtes religieuses, souvent l'occasion de kermesses bruyantes. La plus importante d'entre elles, la foire aux Saintes Reliques, s'y déroulait tous les sept ans. Seule peut-être, la période de carnaval peut donner une petite idée de l'ambiance qui régnait alors sur ce vaste terre-plein. Reconnaissable au bouffon sculpté qui orne sa façade, le **Momus** abrite une sorte de **musée du carnaval**.

Sur le flanc sud-ouest de la place se dressent deux églises. La plus imposante, la **basilique Saint-Servais**, fut fondée à la fin du VIe siècle par les évêques saint Monulphe et saint Gondulphe (prélat gaulois qui serait mort à Bourges). Entièrement rebâtie au milieu du Xe siècle, élargie au siècle suivant, la bâtisse fit ensuite l'objet de quantité de remaniements partiels mais a néanmoins conservé son allure sévère de château fortifié.

Si le **chœur** et l'**abside** offrent de beaux exemples de style roman du XIIe siècle, les deux petits **clochers** qui flanquent l'abside datent de la fin du XIVe siècle. Précédant la nef, l'important **narthex**, typique de l'architecture mosane, constitue la partie la plus ancienne de l'église. Percée au début du XIIIe siècle, la **Bergportaal**, le

Le marché hebdomadaire du Markt, au pied de l'hôtel de ville.

porche latéral sud, est décorée par un ensemble de sculptures représentant la dormition, le couronnement de la Vierge, ainsi que des personnages bibliques et des saints.

L'intérieur surprend par sa décoration surchargée due à des restaurations abusives. Situées sous la croisée et le chœur, les deux **cryptes** datent respectivement des VIe et XIe siècles.

Le **trésor** de Saint-Servais est entreposé dans l'ancienne salle capitulaire. On peut notamment y admirer une croix du XIIe siècle incrustée d'améthystes, une jolie statue de sainte Anne, des manuscrits enluminés, des reliquaires en ivoire des XIIIe et XVe siècles et des reliques (une épine de la couronne et quinze éclats de la croix du Christ) qui, pour les hommes du Moyen Age, possédaient une immense valeur et garantissaient la prospérité et la sécurité de la ville.

Mais les joyaux de cette collection sont sans doute ce buste d'argent de saint Servais, ouvrage du XVIe siècle, et une châsse de cuivre doré et émaillé, à filigrane et incrustée de pierres précieuses, qui représente le sommet de l'art mosan.

L'**église Saint-Jean** voisine, un édifice gothique du XVe siècle, semble en comparaison un peu terne. C'est peut-être d'ailleurs la raison pour laquelle ce lieu est consacré au culte protestant depuis 1632. Seule la tour, reconstruite en 1475, haute de 70 m et richement décorée, fait exception à cette austérité. L'intérieur ne se signale que par une chaire du XVIIIe siècle, une fresque murale du XVe siècle, plusieurs tombeaux de marbre et, au-dessus du chœur, des corbeaux sculptés représentant les apôtres.

Avant de quitter le Vrijthof en direction de Bredestraat, on remarquera la façade de la **maison dite du Gouvernement espagnol**, le siège du gouverneur de la province au XVIe siècle. Ce très bel édifice gothique estorné des armes de Charles Quint et de Philippe II et porte cette devise en vieux français : « Plus oultre », que l'on peut traduire par « toujours davantage ». Les apparte-

Restauration de l'une des fresques d la basiliqu

ments contiennent des meubles français du XVIIIe siècle et des tableaux de peu d'intérêt.

Le musée des Bons-Enfants

Suivre la Papenstraat, puis dans son prolongement la Bouillonstraat. La sœur de Karl Marx vécut au n° 10 de cette rue dans une maison datant du XVIIe siècle. On atteindra le **Bonnefantenmuseum**, le musée des Bons-Enfants. Installé dans un ancien couvent de religieuses du Saint-Sépulcre construit en 1626 – l'église de style néo-classique date de la fin du XVIIe siècle –, ce musée possède le patrimoine le plus riche du Limbourg.

Celui-ci comprend des collections préhistorique, romaine, médiévale et, numismatique dont l'ensemble relate l'histoire de la ville et de sa région. Il abrite également un remarquable ensemble d'objets d'art religieux provenant de l'évêché de Roermond, qui illustre les multiples aspects de cet art mosan dont Maastricht et Liège furent

les foyers actifs. Enfin, le musée présente des œuvres de peintres italiens et néerlandais couvrant une période allant des Primitifs jusque vers 1550, ainsi que quelques toiles des XIXe et XXe siècles. On remarquera, en particulier, une *Sainte Catherine* de Sano di Pietro, enviée par le musée de Sienne, une *Expulsion du paradis* de Domenico di Michelino, et deux *Vierge à l'enfant*, l'une de Giovanni Bellini, l'autre de Pasqualino Veneziano.

Parmi les peintres flamands, on retiendra le magnifique *Repas de noces devant une ferme* de Pieter Bruegel, dit Bruegel d'Enfer, et un paysage de son frère Jan, dit Bruegel de Velours, tous deux fils de Pieter Bruegel l'Ancien. De Rubens, on peut admirer le *Portrait du père Jan Neyen*.

Musique et promenade

La musique est à l'honneur dans la capitale limbourgeoise. La musique, ou plutôt les musiques, car on peut y entendre une grande variété de styles allant du cabaret à l'opéra, en passant par les spectacles de marionnettes et le festival de jazz qui se tient en octobre. Les églises, y compris Saint-Servais, accueillent régulièrement des concerts d'orgue et, chaque dimanche matin, le chœur du *Mastreechter Staar* se produit dans la salle du **Staargebouw**.

S'il vous reste un peu de temps et d'énergie, vous pourrez entreprendre la visite des **casemates** percées dans les anciennes fortifications, ou l'exploration des galeries des **grottes de Sint Pietersberg** et de **Sonneberg**. Situées à 4 km au sud de Maastricht, au pied de la **forteresse Saint-Pierre** (datant du XVIIIe siècle), ces cryptes furent creusées au fil des siècles par les tailleurs de pierre pour en extraire le matériau de construction en usage dans l'architecture locale.

Un petit **musée de paléontologie** a été aménagé sur place et expose notamment une reproduction du **Mosasaurus**, un reptile gigantesque (de près de 15 m de long) dont on a retrouvé la tête fossilisée (environ 1,50 m) dans l'une de ces cavernes qui datent du crétacé supérieur.

L'un des vénérables cafés de Maastricht.

LA GUELDRE

Le démembrement de l'empire franc de Lotharingie – représentant *grosso modo* les Pays-Bas actuels –, vers l'an mil, donna naissance à plusieurs régions indépendantes parmi lesquelles le puissant comté de Gueldre qui ne cessa ensuite de s'étendre, notamment au détriment du territoire des princes-évêques d'Utrecht. Érigée en duché en 1339, la province passa en 1423 à la maison hollandaise d'Egmont, qui la céda à Charles le Téméraire en 1471.

Mais dès la mort de ce dernier, la Gueldre, soutenue par la France et commandée par Charles d'Egmont, entra en rébellion et refusa de se soumettre aux Habsbourg, héritiers de l'État bourguignon. Elle obtint finalement un statut de relative autonomie sous la suzeraineté de Charles Quint. Une solution imparfaite qui se transforma en annexion pure et simple à la mort du duc Charles.

La Gueldre, ou Gelderland, la plus vaste des provinces néerlandaises, se divise en trois régions : à l'ouest, les buttes morainiques de la Veluwe, à l'est, l'Achterhoek, et au sud, arrosée par le Rhin, le Waal et la Meuse, s'étend la **Betuwe**, la plus riche des trois régions (vergers, cultures maraîchères) grâce à son sol fertile composé d'alluvions déposés par les fleuves.

La Veluwe

Zone de collines peu élevées (70 m), de landes, de bruyères, de sapinières et de hêtraies, limitée au nord par les plages de sable bordant l'ancienne Zuiderzee, la **Veluwe** est sans doute l'une des plus belles régions des Pays-Bas. Et c'est tout naturellement dans ce décor (entre Arnhem et Apeldoorn), en grande partie encore sauvage, qu'ont été aménagés les 5 400 ha du **parc national de la Haute-Veluwe**, où l'on peut rencontrer daims, mouflons, cerfs et chevreuils.

Au centre du parc se dresse le **musée Kröller-Müller**, un bâtiment de 1935 dû à l'architecte belge Henri Van de Velde (1863-1953). Il abrite une collection d'art moderne exceptionnelle. Éclairés par la lumière du jour, le musée et ses deux ailes supplémentaires construites en 1953 et 1971 présentent en permanence des tableaux des impressionnistes, de Van Gogh (le musée possède 278 toiles et dessins de l'artiste), de Seurat, de Braque, de Gris, de Picasso, de Mondrian et de Bart Van der Leck (un membre du groupe De Stijl).

Autour du musée, dans le parc de la Sculpture (inauguré en 1966), on peut admirer des œuvres de Rodin, de Moore, de Lipchitz, de Visser, de Paolozzi et de Marini, et, flottant au centre d'un bassin, la forme blanche d'une création de Marta Pan. Conçu en 1965 à l'occasion d'une exposition internationale se tenant à Arnhem, le pavillon Rietveld (du nom de son architecte) accueille des sculptures de Barbara Hepworth (1903-1975).

Le billet d'entrée pour le musée comprend aussi la visite des **jardins** du **pavillon de chasse Saint-Hubert**. Ce dernier, dessiné par Berlage, n'est accessible que sur rendez-vous.

Pages précédentes : Nlemborg, dans province Gueldre. À gauche, une ferme ; à droite, le musée Kröller-Müller.

Histoires de célébrités

Par une belle journée de printemps, tandis que la rivière et ses berges plantées d'arbres fruitiers se montraient sous leurs plus beaux atours, une petite vedette fluviale flânait sur le Waal, aux environs de **Zaltbommel** (à une vingtaine de kilomètres au nord de Bois-le-Duc). Tout à coup, vers midi, les cloches de la ville se mirent à carillonner, captant toute l'attention des passagers de la vedette.

Parmi ceux-ci, le compositeur **Franz Liszt** trouva ces notes aiguës si séduisantes qu'il décida d'aller voir Zaltbommel d'un peu plus près. Parvenu dans l'ancienne place forte, il rencontra le carillonneur, dont la fille, fort jolie et excellente pianiste, souhaitait aller étudier à Paris. Munie de lettres de recommandation du célèbre compositeur ami de Delacroix, de Georges Sand et de Berlioz, elle s'y rendit dans les mois qui suivirent et y fit la connaissance de celui qui allait devenir son époux, le peintre Édouard Manet.

Zaltbommel reçut d'autres visiteurs de marque. **Karl Marx** y séjourna chez des parents, de même qu'**Anton Philips** – par ailleurs petit-cousin de l'auteur du *Kapital* –, tandis qu'il mettait au point un modèle d'ampoule électrique. La cité n'est pas sans charme avec son **Markt** dominé par la **Grote Kerk**, un édifice gothique du XVe siècle, et ses rues avoisinantes bordées de maisons des XVIe et XVIIe siècles.

Si vous passez dans les environs au printemps, ne manquez pas d'aller vous promener – en voiture, ou à vélo – le long de la digue qui borde la **Linge**. En contrebas s'étendent de nombreux vergers.

L'Achterhoek

Comprise entre l'IJssel et la frontière allemande, l'**Achterhoek** était une région humide et densément boisée. Mais des siècles d'efforts ont fait naître des champs et des prairies bordés de bosquets. Cependant, on trouve encore des marais aux environs de **Winterswijk**

La haute tour de l'église Sainte-Walburge, à Zutphen.

(à 6 km de la frontière), dans l'est de la province. Plus au nord, la région reste belle, avec ses bandes forestières et ses prés qui se couvrent de fleurs sauvages au printemps. On y rencontre également des phénomènes de **soulèvement** – des roches très anciennes affleurent à la surface – qui passionnent géologues et archéologues.

Particulièrement sinueux entre Deventer, Zutphen et Arnhem, l'**IJssel**, un affluent du Rhin aux berges verdoyantes, offre des sites propices à la pratique des sports nautiques, ou tout simplement à la flânerie au bord de l'eau. Ancienne petite place forte dressée sur la rive droite de l'IJssel, **Doesburg** possède un ensemble d'édifices (un hôtel de ville, un Poids public et une église) gothiques du XVe siècle très bien conservés, ainsi que quelques belles demeures de marchands qui rappellent l'affiliation de la cité à la Ligue hanséatique.

Située au confluent de l'IJssel et de la Berkel, l'ancienne cité fortifiée de **Zutphen** (32 000 habitants) connut la prospérité grâce au commerce des vins – une **halle aux vins** Renaissance surmontée d'un beffroi en témoigne. Mais les monuments les plus intéressants de la ville sont les différentes parties de son enceinte demeurées intactes, notamment la **Drogenapstoren** édifiée en brique en 1444, la grande **église Sainte-Walburge**, reconstruite dans le style gothique au XVe siècle, et sa magnifique **bibliothèque** (1561-1564), qui abrite une précieuse collection d'ouvrages rares.

Arnhem

Capitale régionale de la Gueldre, **Arnhem** (128 000 habitants) occupe le site d'une ville romaine, *Arenacum*. Le comte de Gueldre Othon III la fortifia et lui accorda sa charte municipale au XIIIe siècle. Grâce à sa position sur le Rhin, la cité capta très tôt un important trafic commercial et devint membre de la Ligue hanséatique. En 1672, les soldats de Louis XIV s'emparèrent de la ville et démolirent ses fortifications.

Les vergers de la Betuwe.

LA BATAILLE D'ARNHEM

Avec les premiers jours du mois de septembre 1944 et la libération de la Belgique, l'attente mêlée d'espoir du peuple néerlandais semblait enfin sur le point d'être comblée. Les troupes alliées se rassemblaient sur la frontière germano-néerlandaise, prêtes à bondir, tandis que, partout, l'armée allemande reculait.

Mais plusieurs facteurs rendirent difficile la libération de la Hollande et du reste des Pays-Bas. La grande offensive alliée commencée trois mois plus tôt en Normandie présentait les premiers signes de fatigue. Les unités de tête avançaient vite et le ravitaillement suivait avec difficulté – la prise d'Anvers, chèrement acquise par les Canadiens en septembre et octobre, donnera un port aux bateaux alliés.

En face, le nouveau commandement allemand (mis en place après l'échec du complot contre Hitler en juillet 1944) stoppa la retraite, puis regroupa les troupes de manière à interdire le franchissement des fleuves (la Meuse, le Waal et le Rhin). Face au danger d'enlisement, le haut commandement allié mit

au point une opération baptisée Market Garden, destinée à encercler l'armée d'occupation allemande et à s'ouvrir le chemin de la Rhur.

Le plan du général Montgomery était aussi simple qu'audacieux. En effet, pas moins de 35 000 parachutistes et soldats aéroportés (grâce à des planeurs) devaient s'emparer des principaux ponts disposés le long d'une ligne de 96 km reliant Eindhoven, Nimègue et Arnhem. Simultanément, une puissante colonne blindée était chargée de percer les défenses allemandes le long de ce front, de franchir les ponts tenus par les unités aéroportées et finalement de traverser le Rhin à Arnhem.

Le succès de l'entreprise pouvait, en théorie, terminer la guerre pour Noël. La bataille commença le 17 septembre au matin. Les Américains des 101e et des 82e divisions aéroportées se saisirent très vite de leurs objectifs. En revanche, l'attaque du pont sur le Waal, à Nimègue, l'un des points décisifs du dispositif, se heurta à une forte résistance allemande et la division blindée de tête, comprenant notamment la brigade néerlandaise Princesse Irène, dut stopper sa progression vers Arnhem.

Dans la région d'Arnhem, les trois divisions aéroportées, comprenant les brigades de parachutistes polonais et néerlandais, rencontrèrent immédiatement des problèmes insurmontables. La résistance néerlandaise avait signalé la présence de forces blindées allemandes, mais, faute d'indications précises et de confirmations visuelles incontestables, Montgomery n'en avait pas tenu compte. Les parachutistes affrontèrent sans arme lourde le deuxième corps de SS Panzer, l'élite de l'armée allemande.

Les forces alliées atterrirent à environ 16 km à l'ouest d'Arnhem. Les unités d'assaut firent immédiatement mouvement vers le pont, mais la plupart d'entre elles n'atteignirent jamais cet objectif, immobilisées ou anéanties par les chars et l'artillerie allemandes.

Seuls environ 600 hommes, commandés par le lieutenant-colonel John Frost, parvinrent jusqu'au pont et le tinrent quatre jours durant contre un ennemi très supérieur en nombre et en puissance de feu. Le plan prévoyait que 10 000 hommes s'empareraient de l'objectif et le défendraient pendant 48 h contre une faible opposition.

Les survivants se replièrent sur le village d'Oosterbeek, où ils résistèrent une semaine. Au total, sur les 10 000 hommes lâchés sur Arnhem et sa région, moins de 3 500 parvinrent à regagner les lignes alliées sur l'autre rive du Rhin. Entièrement évacuée en moins de trois jours, la ville fut ensuite systématiquement détruite par l'armée allemande.

Les combats de la bataille d'Arnhem se sont déroulés en grande partie à **Oosterbeek**, à environ 8 km au nord-ouest de la ville. Dans le cimetière militaire (sur la rive nord du Rhin) furent inhumés 1 748 soldats alliés. Installé dans l'ancien hôtel Hatenstein, où s'était retranché le général Urquhart commandant les opérations, l'**Airborne Museum** permet de comprendre le déroulement de la bataille et les raisons de son échec.

Presque entièrement détruite par les Allemands dans les jours qui suivirent la fin de la bataille, Arnhem n'a plus grand-chose à offrir en fait de monuments historiques. On remarquera cependant la **Grote Kerk**, reconstruite après-guerre dans son style d'origine (du XIVe siècle), ainsi que la **Duivelhuis**, la maison du Diable, un édifice Renaissance où résida Maarten Van Rossen, général du duc d'Egmont.

Outre le **Musée municipal**, surplombant le Rhin, on s'intéressera surtout au **Musée historique en plein air**, à 5 km du centre d'Arnhem par la route

d'Apeldoorn. Aménagé au centre d'un parc, ce musée, fondé en 1918, permet de découvrir les multiples aspects de l'architecture rurale néerlandaise des XVIIe, XVIIIe et XIXe siècles : chaumière saxonne de la Twente, moulins de Hollande, cabane de pêcheurs de l'IJsselmeer, ferme du Brabant, et bien d'autres types d'habitat conservant leur ameublement d'époque.

Nimègue

Ancien camp fortifié batave, puis *castrum* de la légion, érigée en ville romaine par l'empereur Trajan en 105 ap. J.-C., **Nimègue** (147 000 habitants) est, sans aucun doute, la cité la plus ancienne des Pays-Bas. On s'en convaincra en visitant le **Rijksmuseum G. M. Kam**, où sont rassemblés des centaines d'objets (usuels et cultuels) qui témoignent de la longue présence romaine.

En 768, Charlemagne choisit l'une des sept collines de la ville qui dominent le Waal – appelée le **Valkof**, la cour des Faucons – et s'y fit construire

A gauche, la bataille d'Arnhem ; ci-dessous, un groupe d'habitations du Musée historique en plein air, à Arnhem.

un palais fortifié, dont il ne reste qu'un ancien baptistère de brique – **Karolingische Kapel** – de la fin du VIIIe siècle.

Durement bombardée en 1944-1945, Nimègue a perdu l'essentiel de ses monuments anciens à l'exception de l'**église Saint-Étienne** (XIIIe-XVe siècles) et de son hôtel de ville, le **Raadhuis**, datant du milieu du XVIe siècle et orné d'une façade Renaissance.

Nimègue est l'un des bastions du catholicisme des Pays-Bas méridionaux, et de nombreuses institutions religieuses y sont installées. La ville accueille une **université catholique** qui compte près de 15 000 étudiants.

Apeldoorn

Cité-jardin – la ville possède de nombreux parcs – comptant une importante population de fonctionnaires arrivés là dans les années 1960 à la suite de délocalisations administratives, **Apeldoorn** (146 000 habitants) ne présente pas d'intérêt majeur, sinon quelques villas élégantes.

Le **palais royal de Het Loo**, à la sortie de la ville en direction de Zwolle, mérite en revanche toute votre attention. Guillaume III d'Orange, stathouder, puis roi d'Angleterre, fit bâtir cet édifice en 1685-1692 et y résida. Ses successeurs y firent de fréquents séjours et, au siècle dernier, les rois des Pays-Bas Guillaume I, II et III y vécurent la plupart du temps. Mais pour les Néerlandais, cette demeure est associée à la reine Wilhelmine, qui s'y retira après son abdication en 1948. La princesse Magriet fut la dernière résidente du château qu'elle quitta en 1975.

Magnifiquement restauré en 1975-1984, le bâtiment a retrouvé sa beauté d'origine. On a ôté l'enduit extérieur qui recouvrait la brique depuis les travaux entrepris, en 1806, par l'éphémère roi de Hollande, Louis Bonaparte. La palais abrite à présent un **musée** consacré à la famille d'Orange-Nassau. Dans les **écuries**, construites en 1906-1910, vous pourrez admirer les attelages, les carrosses et les premières voitures utilisés par la famille royale.

Ci-dessous, le parc du palais de Het Loo à droite, les constructions modernes de Lelystad

LE FLEVOLAND

Créée en 1986, la province du Flevoland se compose des polders du Flevoland-Sud et du Flevoland-Est, ainsi que du polder du Nord-Est. Commencé à la fin des années 1930, l'assèchement de cette région s'est achevé à la fin des années 1960.

A l'exception de l'**île du Schokland** désormais soudée au continent, tout est neuf dans cette région ceinturée de digues, semée de stations de pompage, et où les seuls vestiges historiques sont les épaves de bateaux naufragés dans l'ancienne Zuiderzee et découverts à l'occasion des campagnes d'assèchement (exposés au **musée d'Archéologie maritime** de Ketelhaven, situé 12 km à l'est de Dronten).

Construite dans les années 1970 pour accueillir l'excédent de population d'Amsterdam et de sa banlieue, **Almere** est, de toutes les villes nouvelles du Flevoland, sans doute la plus réussie sur le plan architectural. Ses créateurs ont déployé beaucoup d'imagination pour concevoir des ensembles d'habitation destinés à une population très fortement marquée par une culture de l'habitat individuel. En outre, la

ville est parsemée de sculptures modernes, harmonieusement intégrées à l'urbanisme.

Parmi les nombreux édifices intéressants de la ville, on remarquera en premier lieu l'**hôtel de ville**, construit en 1984 par Cees Dam. Composé de dix édifices différents, **De Fantasie** est une variation sur le thème de l'habitat familial moyen. Le quartier de **Bouw Rai** rassemble 225 maisons dessinées par 15 architectes différents.

Également **centre de loisirs**, Almere possède un joli **port**, bien équipé pour le séjour des bateaux, et des plages agréables le long du Gooimeer. Non loin de la ville s'étendent les 6 000 ha du **Oostvaardersplassen**. Dans ce parc naturel semé d'étangs et de bois vivent des chevaux et des bovins en semi-liberté, ainsi que de nombreuses espèces d'oiseaux.

Les différents lacs (d'ouest en est, le **Gooimeer**, l'**Eemmeer**, le **Veluwemeer**, le **Vossemeer** et le **Ketelmeer**) qui isolent les polders du continent remplissent deux fonctions : ils reçoivent les eaux des canaux d'assèchement et empêchent les nappes souterraines des terres continentales, plus élevées, de s'écouler vers le Flevoland. Et depuis une quinzaine d'années, ces nappes d'eau peu profondes fournissent surtout des sites de loisirs (plages artificielles, sports nautiques, tourisme nature) aux habitants de la Randstad. Réputés pour leurs eaux poissonneuses, le Gooimeer et l'Eemmeer (très riche en anguilles) attirent également les pêcheurs.

La ville de **Dronten** constitue un excellent point de départ pour explorer, à bicyclette ou à pied, les paysages environnants.

Achevée en 1967, **Lelystad** est destinée à accueillir 100 000 personnes à la fin de ce siècle. Mais son architecture fonctionnaliste conjuguant le béton et l'espace vert, soulève bien des critiques, notamment parmi ceux qui l'habitent. Tous ceux qu'intéressent l'histoire et les méthodes de poldérisation ne manqueront pas d'aller visiter le **Informatie Centrum Nieuw Land**, situé à l'ouest de la ville.

A une quinzaine de kilomètres au nord de Lelystad, à proximité du village de **Swifterbant**, les travaux d'assèchement ont permis d'exhumer les vestiges d'habitations préhistoriques datant, pour les plus anciennes, de 1700 av. J.-C., et se rattachant à la culture « campaniforme ».

Jadis l'un des ports de pêche les plus actifs des Pays-Bas, **Urk** reste attaché à ses traditions, et on y croise encore fréquemment le costume traditionnel aux couleurs vives. Mais à côté des chalutiers mouillent de plus en plus de bateaux de plaisance.

Le nord des Pays-Bas

32 km/ 20 miles

ILES FRISONNES

SC

Mer du Nord

AMELAND
Nes

TERSCHELLING
Oosterend
West-Terschelling

Holwerd

Waddenzee

Oost-Vlieland

St. Jacobiparochie
Stiens

VLIELAND

Leeuwarden

De Cocksdorp

Harlingen
Franeker

TEXEL

Den Burg

Sneek
Sneekermeer
Joure
Heerenveen

Marsdiep
Den Helder

Workum
Heegermeer

Afsluitdijk

De Kooj
Den Oever

Balk
Tjeukemeer

Staveren
De Lemmer

Callantsoog

Middenmeer

Ijsselmeer

Blokzijl

Medemblik

Emmeloord

Urk

Zwarte Meer

Oude Niedorp

Enkhuizen

Noordhollands Kanaal

Bergen

Hoorn

Ketelmeer

Kampen

Egmond aan Zee

Alkmaar

Dronten

Egmond a/d Hoef

De Rijp
Oosthuizen

Markerwaard

Lelystad

Egmond Binnen

Alkmaardermeer

OOSTELIJK
FLEVOLAND

Castricum

Purmerend

Edam
Volendam

Beverwijk

Zaandijk
Monickendam

MARKEN

IJmuiden

Zaandam

Broek-in-Waterland

Nunspeet

Amsterdam

Durgerdam
Muiden

ZUIDELIJK
FLEVOLAND

Harderwijk

Zandvoort

Haarlem

Almere

NEDERLAND

Schiphol

Ouderkerk

Naarden

(PAYS-BAS)

Nordwijk aan Zee

Aalsmeer

Abcoude

Bussum
HET GOOJ

Nijkerk

Katwijk aan Zee

Vinkeveen

Baarn

Loosdrechtse
plassen

Hilversum

Nieuwkoopse

Leiden

Amersfoort

Wassenaar

Alphen
a./d.Rijn

plassen

Utrecht

Scheveningen
Den Haag
(La Haye)

Ede

Delft

Amerongen

Gouda

Arnhem

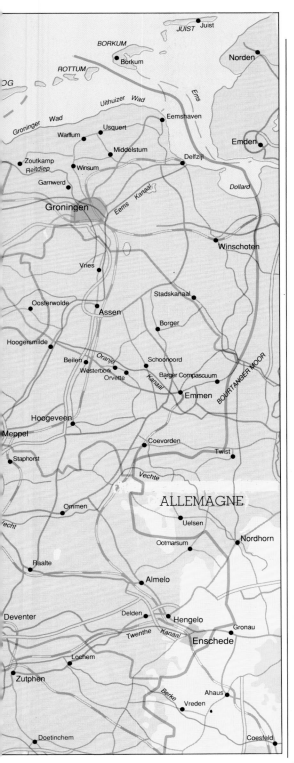

L'IJSSELMEER

Jusqu'en 1932, toute la côte ouest de la Hollande-Septentrionale était baignée par la Zuiderzee, un bras de la mer du Nord pénétrant à l'intérieur des terres. La construction d'une grande digue (Afsluitdijk) reliant Den Oever à la Frise a transformé cette baie marine en un vaste lac d'eau douce, l'IJsselmeer.

Dernière étape d'un processus qui a vu l'assèchement d'une partie de l'ancienne Zuiderzee, la poldérisation du Markerwaard, initialement prévue pour 1980, a pris du retard. Néanmoins, une digue de ceinture reliant Enkhuizen à Lelystad a déjà été réalisée, de même que celle qui sépare le polder du **Oostvaardersdiep**, le canal (large de 300 m) maintenant la liaison entre Amsterdam et l'IJsselmeer, et longeant le Flevoland. Enfin, au sud du Markerwaard, subsiste un plan d'eau de 10 000 ha, **l'IJmeer**, devenu le bassin de sports nautiques privilégié des Amstellodamois.

D'Amsterdam à Edam

A **Broek-in-Waterland**, un petit village de 3 000 habitants, on sait depuis des siècles que la fabrication du fromage exige une propreté irréprochable. Une seule impureté dans le lait peut ruiner toute une production. Le culte de l'hygiène y prit de telles proportions qu'il fallait jadis ôter ses sabots avant de pénétrer dans le village, où même les troncs d'arbres étaient nettoyés.

Monnickendam (9 000 habitants) est un petit port de plaisance sillonné de canaux pittoresques. Si la tenace odeur d'anguilles fumées qui plane sur les ruelles du port, où sont installés plusieurs établissements de fumage, vous met en appétit, sachez que le **Nieuw Stuttenburgh** est l'un des meilleurs restaurants de poisson du port. Il possède, en outre, une collection d'instruments de musique mécaniques. Dominant le centre-ville, la tour de l'ancien hôtel de ville (bâti en 1591), la **Speeltoren**, est dotée d'un carillon à figures animées.

De là, on peut se rendre à **Marken** en traversant le **Gouwzee** (une étendue d'eau qui communique avec l'IJmeer et le bassin de Hoorn), ou en empruntant la digue qui, depuis 1957, relie cette ancienne île au continent. Bien que la petite communauté de pêcheurs qui l'habite ait perdu un peu de son originalité depuis son rattachement au Waterland, elle conserve intacts quelques éléments de son patrimoine comme les maisons de bois noires (enduites de goudron) ou vertes, ou le port du costume traditionnel – ample jupe rouge, corsage court orné de broderies multicolores et calotte ourlée de velours pour les femmes, court gilet cintré, culotte noire bouffante sur les cuisses, serrée sur les mollets pour les hommes.

L'île est formée de plusieurs quartiers bâtis sur des monticules qui les protègent des inondations. **Havenbuurt**, le quartier du port, et **Kerkbuurt**, le quartier de l'église, sont les sites les plus fréquentés, l'est du bourg étant traditionnellement plus calme.

On recommande la balade jusqu'au **phare** en suivant l'ancienne digue. Dominant le port, le café **De Taanderij** est un endroit agréable pour déguster un café ou prendre un repas.

Un service de bateau relie Marken à **Volendam**, l'un des ports les plus touristiques de l'ancienne Zuiderzee, également spécialisé dans la pêche à l'anguille. On peut cependant regretter que le charme de cette bourgade, dont la population est en majorité catholique, soit gâté par un commerce touristique excessif, notamment le long du port.

Au XIXe siècle, les artistes venaient à Volendam peindre les scènes de la vie quotidienne (le retour des pêcheurs entre 10 h et 12 h, la lessive du lundi et la messe du dimanche) colorées par les célèbres costumes traditionnels (voir l'illustration page 278). Leur lieu de résidence, le **Spaander Hotel**, est encore debout et l'on peut voir bon nombre de leurs toiles dans les cafés de la ville.

Comme les autres ports de l'IJsselmeer, **Edam** (25 000 habitants) était

Pages précédente le port de Hoorn. Ci-dessous le port d'Enkhuiz

autrefois un port maritime très actif. Il doit désormais sa réputation au célèbre fromage enrobé d'une enveloppe rouge (jadis faite de cire) et produit dans les fermes des polders de **Beemster** et de **Purmer**.

Bordé de maisons à pignons, parmi lesquelles le **Stadhuis** (l'hôtel de ville) construit en 1737, le **Damplein** (la place principale) se soulève en enjambant le canal, de manière à laisser passer les bateaux. De l'autre côté du canal, le **musée** d'Edam (au n° 8 Damplein) occupe une vieille demeure gothique qui possède une cave flottante. De là, le Mathijs Tinx Gracht vous conduira à l'**église Saint-Nicolas**, bâtie à la fin du XIVᵉ siècle mais amplement remaniée au XVIIᵉ siècle. Au sud de la ville, le **Schepenmakersdijk** est, grâce à ses maisons de thé, le canal le plus fréquenté.

Hoorn

Fondant sa prospérité sur le commerce maritime et la pêche au hareng, **Hoorn** devint, au XVᵉ siècle, l'une des principales villes de ce qui s'appelait alors la Frise occidentale. De plus, elle donna à la république des Province-Unies deux de ses plus hardis navigateurs : Willem Schouten (1580-1625), le premier marin à doubler le cap méridional du continent américain qu'il baptisa du nom de sa ville, le cap Horn, et Jan Pietersz Coen (1587-1629), considéré comme le fondateur de l'empire colonial hollandais aux Indes orientales et à qui l'on doit la construction de Batavia (Djakarta).

Le quartier portuaire qui s'étend au sud de l'avenue **Grote Oost** est particulièrement agréable à explorer. Du promontoire situé au sud du bassin de **Binnenhaven**, on a notamment la meilleure vue sur les maisons de marchands décorées de pignons à redents du **Veermanskade**. Baptisées **Bossuhuizen** en souvenir de la victoire hollandaise sur l'amiral espagnol Bossu au large du port, en 1573, ces demeures du XVIIᵉ siècle sont ornées de frises colorées qui dépeignent des scènes de la bataille navale.

Jan Reid, charpentier de marine, spécialiste de la restauration des vieux gréements.

Dominant la **place Rode Steen**, «Pierre Rouge», le **musée Westfries** est installé dans l'ancien collège des États de la Frise occidentale, bâti en 1632. Ce musée raconte, grâce à des collections de meubles, de portraits et d'objets liés à la marine, l'histoire de Hoorn des origines au siècle d'Or. En face, vous apercevrez le **Waag** (Poids public), une magnifique construction de 1609 en pierre bleue. A voir également, le **Statenpoort** (23 Nieuwstraat), un édifice Renaissance de 1613, où se réunissaient les représentants des États, ainsi que l'**établissement de la VOC** (dans Munstraat), construit en 1632.

L'été, un train touristique à vapeur, sorte de musée roulant, fait la liaison entre Hoorn et **Medemblik**, la plus vieille cité de Hollande du Nord et l'antique capitale des chefs frisons. La puissante **forteresse médiévale de Radboud** (en partie démantelée aux XVIIe et XVIIIe siècles), du nom du roi frison qui défit les Francs en 689, à la bataille de Wijk bij Duurstede, consti-

tue la principale attraction de ce bourg retourné à l'oubli.

De Rijp et Purmerend

A l'issue des campagnes d'assèchement des lacs communiquant avec la Zuiderzee, la plupart des villages riverains, autrefois tournés vers la pêche, durent se reconvertir dans les activités agricoles. Il ne faut donc pas s'étonner si le musée local de De Rijp, pourtant situé à une vingtaine de kilomètres de la mer, comporte des objets liés à la pêche, et notamment à la chasse à la baleine.

Au Moyen Age, **De Rijp** (sur la route qui va de Purmerend à Alkmaar) se trouvait sur la rive ouest du lac **Beemster**. Ce n'est que dans les années 1620 que l'ingénieur Jan Leeghwater, né à De Rijp en 1575, lança les travaux d'assèchement des lacs Beemster, **Wormer** et **Purmer**, grâce à des fonds prêtés par la VOC, qui recherchait des placements rentables, et ces investissements le furent. Témoin de cette nou-

Un bateau de pêche d'Enkhuiz de retour vers le por

velle prospérité, les **hôtels de ville** édifiés à De Rijp (1630), **Graft** (1613) et **Jisp** (1650) par le même Leeghwater, également architecte.

Avec ses 30 000 habitants, **Purmerend** est la capitale du « pays creux » formé par les polders. Outre ses nouvelles activités industrielles, la ville demeure un grand marché agricole, et sa foire aux bestiaux compte parmi les plus importantes du pays. Édifice de style Renaissance, le **Stadhuis**, l'hôtel de ville, fut construit en 1591.

Enkhuizen

Pour quiconque s'intéresse à l'histoire passionnante de l'endroit, le **musée du Zuiderzee**, à Enkhuizen, est une halte obligatoire. La visite de cet établissement, réparti sur deux sites (le Binnenmuseum et le Buitenmusem), nécessite une journée entière.

Ouvert en 1950 le long du quai nord de l'Oosterhaven, le **Binnenmuseum** occupe une demeure de marchand construite en 1625. Également connue

sous le nom de **Peperhuis** (maison du poivre), elle fut rachetée par la VOC qui y entreposait la précieuse marchandise venue d'Indonésie. Un large hall (**salle 1**) a été ajouté au musée pour accueillir une large collection de bateaux de pêche et de plaisance typiques du Zuiderzee. On y constate avec étonnement que, en dépit de leur proximité géographique, les ports de cette région ont produit des embarcations de formes et de styles très variés. L'ameublement (**salles 4 et 7**) et les arts décoratifs reflètent également les nuances locales. Mais c'est incontestablement dans le domaine du vêtement (**salles 13-15**) que l'on rencontre la plus surprenante diversité.

Bien que situé à proximité, au n° 18 Wierdijk, le **Buitenmuseum** (le musée en plein air) n'est accessible qu'en bac, soit depuis l'embarcadère jouxtant la station ferroviaire, soit depuis la digue qui conduit à Lelystad.

Le musée compte environ 130 édifices restaurés, originaires de tout le pourtour de la Zuiderzee. Certaines

Une rue de Hoorn.

maisons ont été transportées telles quelles à travers l'IJsselmer, d'autres, comme la fromagerie de Lansdmeer (n° LA1), ont été acheminées sur des barges en empruntant des canaux. Le musée, organisé en quartiers (*buurtjes*), comporte des ruelles, ou des groupes d'habitations, provenant de Monnickendam, Zoutkamp, Urk, Edam, Starveren, Harderwijk, des magasins, des restaurants, une église et un cimetière originaires de Den Oever, ainsi qu'un port (imitant celui de Marken) où mouillent des bateaux de pêche. Outre sa provenance, chaque édifice affiche des informations sur ses occupants d'origine et se présente équipé de son ameublement d'époque.

Enkhuizen (15 700 habitants) était, au XVIIe siècle, le plus important centre de pêche au hareng de Hollande. Fort de cette activité, le port se tourna vers le commerce avec les colonies, avant de connaître (au XVIIIe siècle) un déclin dû en partie à son ensablement. Une vente de poissons aux enchères se tient encore sur **Buitenhaven**. Sur le **Dijk**, quai

longeant le vieux port, on peut lire cette devise : « Contentement passe richesse. »

Parmi les édifices de la ville qui méritent une visite, notons : la **Westekerk**, l'église de l'Ouest, un édifice gothique bâti aux XVe et XVIe siècles ; le **Munt** (situé en face de l'église), le bâtiment de la Monnaie restauré en 1611 ; plus loin, le **Weeshuis**, l'orphelinat construit en 1616 ; le **Stadhuis** (Kalk Zwaanstraat), l'hôtel de ville Renaissance édifié en 1688 ; et enfin, dominant l'entrée du port, le **Drommedaris**, une énorme tour du XVIe siècle dotée d'un splendide carillon.

Sachez également qu'à partir de Enkhuizen on peut effectuer des promenades en bateau vers Urk, Stavoren et Medemblik (s'adresser à Rederij Naco au n° 9 Tramplein).

Den Helder

A la pointe de la Hollande-Septentrionale, commandant le détroit de Marsdiep en face de l'île de Texel, **Den Helder** est un port militaire d'un peu plus de 60 000 habitants.

Poussées par la faim durant le terrible hiver 1795, les troupes républicaines du général Pichegru conquièrent les Pays-Bas. En janvier, un détachement de 400 hussards s'empara à cheval de la flotte hollandaise prise dans les glaces entre la côte et l'île de Texel. Modeste port de pêche, Den Helder fut, sur les ordres de Napoléon, transformé en une solide place forte, en 1811. Une mesure prise parce que en septembre 1799, une armée anglo-russe de 22 000 hommes commandée par le duc d'York était parvenue à débarquer à Den Helder.

L'été se tient, en ville, le **Visjuttersmarkt**, un marché insolite où l'on vend du poisson et des objets flottés ramassés sur les plages. Le **musée de la Marine de guerre** présente des collections relatives à la marine royale néerlandaise. Poste avancé recevant les violents assauts de la mer du Nord, la partie de la côte allant du port jusqu'au **phare de Huisduinen** (à visiter pour la vue sur Texel) est protégée par une digue de 10 km recouverte de granit de Norvège.

A gauche, le costume traditionnel de Volendam à gauche, un pont-levis double, dit mager brug « pont maigre », à Monnickendam.

L'OVERIJSSEL
ET LA DRENTHE

Placées sous l'autorité de l'évêque d'Utrecht au début du Xe siècle, les principales villes de l'Overijssel (Deventer, Kampen et Zwolle) s'affilièrent à la Ligue hanséatique autour du XIIIe siècle et connurent la prospérité jusqu'au XVe siècle. En 1528, la région passa sous le contrôle des Habsbourg.

La province présente trois visages différents. Le **delta de l'IJssel** est réputé pour sa faune et sa flore et attire les amateurs de sports nautiques. Dans le **Salland**, la partie centrale de la région, vous trouverez quelques-unes des rares collines du pays. Bien qu'elle se soit fortement industrialisée (agroalimentaire, chimie et textile), la **Twente** (la partie orientale de la province) a conservé son aspect rural avec ses petits villages reconnaissables à leurs toits de chaume.

Le delta de l'IJssel

Membre de la Ligue hanséatique dès le XIIIe siècle, **Zwolle** (88 500 habitants), la capitale de la province, devint par la suite une place forte importante grâce à ses fortifications bastionnées au début du XVIIe siècle (démantelées en 1674).

La ville compte encore quelques belles maisons des XVIe et XVIIe siècles, notamment dans les rues **Sassenstraat** et **Diezerstraat**. L'une d'elles abrite d'ailleurs le **musée provincial d'Overijssel** (n° 41 Melkmarkt), qui présente des collections d'antiquités, d'argenterie, de porcelaines et de meubles. Dominant le Grote Markt, la **Grote Kerk**, dédiée à saint Michel, est un édifice gothique du XIVe siècle. A l'intérieur, on notera les boiseries (datant du XVIe siècle) de la nef, la chaire sculptée (début XVIIe siècle) et l'orgue, composé de pas moins de 4 000 tuyaux. On se rendra ensuite à l'**hôtel de ville** (Grote Kerkplein) datant du XVe siècle, pour y admirer la salle des Échevins, de style gothique.

Niché sur la rive gauche de l'IJssel, **Kampen** a conservé son charme d'antan avec ses portes à mâchicoulis, ses hautes tours et ses magnifiques demeures à pignons. Près de l'IJssel-brug, on aperçoit la superbe façade Renaissance de l'**hôtel de ville** bâti au XIVᵉ siècle, partiellement dévasté en 1543 et reconstruit au cours de la décennie suivante.

Bordée de demeures patriciennes des XVIᵉ et XVIIᵉ siècles, l'**Oudestraat** conduit à l'**église Saint-Nicolas**, un édifice gothique de la fin du XIVᵉ siècle, qui abrite le mausolée de l'amiral De Winter.

Jouissant du privilège de cité depuis 1245, **Genemuiden** est sans doute la seule ville au monde à compter une rue interdite aux fumeurs. Depuis 1899, des panneaux interdisent en effet de fumer dans **Achterweg**. Cette défense ne vise pas la santé des passants mais la sécurité des vieilles maisons de bois et de leurs granges à foin qui bordent la ruelle.

On s'arrête généralement à **Staphorst** (7 km avant Meppel), attiré par la réputation de la communauté protestante fondamentaliste qui y habite. Hommes, femmes et enfants y portent encore le costume traditionnel noir, sabots compris. Le bleu est la couleur du deuil.

Le village avait beaucoup fait parler de lui en 1971 lorsque les chefs de la communauté décidèrent de soustraire leurs enfants à la vaccination contre la poliomyélite, alors qu'une épidémie sévissait dans la région. Ils se fondaient pour cela sur une interprétation étroite du Catéchisme d'Heidelberg (la somme du *credo* réformé et rédigé en 1563). Plusieurs enfants de Staphorst ayant été frappés par la maladie, les autorités provinciales durent intervenir de manière autoritaire. Il est expressément demandé de ne pas prendre de photos le dimanche à la sortie de la messe. En règle générale, les Staphorstois n'aiment guère les visiteurs.

A l'ouest de la ligne Zwolle-Meppel-Steenwijkerwold s'étend la **région lacustre** de Giethoorn, l'une des plus séduisantes des Pays-Bas. Construit à

Pages précédentes le village lacustre de Giethoorn. Ci-dessous, une fois traitées, ces bottes de roseaux deviendront des toits de chaume.

fleur d'eau, le village de **Giethoorn** est sillonné de canaux peu profonds (environ 70 cm) qu'enjambent des ponts en dos d'âne. La nécessité d'un faible tirant d'eau explique l'usage de barques à fond plat – appelées *punt* –, mues au moyen de perches. Il n'est pas rare de voir des vaches aller de l'étable au pré à bord de barges. Sagement alignées sur les berges, les chaumières possèdent cette élégance austère qui reflète la mentalité de la province.

A quelques kilomètres à l'ouest, l'ancien port de **Blokzijl**, autrefois affilié à la Ligue hanséatique, connut la prospérité à la fin du XVIe siècle. Quelques jolies demeures à pignons de style Renaissance datant des XVIIe et XVIIe siècles témoignent de cette richesse passée. Dans **Brouwersgracht**, on peut voir une église protestante bâtie en 1609 selon le plan en croix grecque. L'édifice un peu austère mérite une petite visite pour sa splendide chaire, exécutée en 1663, et ses chandeliers. A noter également le modèle réduit d'un bâtiment commercial du

XVIIIe siècle baptisé *Les Sept Provinces*. On dit le plus grand bien du restaurant voisin, le *Kaatje aan de Sluis*.

De Deventer vers Enschede

Établie sur la rive droite de l'IJssel, **Deventer** (65 000 habitants) était, au Moyen Age, un comptoir actif de la ligue hanséatique, et au XVIIe siècle un foyer intellectuel et artistique renommé, où séjournèrent Érasme et Descartes. Deventer est également la ville où pourut le peintre Gerard Ter Borch (1617-1681), dont on peut admirer deux œuvres au musée municipal installé dans le bâtiment du **Poids public**. Ce bel édifice gothique construit en 1528 est précédé d'un imposant perron du XVIIe siècle.

L'**hôtel de ville**, un bâtiment néoclassique de la fin du XVIIe siècle, possède également un portrait de groupe de l'artiste. Enfin, on ne manquera pas d'aller admirer l'**église Saint-Nicolas**, fondée au XIIe siècle, remaniée au cours du XVe siècle, mais qui conserve

L'hôtel de ville de Kampen.

des éléments de son architecture romane d'origine.

En direction de l'est, la route d'Enschede traverse la douce campagne de Twente, faite d'un sol sablonneux peu fertile, et parsemée de boqueteaux. A une quinzaine de kilomètres avant Enschede, près du petit bourg de **Delden** (une église gothique et un très bon restaurant), vous apercevrez le **château de Twickel** (datant du XVIe siècle). Seul le parc est ouvert au public, mais ce bois peuplé de chênes, vestige de la grande forêt qui couvrait, il y a à peine un siècle, tout l'est des Pays-Bas, mérite bien un bref détour.

Avec ses 77 000 habitants, **Hengelo** est surtout une ville industrielle (métallurgie, électronique, chimie et le principal gisement de sel gemme du pays) qui possède cependant quelques édifices modernes intéressants – notamment la gare et l'hôtel de ville.

Dix kilomètres séparent Hengelo d'**Enschede** (144 000 habitants), le grand centre industriel de la province d'Overijssel. Avec ses satellites (Hengelo, Almelo et Oldenzaal), Enschede forme le principal pôle économique de l'est des Pays-Bas, longtemps fondé sur l'industrie textile. Pilier de la prospérité néerlandaise jusque dans les années 1960, ce secteur n'emploie plus aujourd'hui qu'un peu moins de 1 % de la population active.

Témoin de cette épopée, la ville possède une École des hautes études techniques, ainsi qu'un **musée** consacré au développement du secteur textile, depuis le rouet jusqu'aux machines à tisser modernes.

Comme Hengelo, Enschede est une ville moderne sans cachet, où de très nombreux bâtiments publics datent des années 1930. Les amateurs apprécieront cependant les riches collections de peinture (maîtres néerlandais, impressionnistes et réalistes français) du **musée national de Twente**, qui comprend une section d'objets préhistoriques et une salle d'art médiéval.

Situé à une trentaine de kilomètres au nord d'Enschede, tout près de la frontière allemande, **Ootmarsum** compte des demeures du XVIIIe siècle presque intactes et une magnifique église du XIIe siècle. La campagne environnante, semée de moulins à vent, invite à la promenade.

La Drenthe

De petits villages rustiques vivant de l'élevage (porcs, bovins, chevaux) et d'une maigre agriculture (seigle, avoine, pommes de terre), des forêts et des landes, voilà tout ce qui compose le paysage de ce plateau bas qui s'élève à l'approche de la frontière allemande.

Créée en 1815 seulement, la province de Drenthe est une région de paysans qui ne s'est guère illustrée dans l'histoire des Pays-Bas. En revanche, il est un domaine dans lequel la région capte toutes les attentions : l'archéologie préhistorique. Dans la tourbe sèche qui en recouvre une partie, les archéologues ont en effet mis au jour un grand nombre d'ustensiles préhistoriques réalisés en bois et admirablement bien préservés. En outre, c'est dans la région de **Borger** (au sud-est d'Assen) que l'on a découvert la quasi-totalité des

A gauche, un marché aux chevaux, dans la Drenthe ; à droite, statues de moutons !

hunebedden, ces monuments mégalithiques – sortes de dolmens – appartenant à des tribus installées dans la région vers 3000 av. J.-C.

Voyage dans le passé

Bien des villages de la Drenthe ont conservé leur allure d'antan avec leur *brinken*, ces places gazonnées, regroupant des chaumières traditionnelles, et d'où partent des rues pavées qui résonnent encore de l'écho des sabots – leur usage n'a d'ailleurs ici rien de folklorique.

Ceux que cette architecture rurale intéresse visiteront le village-musée d'**Orvelte** (à une trentaine de kilomètres au sud-est d'Assen, à proximité du canal d'Orange), où l'on a préservé l'habitat traditionnel. On y voit des maisons au toit de chaume dont les plus anciennes datent du XVIIᵉ siècle, des fermes et des ateliers artisanaux.

Le **musée en plein air du Veerpark**, situé à côté de la ville de **Barger Compascuum** (à l'est d'Emmen), est la reconstitution d'un village de tourbiers du XIXᵉ siècle. Des expositions décrivent le travail d'extraction de la tourbe et ses différents usages : combustible pour le chauffage ou matériau de construction. Une barge autrefois utilisée pour le transport de la tourbe vous conduira au village voisin.

Le **musée en plein air De Zeven Marken**, près de Schoonoord, permet au visiteur de découvrir la vie quotidienne dans la Drenthe au tournant du XIXᵉ siècle, à travers des bâtiments et des expositions. Autre lieu de mémoire, celui-ci plus tragique : le **camp de Westerbork** fut utilisé par les nazis comme centre de transit vers les camps de la mort situés en Allemagne.

Assen et ses environs

Capitale régionale de la Drenthe, **Assen** (45 000 habitants) est surtout connue des amateurs de vitesse. En effet, un grand prix de moto s'y déroule chaque année le dernier samedi de juin. Symbole de cette ville relative-

Deux grands canaux (l'Eems et l'Orange) traversent la Drenthe.

ment moderne – elle obtint sa charte municipale, en 1809, des mains du roi de Hollande Louis Bonaparte – la maison du gouvernement (face à la grande place), **Goevernementshuis**, occupe un édifice néo-gothique construit sur le site d'un ancien couvent du XIIIᵉ siècle.

De ce vénérable édifice ne subsiste qu'une partie du cloître et la chapelle, où sont exposées les collections du **musée provincial de Drenthe**. Outre de la faïence et de l'argenterie datant de plusieurs siècles, on peut y voir des objets archéologiques (armes, outils, poterie, etc.) liés à la civilisation préhistorique des *hunebedden*, ainsi que des corps momifiés datant de l'époque franque et découverts dans des tourbières de la Drenthe. L'un des *hunebedden* les mieux préservés se trouve à **Tijnaarlo**, à une quinzaine de kilomètres au nord d'Assen sur la route de Groningue.

Avec ses 97 000 habitants, ses écoles d'agriculture et ses diverses industries, **Emmen** est la plus grosse aggloméra-

tion de la province. Après la visite de tant de villages, vous apprécierez peut-être l'animation de sa grand-place où, de surcroît, on trouve les sabots de bois les plus confortables et les plus finement décorés. Ainsi chaussés, vous aurez envie d'aller flâner dans le Noorder Dierenpark voisin, un zoo où les animaux s'ébattent en liberté.

Hoogeveen (43 000 habitants) était un port fluvial actif du temps où les colonies de tourbiers exploitaient le sud de la Drenthe. De cette époque, la cité a conservé quelques traditions insolites. Ainsi, chaque dimanche matin, des joueurs de tambour parcourent les rues pour appeler les fidèles à l'office.

Établie à l'entrée de la province, et au seuil des polders du Nord-Est, **Meppel** (23 000 habitants) est l'une des plus vieilles cités de la région. Elle possède une église du XVᵉ siècle et quelques jolies demeures. Ce grand marché agricole est également un important carrefour de voies de communication fluviales et terrestres.

La passion des chevaux n'exclut pas l'amour du vélo.

LA GRONINGUE

La Groningue a au moins deux points communs avec la province voisine de Frise. D'une part, une fraction de sa superficie a été conquise sur la mer (la menace permanente a conduit les habitants à élever leurs habitations au sommet de *terpen*). D'autre part, son farouche esprit d'indépendance fit longtemps obstacle à toute tentative de centralisation de la région, éparpillée au Moyen Age en républiques agricoles indépendantes. Sujette du lointain évêché d'Utrecht, la Groningue devint, en 1515, une possession du duché de Gueldre. On ne s'étonnera pas de la trouver parmi les sept républiques qui siégèrent à l'Union d'Utrecht, en 1579.

Deux découvertes ont profondément bouleversé l'économie de la région. L'exploitation des tourbières, en révélant des sols très riches – l'ouest et le nord de la Groningue sont formés de terres arables très fertiles – et appropriés à une culture intensive de la betterave et de la pomme de terre, a fait naître de grandes industries agroalimentaires produisant du sucre et de la fécule. Autre exemple d'intégration entre l'agriculture et l'industrie, la production de céréales fournit la matière première – la paille – nécessaire à la fabrication du carton.

Mais c'est indiscutablement la découverte, puis la mise en valeur (en 1967) des gisements de gaz naturel (situés sur le continent, notamment à **Slochteren**, et, de manière croissante, en mer du Nord) qui a le plus profondément transformé l'économie régionale. Les Pays-Bas en sont devenus le quatrième producteur mondial.

Groningue

Capitale de la province, **Groningue** (170 000 habitants) eut le tort d'être prospère trop tôt, dès le IXe siècle, peut-être dans le sillage de l'expansion frisonne. Elle attira donc la convoitise des Vikings, qui ravagèrent la ville. Au XIIe siècle, la cité s'entoura de fortifications et devint membre de la Ligue hanséatique (1284). Elle était la seule ville des alentours. Aussi ses marchands exerçaient-ils une sorte de monopole négocié sur le vente des produits agricoles.

Mais avant que la richesse – liée au gaz – ne s'abatte sur elle, la ville n'avait qu'une fierté : son université fondée en 1614, qui compta plusieurs milliers d'étudiants et des professeurs célèbres dans l'Europe entière, dont le célèbre mathématicien Jean Bernouilli (1667-1748). Son fils Daniel (1700-1782), naquit d'ailleurs à Groningue, devenu scientifique à son tour, il conçut la première théorie – coïncidence ? – cinétique des gaz (1727).

L'**université** (située sur Academie Plein, perpendiculaire à l'Oude Kijk in't Jatstraat) accueille aujourd'hui près de 20 000 étudiants, qui se mêlent à une population active jeune, attirée à Groningue par le dynamisme économique de la région.

Le **centre-ville** de Groningue s'inscrit dans un carré d'environ un kilomètre et demi de côté, délimité par un enchaîne-

A gauche, vue de Groningue et de ses environs depuis la tour de Saint-Martin ; à droite, cigares importés ou fabriqués sur place.

ment de canaux. De la **gare**, on empruntera le **Emma Brug**, laissant à droite le Verbindingskanaal et à gauche le Zuiderhaven.

D'**Emma Plein**, on poursuivra sur la gauche jusqu'au **Groninger Museum** (au n° 59 Praedinuissingel), un édifice de style néo-gothique bâti en 1894. Outre une magnifique collection de céramiques orientales, ce musée possède un ensemble de tableaux représentatifs des courants locaux, et notamment de l'école impressionniste. Ce fonds comprend également des toiles du XVIIe siècle, et des œuvres d'artistes français de la seconde moitié du XIXe siècle.

Du musée, on suivra le canal jusqu'à **Brugstraat** avant de tourner à droite afin de gagner le **Vismarkt**. Cette longue place du marché aux poissons occupe le cœur de la cité. A son extrémité ouest se dresse l'église protestante connue sous le nom d'**A-Kerk**, un bâtiment austère du XVe siècle maintes fois remanié. Plusieurs bâtisses anciennes bordent cette place très vivante qui

communique à l'est avec le **Grote Markt**. A gauche se dressent l'hôtel de ville, le **Stadhuis**, construit à la fin du XVIIIe siècle, et le **Goodkantoor**, le Bureau de l'or, un élégant monument Renaissance datant de 1635.

Dominant la place, vous apercevrez, au nord-est, la **Martinikerk**, l'église Saint-Martin, une église gothique fondée au XIIIe siècle sur le site d'un oratoire roman. De la construction d'origine subsiste le transept. Le chœur date, quant à lui, du début du XVe siècle. Les proportions actuelles de l'édifice résultent de travaux de 1460-1480. La **tour**, haute de 97 m, plusieurs fois détruite et chaque fois reconstruite, est familièrement appelée le « vieil homme gris ». Au sommet, un magnifique panorama de la région vous attend. Vous remarquerez à l'intérieur les **fresques murales** du XVIe siècle découvertes en 1924.

Derrière l'église, de l'autre côté du Martini Kerkhof, vous pourrez admirer le portail du **Prinsenhof**, un couvent du XVe siècle.

Le canal Turf Singel au nord-est de Groningue

Si vos pas vous conduisent dans **Munnekeholm**, **A-Kerkstraat**, **Nieuwe Kerkhof** (ces trois rues s'enchaînent depuis le Gedempte Zuiderdiep, non loin du musée) et **Visserstraat** (située dans l'angle nord-ouest du centre-ville), vous découvrirez des *gasthuizen* et des *hofjes*, d'anciens **hospices**, ou maisons d'accueil pour les itinérants, les vieux et les pauvres, reconnaissables à leur petite cour centrale.

L'une des plus jolies, la **Peper-gasthuis**, datant du XVᵉ siècle et récemment restaurée, se trouve dans Peperstraat. Avec la **Doelestraat**, la **Perperstraat** forme le centre de la vie culturelle non officielle de Groningue. On y trouve naturellement de nombreux «café bruns», tavernes et bars, autant de lieux privilégiés pour rencontrer des Groninguois qui, comme beaucoup de Néerlandais, sont polyglottes. Au **Café Mulder** (n° 22 Grote Kromme Ellebourg), par exemple, vous pourrez engager la conversation en demandant des renseignements sur les nombreuses toiles qui ornent les murs.

Les environs de Groningue

Les villages situés au nord de Groningue peuvent être facilement explorés en voiture. Mais sachez que les routes aussi plates que calmes et les paisibles canaux qui les desservent, attirent de nombreux Néerlandais (notamment de la Randstad). Ces derniers ne conçoivent le déplacement qu'à pied, à vélo ou en bateau (ou en canoë), ou, mieux encore, grâce à la combinaison des trois. Vous pouvez faire de même en louant le véhicule de votre choix.

La région ne manque pas de campings, mais rien n'empêche de s'adresser directement aux agriculteurs du coin pour planter sa tente. Qui sait, parfois la négociation peut inclure un petit déjeuner.

Plusieurs villages, dont **Oostum**, situés à environ 3 km de Groningue, sont ainsi aisément accessibles aux randonneurs. Chacun possède son petit café. On y mange une nourriture convenable dans ce qui semble être un

e vélo et le bateau : es moyens transport éférés des oninguois.

salon – et qui le redevient sûrement en hiver. Très apprécié des visiteurs, le café **Hummingh** occupe une petite maison de brique rouge à **Garnwerd** (à 11 km au nord de Groningue).

Les passionnés de canoë se rendront à **Winsum**. On peut y louer tout le matériel nécessaire et les villageois se feront un plaisir d'indiquer où aller et que voir. Quelques kilomètres plus loin, à **Warffum**, se tient chaque année, en juin, un festival de danse folklorique.

A **Middelstum**, les anciens mettent – dit-on – un doigt de genièvre dans leur café matinal avant de reprendre la conversation qui semble les réunir ainsi depuis des décennies. La boulangerie du village possède une excellente réputation.

Parmi les quelques châteaux et autres bâtisses féodales de la région, celui de **Menkamaborg** (à 30 km de Groningue en direction de Delfzijl) est peut-être le plus intéressant. Ce simple manoir fortifié, construit à l'origine au XIVe siècle, fut restauré au XVe siècle, puis considérablement agrandi et remeublé avec goût au début du XVIIIe siècle, lorsqu'il devint la propriété de la famille Van Makema. Plusieurs pièces sont ouvertes au public, et notamment un salon tendu de soie damassée, une bibliothèque ornée de tableaux, ainsi qu'une cuisine avec ses ustensiles datant des XVIIe et XVIIIe siècles.

A l'embouchure de l'Eems, le port industrielle de **Delfzijl** (24 000 habitants) ne présente aucun intérêt particulier. Quelques admirateurs de **Georges Simenon** y viennent cependant en pèlerinage contempler le lieu où, dit-on, lors d'une escale en 1929, l'auteur belge créa le commissaire Maigret. Un **monument** commémore l'événement.

Si vous souhaitez faire un peu de bateau, ou vous détendre sur la plage, rendez vous sur la côte septentrionale de la Groningue, dans l'ancienne baie – fermée artificiellement – de **Lauwersmeer**. Des ferry-boats assurent la liaison entre le port voisin de **Lauwersoog** et **Schiermonikoog**, la plus isolée et la plus sauvage des îles frisonnes.

LA FRISE

Proches cousins des Saxons, les Frisons s'établirent aux Pays-Bas – sur un territoire compris entre la Meuse et la Weser (en Allemagne) – à l'âge du fer, autour du IVe siècle av. J.-C. De cette époque datent les premiers *terpen*, ces promontoires artificiels de terre et de sable destinés à protéger les habitations des fréquentes incursions de la mer.

Puis, sous la pression des Francs, et notamment des Mérovingiens, les Frisons reculèrent vers le nord et s'installèrent définitivement dans un espace comprenant l'actuelle Frise néerlandaise, à laquelle il faut ajouter la Frise orientale (en Allemagne), ainsi que les îles frisonnes, dont les plus septentrionales font face à la presqu'île du Jütland (au Danemark).

Les VIe et VIIe siècles correspondirent à l'apogée des royaumes frisons dont les bateaux – tantôt de pirates, tantôt de commerçants – sillonnaient la mer du Nord, de l'Angleterre à la Scandinavie, et remontaient les fleuves jusque vers le monde rhénan. Le martyre de saint Boniface, en 754, dans une région hostile à la christianisation, marqua la fin de cette période. Au cours de la seconde moitié du VIIIe siècle, les Carolingiens soumirent ces régions et y introduisirent le christianisme, la féodalité et l'agriculture rationnelle.

Bien qu'annexée au Saint Empire romain germanique, la région fut longtemps revendiquée à la fois par les comtes de Hollande et par les ducs de Saxe. Ceux-ci l'emportèrent finalement, et l'empereur Maximilien de Habsbourg nomma en 1498 Albert, duc de Saxe, gouverneur perpétuel de Frise. Une victoire de courte durée, puisque les Frisons se révoltèrent contre cet arrêt et se donnèrent au duc de Gueldre. Reconquise par Charles Quint en 1523, la province quitta définitivement le Saint Empire en 1579, pour lier son destin à celui des Pays-Bas protestants.

Sur le plan géographique, la majeure partie de cette plaine côtière tavelée d'innombrables lacs et étangs – cer-

tains sont naturels, d'autres ont été créés par l'exploitation des tourbières –, et sillonnée de canaux, se situe au-dessous du niveau de la mer. En matière de lutte contre les eaux, les Frisons n'ont donc rien à envier aux Zélandais.

Tout comme ces derniers, ils ont d'ailleurs su, grâce à de vastes travaux d'endiguement, créer un espace propice à une agriculture très productive. Les prés salés arrachés à la mer ont en effet permis de développer un élevage bovin intensif, entièrement tourné vers la production laitière, et symbolisé par cette championne qu'est la vache pie-noire frisonne (une statue baptisée *Us Mem*, « Notre Mère », lui a été élevée au centre de Leeuwarden), dont la race est aujourd'hui répandue dans toute l'Europe. De plus, comme leurs voisins de Groningue, les Frisons ont profité de la découverte – dans l'est de la province – d'importants gisements de gaz naturel.

L'isolement constituait une autre caractéristique de la région. Mais la

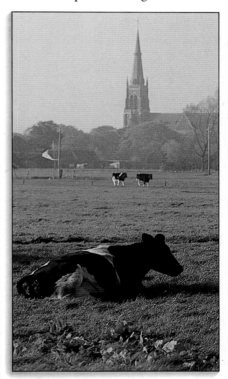

Pages précédentes : le canoë un moyen de locomotion agréable pour parcourir les Pays-Bas. A gauche, le retour du troupeau ; à droite, une championne au repos : la vache pie-noire frisonne est la meilleure productrice de lait au monde.

construction de l'Afsluitdijk – la digue de fermeture de l'ancienne Zuiderzee – ainsi que l'aménagement du Flevoland ont remarquablement réduit les distances et contribué à désenclaver le nord des Pays-Bas.

Du caractère frison

On peut cependant se demander si les Frisons ne le regrettent pas un peu, tant ils sont attachés à leurs particularités, notamment linguistiques, au point qu'il existe, depuis longtemps, un mouvement partisan de l'indépendance frisonne. *Praey mar frysk* « Parlez le frison » continuent de revendiquer des autocollants posés sur les pare-brise des voitures. En outre, toutes les localités de la province possèdent deux noms, un néerlandais et un frison, exemple : Leeuwarden et Ljouwert.

A strictement parler, écrivent des linguistes nationaux, les dialectes frisons n'ont pas leur place sur une carte des dialectes néerlandais. Ils sont historiquement plus proches des dialectes anglais. On estime à la moitié de la population de la province (environ 600 000 habitants) le nombre de locuteurs de langue frisonne. Il faut dire que la province a obtenu du gouvernement la reconnaissance de son identité, ainsi que la possibilité de maintenir l'enseignement du frison.

Dans la réalité, beaucoup de gens parlent frison à la maison et le néerlandais sur leur lieu de travail. Les oreilles expertes saisiront peut-être, dans la rue ou au café, les accents de ce que l'on appelle le « frison urbain » : une sorte de mélange des deux langues qui semble tirer de chacune ce qu'elles ont de meilleur.

Outre la langue, le particularisme frison se manifeste dans un attachement a des origines paysannes, dont la méfiance à l'égard de la modernité constitue une des expressions. En Frise, on porte encore fréquemment les sabots traditionnels, taillés dans du bois de peuplier (léger, résistant et isolant), peints en noir et juste décorés d'une lanière de cuir.

Le village de Sloten au cœur de la région des lacs.

S'il est un sujet dont les Hollandais, qui ont pourtant la plaisanterie facile, évitent de trop rire lors de leurs déplacements en Frise, c'est peut-être celui de l'indépendance de la province. Peu réaliste sur le plan politique et économique, le projet n'en compte pas moins d'ardents défenseurs. Certains observateurs font remarquer qu'ils sont d'autant plus virulents que le projet demeure une notion vague.

La passion du sport

Autre aspect du caractère frison, celui-ci commun à tous les Néerlandais, la passion pour le sport, et en particulier pour les activités qui se pratiquent en accord avec la nature : le vélo, le canoë, la voile, la randonnée, et le **patin à glace**. L'hiver, chaque village, si modeste soit-il, possède une étendue gelée où l'on vient patiner après le travail.

Temps fort de ce moyen de locomotion devenu sport olympique, la fameuse course des Onze-Villes, la **Elfstedentocht**. Ce marathon sur glace, créé en 1909, traverse onze villes de Frise, dont la capitale Leeuwarden, et couvre une distance de 200 km. Elle n'a pu se dérouler qu'à onze reprises faute de glace assez épaisse. La dernière course, en 1985, a mobilisé quinze mille patineurs. Les plus rapides ont bouclé l'épreuve en moins de sept heures.

L'été, on pratique une forme de **saut à la perche** traditionnel, le *fierljeppen*, dont les Frisons sont les inventeurs, et qui consiste à franchir canaux et étendues d'eau grâce à une courte perche. En cas de maladresse, les atterrissages en milieu aquatique sont presque sans danger et divertissent participants et spectateurs.

Harlingen

Venant de Hollande-Septentrionale, on traversera la grande digue du Nord avant de gagner **Harlingen** ou Harns (16 000 habitants). Fondé en 1243 près de l'emplacement d'une ville engloutie en 1134, ce port connut jadis une

La Elfstedentocht, la fameuse course des Onze-Villes.

certaine prospérité. Les vieilles demeures à pignons des XVIᵉ, XVIIᵉ et XVIIIᵉ siècles que l'on peut admirer dans le centre-ville, ainsi que les anciens entrepôts de la Compagnie des Indes qui se dressent le long des quais **Noordehaven** et **Zuiderhaven** en témoignent. Sur la **jetée** on peut admirer un monument dédié au gouverneur espagnol **C. de Robles**, qui fit relever les digues après l'inondation de 1571.

Dans **Voorstraat**, la rue principale bordée de petits magasins, on remarquera l'**hôtel de ville**, dont le beffroi date de 1730. Le samedi, des commerçants en costume traditionnel envahissent cette artère et y tiennent un marché très animé.

Harlingen a conservé une certaine activité portuaire et, en vous promenant le long des quais, vous rencontrerez une grande variété de bateaux : des chalutiers, des petits remorqueurs qui tractent les gros cargos vers les ports néerlandais ou allemands, et les ferries à destination des îles Vlieland et Terschelling.

La Waddenzee

Les navires qui attirent toujours le plus l'attention sont sans doute les anciens voiliers, vieux d'un siècle et parfois plus. Beaucoup d'entre eux étaient spécialement conçus pour naviguer en mer de Wadden – *wadden* signifie « gués » –, un étroit couloir marin qui s'étire jusqu'aux côtes danoises. En effet, la profondeur de la Waddenzee ne dépasse pas un mètre en moyenne, et n'atteint qu'exceptionnellement les 3 m.

Ces navires à fond plat ne comportent pas de quilles, mais leurs larges dérives mobiles en bois se rétractent si le manque de profondeur l'exige. Ils peuvent même s'échouer sans dommage sur les bancs de sable en attendant que la marée les remette à flot. Ces vieux bateaux sont très appréciés des associations scolaires néerlandaises et allemandes, des groupes et des familles, qui les louent avec leur équipage pour des balades d'île en île.

Un port frison.

Lorsque la mer se retire, à marée basse, elle découvre une étendue de boue avec, par endroits, des salants. Les Frisons, qui semblent toujours à la recherche d'un nouveau sport, ont inventé la *wadlopen*, littéralement la « la marche dans la boue ». Ce loisir s'est beaucoup développé dans les années 1960 et 1970, et il continue de réunir, chaque été, des milliers d'amateurs – toujours accompagnés d'un guide officiel – qui se lancent dans la traversée de cette mer de boue en direction des îles de Wadden (toutes inhabitées), à quelques kilomètres du continent, ou vers les grands salants. De l'avis des spécialistes, comme dans l'escalade en montagne, la connaissance du milieu, qui permet la progression, est le facteur déterminant.

Ces marches attirent également de nombreux amateurs d'oiseaux. En effet, de nombreuses espèces, certaines rarement visibles hors de Frise, se nourrissent dans le lit de la mer. D'ailleurs, outre les oiseaux, la Waddenzee sert un peu de crèche à de nombreuses espèces de poissons, qui grandissent dans ce milieu plus chaud avant de regagner la mer du Nord.

Ces *wadlopen* font cependant l'objet d'un contrôle attentif, et cela pour deux raisons. D'abord pour une question de sécurité afin de réduire le nombre de noyades, ou plutôt d'enlisements. Ensuite, une trop intense fréquentation de cet écosystème fragile pourrait le détériorer. Si vous souhaitez à votre tour goûter aux joies de la boue, vous devez vous renseigner auprès de l'office du tourisme.

Franeker et Marsuum

Situé à mi-chemin entre Harlingen et Leeuwarden, **Franeker** possédait autrefois une université influente, fondée en 1585, et où Descartes vint étudier. Napoléon ordonna sa fermeture en 1811.

Cette petite ville de province n'a cependant pas perdu tout son charme et possède quelques bâtiments dignes d'intérêt comme son élégant **hôtel de ville** Renaissance édifié à la fin du XVIᵉ siècle, ou les vieilles demeures qui bordent la **Voorstraat**. Juste en face de l'hôtel de ville, vous apercevrez une bâtisse construite en 1768, qui abrite un magnifique **planétarium** (voir l'illustration page 301), unique en son genre. En effet, celui-ci fut réalisé par un dénommé Eise Eisenga, simple peigneur de laine et scientifique amateur, entre 1774 et 1781.

Ce planétarium, l'un des plus anciens au monde, offre une représentation dynamique de la mécanique céleste. Eisenga s'en servait, en autres, pour démontrer à ses concitoyens que la Terre ne courait aucun risque de collision avec d'autres planètes. Vous remarquerez que seul Uranus manque au tableau, ce qui est normal puisque la lointaine planète ne fut découverte qu'en 1781 par l'astronome anglais William Herschel. Depuis 200 ans qu'elle fonctionne, l'horloge cosmique n'a – dit-on – été remise à l'heure qu'une seule fois.

On peut visiter l'ensemble de la maison, et notamment le mécanisme de bois et de métal, qui compte pas

Les joies de la wadlopen, *a « marche dans la boue ».*

LES ÎLES FRISONNES

Séparant la mer de Wadden (la mer des Gués), de la mer du Nord, les îles frisonnes (Texel, Vlieland, Terschelling, Ameland, Schiermonnikoog et Rottum) offrent des sites naturels magnifiques, particulièrement appréciés des visiteurs à la recherche de vacances originales, essentiellement tournées vers les activités de plein air : promenade dans les dunes ou sur les étendues abandonnées par la marée basse, sports nautiques ou baignades toniques le long des grandes plages balayées par des vents souvent violents.

Vestige d'un ancien cordon littoral de hautes dunes bordant une vaste étendue marécageuse, l'archipel est apparu à la suite d'une montée du niveau des eaux submergeant le marais et faisant apparaître la mer de Wadden. Une « mer » si peu profonde que la marée la découvre en grande partie deux fois par jour et qu'il est régulièrement question de l'assécher. Ces conditions naturelles exceptionnelles ont fait de ces îles des sanctuaires ornithologiques, où l'on vient étudier et admirer un grand nombre d'espèces d'oiseaux migrateurs.

La plus occidentale et la plus vaste de ces îles, **Texel**, est également la plus accessible, grâce aux lignes de ferry qui la relient au port de Den Helder. Plus développée que ses voisines et ouverte aux voitures – elles sont rares dans le reste de l'archipel – elle accueille également plus de monde pendant la période estivale. Également appelée l'**île des Oiseaux**, Texel (13 000 habitants) vit de la pêche et de l'élevage des moutons.

L'île suivante, **Vlieland** (1 100 habitants) est accessible en ferry (90 min si le temps est clément) depuis le petit port de Harlingen. Bien qu'assez peu visitée, l'île possède une très belle plage sur la côte nord, très appréciée des naturistes. La partie intérieure de l'île forme une réserve fréquentée par près de 100 espèces d'oiseaux.

La deuxième des îles frisonnes par la taille, **Terschelling** (3 000 habitants) offre un bon compromis entre la foule et la désolation. Sa principale localité (à deux heures de Harlingen), **West Terschelling**, connut une certaine importance entre le XVIe et le XVIIIe siècle, en grande partie, grâce à la chasse à la baleine. De cette époque on peut encore admirer quelques maisons à pignon du XVIIe siècle. Une fois visité le petit **musée** situé dans Commandeurstraat, on goûtera à la cuisine locale, et souvent familiale, des quelques restaurants de la ville et des alentours. On y déguste notamment du vin, des tartes préparées avec des baies. Le port se signale par le **phare de Brandaris**, le plus grand des Pays-Bas, construit au XVIe siècle.

Terschelling offre des **balades à vélo** vivifiantes sur des sentiers pavés ou de terre battue, traversant des paysages très variés de dunes et de forêts de pins.

Les vastes **plages** de la côte nord, en partie transformées en réserve naturelle (ouverte au public), sont adossées à une ligne de dunes continuellement façonnées par la mer et les vents. Mais là comme ailleurs, les Néerlandais sont intervenus pour aider la terre à contenir les vagues, en construisant notamment des brise-lames, et pour fixer la dune, grâce à des herbes dont les racines retiennent le sable.

Accessible depuis l'embarcadère situé non loin de Holwerd, **Ameland** compte environ 3 000 habitants répartis en quatre villages, **Nes** étant le plus important. L'île possède une belle plage de sable fin au nord et abrite des colonies d'oiseaux migrateurs du printemps à la fin de l'été. Ne manquez pas « le » spectacle de l'île : la sortie du canot de sauvetage tiré par des chevaux.

Schiermonnikoog (925 habitants) est la plus isolée des îles frisonnes. Mais l'exceptionnelle richesse de sa **flore** mérite bien qu'on fasse l'effort de s'y rendre (depuis le petit port de Laeuwersoog).

moins de 10 000 engrenages forgés à la main. Le musée rassemble également des globes, des cartes, des maquettes et des mécanismes d'horlogerie. Il a en outre été remeublé dans le style et le goût d'un marchand frison du XVIIIᵉ siècle.

A une quinzaine de kilomètres de Franeker, vous apercevrez, sur la gauche, le **château de Marsuum**, un édifice typiquement frison construit au cours de la première moitié du XVIᵉ siècle et plusieurs fois restauré depuis. A l'intérieur, on peut admirer des faïences, du mobilier du XVIIᵉ siècle et un hospice fondé en 1713 par le propriétaire du château, le Dr Popta, avocat à la cour de justice de Frise.

Leeuwarden

Le développement de **Leeuwarden** (85 000 habitants) commença au début du XIIᵉ siècle, lorsque les trois *terpen* sur lesquels la ville repose furent reliés, puis fortifiés. Capitale de la Frise dès le début du XVIᵉ siècle, la cité accueillit

Albert, duc de Saxe, puis Charles Quint, avant de devenir la résidence des stathouders héréditaires de la Frise, les descendants de Jean de Nassau, frère de Guillaume le Taciturne.

Installé depuis 1881 dans un hôtel particulier de la fin du XVIIIᵉ siècle, le **Musée frison** abrite des collections dont l'ensemble illustre l'histoire et les traditions de la Frise. On y admirera des antiquités, de l'argenterie frisonne – dont le fameux trésor du Dr Popta –, quelques tableaux, y compris un portrait de Saskia Van Uylenburgh par Rembrandt, des costumes, des meubles, des magasins reconstitués et des fragments d'architecture.

En face se dresse la **Kanselarij**, la chancellerie, un palais Renaissance édifié en 1566-1571. En suivant la Sacramenstraat, vous atteindrez la Grote Kerk, une église gothique consacrée au culte protestant et élevée aux XVᵉ et XVIᵉ siècles. De là, on gagnera le **Stadhuis**, l'hôtel de ville, un bâtiment du début du XVIIIᵉ siècle dominant le **Hof Plein**. En face, vous

A gauche, un guide officiel de vadlopen ; ci-dessous, le planétarium de Franeker. Pages suivantes : un chalutier frison pêchant avec des filets en moulin à vent ; le sourire malicieux d'un paysan frison.

apercevrez le **Stathouderlijk Hof**, l'actuelle résidence du commissaire de la Reine, où séjournaient autrefois les stathouders frisons.

On prendra ensuite la direction de la place **Kerkhof**, une vaste place où se dresse l'**Oldehove**, une tour de brique rouge et de pierre, destinée à servir de clocher à une cathédrale qui resta à l'état de projet. Non loin, dans la Kerkstraat, on visitera le **musée municipal Het Princessehof** installé dans un hôtel particulier du XVIIe siècle. On y admirera notamment de très belles collections de céramiques.

Si vous souhaitez aller à la rencontre de la Leeuwarden actuelle, on ne saurait trop vous conseiller de fréquenter les cafés et les bars situés dans **Oude Doelesteeg**, une petite allée perpendiculaire à Nieuwestad, la grande artère commerçante de la ville. Pour déjeuner, ou dîner, on se rendra, par exemple, au restaurant **Het Levin**, dans Druifstreek, une table typiquement frisonne avec ses meubles rustiques et sa cuisine roborative. Là, les clients arrivés seuls ne le restent jamais très longtemps.

La région des lacs frisons

Parsemée de nombreux lacs, quadrillée de canaux, la région qui s'étend au sud et à l'ouest de Leeuwarden attirera sans doute les amateurs de sports nautiques. Mais cette région, avec ses petits villages pittoresques – où l'on peut encore admirer de vieilles fermes aux toits si inclinés qu'ils touchent pratiquement le sol –, ses bois et ses boqueteaux – notamment dans les environs de **Balk** – est également le cœur historique du pays frison.

Bolsward passe ainsi pour l'une des plus anciennes cités de Frise, fondée au VIIIe siècle. On peut encore y voir de très beaux édifices gothiques qui témoignent de sa prospérité commerciale au Moyen Age.

Sneek (30 000 habitants) est la principale agglomération de cette région lacustre et le centre touristique le plus commode pour explorer les environs. On peut y visiter le **musée frison de la Navigation**.

INFORMATIONS PRATIQUES

ALLER AUX PAYS-BAS

FORMALITÉS, RENSEIGNEMENTS

Les Pays-Bas font partie de l'Union européenne et, à ce titre, il n'y a plus de contrôle à la frontière pour les ressortissants de pays membres de l'UE. Cependant, comme en France, toute personne se trouvant sur le territoire néerlandais doit être en possession d'une carte d'identité ou d'un passeport en cours de validité. Les enfants de moins de 16 ans peuvent figurer sur le passeport de l'un des parents ; s'ils voyagent seuls, ils doivent présenter leur propre carte d'identité ou passeport, ainsi qu'une autorisation de sortie du territoire. Pour plus de précisions, contacter les services de l'ambassade aux adresses suivantes :

– en France :
7-9, rue Eblé, 75007 Paris
tél. 01 40 62 33 00, fax 01 40 62 34 56
ambassade@amb-pays-bas.fr
www.amb-pays-bas.fr
-- en Belgique :
Avenue Hermann-Debroux 48, 1160 Bruxelles
tél. 02 679 17 11, fax 02 679 17 33
nlgovbru@infoboard.be
– au Canada :
350 Albert Street, 2020 Ottawa, Ontario, K1R 1A4
tél. (613) 237 5030, fax (613) 237 6471
– en Suisse :
Kollerweg 11, 3006 Berne
tél. (031) 350 87 00, fax (031) 350 87 30

● Où se renseigner

– Sites Internet
www.holland.com
www.amsterdam.nl
www.visitamsterdam.nl

– Offices du tourisme
En ligne : *www.vvv.nl*
– en France :
9, rue Scribe, 75009 Paris
tél. 01 43 12 34 20, fax 01 43 12 34 21
hollandinfo-fr@nbt.nl
– en Belgique :
Avenue Louise 89, B-1050 Bruxelles
tél. (2) 543 08 00, fax (2) 534 21 94
hollandinfo-be@nbt.nl
– au Canada :
P.O. Box 1078
Toronto ON M5C 2K5
tél. 888 729 7227, fax 212 338 91 17
info@goholland.com

– en Suisse :
Tél. 0800 880 582
Adresser tout courrier au bureau de Paris.

SANTÉ

En vertu des accords entre les pays membres de l'Union européenne, la prise en charge des frais médicaux est automatique sur présentation du formulaire E 111 (à retirer avant le départ auprès d'une caisse de sécurité sociale).

EN AVION

De Paris, les compagnies aériennes Air France et KLM assurent une dizaine de liaisons quotidiennes vers Amsterdam. Il existe des vols au départ de Lyon, de Marseille, de Mulhouse, de Nice, de Strasbourg et de Toulouse. Tous les vols arrivent à l'aéroport de Schiphol (*tél. 0900 01 41*). De là, des trains partent toutes les quinze minutes à destination de la gare centrale, pour 2,9 euros.

Un service d'autocars KLM, ouvert à tous, dessert les grands hôtels de la capitale (attention, il y a deux itinéraires différents). En taxi, il faut compter environ 29,5 euros pour rejoindre le centre-ville. Renseignements complémentaires :

Air France
– à Paris : *tél. 08 20 82 08 20*
– à Amsterdam : *tél. (020) 654 57 20*

KLM
– à Paris : *tél. 08 10 55 65 56*
– à Amsterdam : *tél. (020) 474 77 47*
– au Canada : *tél. 800 447 47 47*
– en Suisse : *tél. 022 798 37 77*

EN TRAIN

TGV Thalys
Il y a 5 trains directs par jour au départ de Paris-Gare du Nord (durée du trajet, jusqu'à Amsterdam : 4 h 15).
Train de nuit
Il existe également un train de nuit avec wagons-lits et couchettes ; la durée du trajet jusqu'à Amsterdam est de neuf heures environ.

SNCF (informations et réservations)
Tél. 08 36 35 35 36

EN AUTOCAR

De Paris, Eurolines propose cinq départs quotidiens vers Amsterdam. Le trajet dure environ huit heures.

Eurolines
Gare routière internationale de Paris-Gallieni
28, avenue du Général-de-Gaulle
93541 Bagnolet Cedex
tél. 08 36 69 52 52, www.eurolines.com

EN VOITURE

Amsterdam est à moins de 500 km de Paris. Prendre l'itinéraire Anvers-Breda-Utrecht, *via* les autoroutes A1, A27, et A2.

A Amsterdam, il est vivement conseillé de laisser sa voiture dans le quartier des musées, légèrement excentré, et de continuer vers le centre à pied ou en tramway : les rues, étroites et souvent très encombrées, rendent la circulation et le stationnement très difficiles. Les contraventions coûtent très cher. Le centre historique d'Amsterdam est, de toute façon, peu étendu et n'impose pas l'usage d'une voiture. En revanche, un véhicule peut être utile pour visiter les environs de la capitale.

A SAVOIR
UNE FOIS SUR PLACE

MONNAIE, PRIX

L'unité monétaire, le florin (*gulden*) est remplacé par l'euro en janvier 2002. En 2001, le cours officiel de l'euro a été fixé à 2,20371 florins (soit 0,45 euros pour 1 florin).

Voici, à titre indicatif et en moyenne, le prix de certains biens et services à Amsterdam : un café (1,2 euros environ), un verre de genièvre (2 euros environ), un sandwich (2,3 euros environ), une entrée au musée (5,3 euros environ), un billet pour un concert classique (13,3 euros environ)...

Il est possible de retirer de l'argent dans les distributeurs automatiques de la plupart des banques.

DÉCALAGE HORAIRE

Les Pays-Bas vivent à la même heure que la France, c'est-à-dire une heure de plus que le méridien de Greenwich en hiver, et deux heures de plus en été.

HEURES D'OUVERTURE

Les magasins ouvrent entre 8 h 30 et 9 h (parfois à 12 h 30 le lundi), et ferment entre 17 h 30 et 18 h, 17 h le samedi. Il y a souvent des nocturnes le jeudi ou le vendredi soir et fermeture le dimanche.

Les restaurants sont souvent fermés à midi. Fermeture hebdomadaire le dimanche et le lundi.

Les banques sont ouvertes du lundi au vendredi de 9 h à 16 h ou 17 h.

JOURS FÉRIÉS

1er janvier
Vendredi saint*
Lundi de Pâques
30 avril* (anniversaire de la reine et jour de la fête nationale)
5 mai* (fête de la Libération)
Ascension
Lundi de Pentecôte
25 et 26 décembre

* Les magasins ne sont pas fermés ces jours-là.

POSTE

La plupart des bureaux de poste sont ouverts du lundi au vendredi de 9 h 30 à 17 h ; jusqu'à 20 h le jeudi dans les grandes villes ; de 10 h à 13 h le samedi.

La poste centrale d'Amsterdam se trouve aux nos 250-256 Singel. Les timbres sont disponibles auprès des bureaux de poste, des détaillants de tabac, des kiosques et des machines automatiques parfois situées à côté des boîtes à lettres (en rouge et gris).

TÉLÉPHONE

Il est possible d'appeler directement à l'étranger d'une cabine ou d'un bureau de poste. Pour les appels en PCV notamment, une opératrice est disponible au *08 00 04 10*. Attention, les tarifs pratiqués dans les hôtels sont plus élevés.

Pour téléphoner de France aux Pays-Bas, il faut composer le code international (*00*) suivi de l'indicatif des Pays-Bas (*31*) puis le numéro du correspondant en omettant le *0* initial. Dans le sens inverse, composer, le *00* puis le *33*, pour la France, suivi du numéro du correspondant (sans le *0* initial).

Amsterdam compte relativement peu de cabines téléphoniques (reconnaissables à leur couleur verte). En revanche, il existe deux centres téléphoniques, le Tele Talk Center (*n° 101 Leidsestraat*) et le Telehouse, (*n° 46-50 Raadhuisstraat*), qui proposent un service de téléphone et de fax 24 heures sur 24.

Les numéros de téléphone commençant par *0900* aux Pays-Bas sont payants.

CYBER-CAFÉS

Adresses à Amsterdam :

EasyEverything
Regulierbreestraat 22
24 heures sur 24.

ASCII
Jodenbreestraat 24
Ouvert de 14 h à 19 h.

PRESSE

Les principaux journaux sont les suivants : *Algemeen Dagblad*, *De Volkskrant*, d'origine catholique, un quotidien sérieux situé aujourd'hui au centre gauche ; *NRC Handelblad*, à vocation plus culturelle et scientifique, *De Telegraaf*, de centre droit, qui possède un large lectorat populaire. Toutes les informations culturelles (cinémas, concerts, pièces de théâtre, expositions...) concernant Amsterdam et sa région sont reprises dans le magazine en anglais, *What's On*.

On peut trouver de la presse française dans les magasins de presse Ako et Bruna, présents dans toutes les grandes villes du pays. A Amsterdam, la plupart des librairies du centre-ville proposent les grands titres de la presse française.

Athenaeum Boekhandel
Spui 14/16, tél. 020 622 62 48
A Amsterdam. Vend des livres en français.

NUMÉROS D'URGENCE

Numéro national d'urgence
(police, ambulance) : *112*

Amsterdam
SOS médecin, dentiste : *tél. (020) 592 34 34*

La Haye
Médecin : *tél. (070) 345 53 00* (de jour), *tél. (070) 346 96 69* (de nuit)

Rotterdam
Médecin : *tél. (010) 420 11 00*
Dentiste : *tél. (010) 455 21 55*

CLIMAT ET FRÉQUENTATION TOURISTIQUE

Le pays connaît un climat océanique frais (de 700 à 900 mm de précipitations annuelles), moins dominant cependant à mesure que l'on se déplace vers l'Est. Les hivers peuvent être relativement froids et humides. L'été, le mercure dépasse rarement les 25 C°, et il peut pleuvoir à peu près tous les jours de l'année. Avril est le mois le plus sec ; c'est aussi celui de la floraison des tulipes.

La haute saison touristique s'étend d'avril à septembre et pendant la semaine de Noël au Nouvel An. Hors saison, les tarifs hôteliers sont plus raisonnables.

COMMENT SE DÉPLACER

Explorer les Pays-Bas est, grâce au réseau très dense des transports en commun, une entreprise aisée et finalement même bon marché. Toutes les villes d'un peu d'importance possèdent une gare, qui sert de terminus à des lignes d'autocars et de point de départ aux transports urbains (tramway, bus ou métro).

En outre, plus de cent gares des Pays-Bas sont également desservies par des *treintaxis* (taxis collectifs qui attendent l'arrivée d'autres passagers). Les tarifs sont très intéressants et l'attente n'est jamais supérieure à 10 minutes.

RENSEIGNEMENTS TOURISTIQUES

C'est à proximité, ou à l'intérieur des gares, que l'on trouve le plus souvent les bureaux de l'office du tourisme néerlandais (Verening Voor Vreemdelingenverkeer, VVV). Le personnel, polyglotte, répond à toutes les questions, fournit cartes et plans et peut même effectuer des réservations. A Amsterdam, l'agence VVV située près de la gare centrale connaît, à la belle saison, une fréquentation maximale, quelle que soit l'heure. Il existe une autre agence plus petite au nº 1 Leidseplein.

Verening Voor Vreemdelingenverkeer, VVV
Leidsestraat, 106, tél. 0900 400 40 40
www.vvv.nl
Ouvert en juin et septembre du lundi au vendredi de 10 h 30 à 17 h 30 ; en juillet et août, du lundi au dimanche de 10 h 30 à 21 h ; d'octobre à mai, du lundi au vendredi de 10 h 30 à 17 h 30, le samedi de 10 h 30 à 21 h. Accessible par les tramways 1, 2 et 5.

Office du tourisme d'Amsterdam
Stationplein 10, www.visitamsterdam.nl
Ouvert de 9 h à 17 h (les bureaux de la Gare centrale sont ouverts jusqu'à 19 h 30).

CARTES

L'office du tourisme fournit une carte routière des Pays-Bas. Si l'on a besoin de cartes plus précises, pour des randonnées à pied ou à vélo, les séries ANWB au 1/100 000e sont disponibles dans les agences VVV et chez certains libraires. Enfin, les bureaux locaux du VVV fournissent des plans de ville.

AÉROPORTS

Situé à 18 km au sud-ouest d'Amsterdam sur l'autoroute A4, Schiphol est le principal aéroport des Pays-Bas. Une gare ferroviaire est située sous le hall d'arrivée et des trains pour les principales villes du pays en partent à peu près toutes les 15 min entre 5 h 25 et 0 h 15, et toutes les heures le reste du temps.

Rotterdam possède également un petit aéroport (à 15 min du centre-ville, *tél. 010 446 34 44*) desservi par des vols en provenance d'Amsterdam, de Londres et de Paris. Un service de bus effectue la liaison avec la ville. Les aéroports d'Eindhoven (*tél. 040 251 61 42*) et de Maastricht (*tél. 043 358 98 98*) accueillent principalement des vols intérieurs. Ceux-ci sont assurés par la compagnie KLM City Hopper. Pour plus d'information, il suffit de composer le *020 170 030*.

VISITES AÉRIENNES

Différentes compagnies organisent des visites qui permettent de survoler les alentours des grandes villes et les villes historiques telles que Alkmaar, Edam, Volendam, etc.

Ryfas Helicopters Hilversum
Tél. (034) 656 85 79
Ben-Air Hilversum
Tél. (035) 577 12 01
Kroonduif Air Rotterdam
Tél. (010) 415 78 55
Air Service Limburg
Tél. (043) 364 69 49

EN TRAIN

Les chemins de fer néerlandais, Nederlandse Spoorwegen, disposent d'un réseau de trains rapides (Intercity) reliant les principales villes du pays. Un train express quitte Schiphol à destination d'Amsterdam très régulièrement.

Des trains omnibus desservent, de jour comme de nuit, Amsterdam, Schiphol, La Haye, Rotterdam et Utrecht. A chacune de ces gares, on emprunte les correspondances vers les villes plus petites.

Il est toujours moins cher d'acheter un aller et retour que deux allers simples. En outre, pour bénéficier des tarifs les moins élevés, mieux vaut demander conseil aux employés des gares, ils étudieront le titre de transport le plus abordable et le mieux adapté. Différentes formules sont proposées : un forfait permettant de voyager sans limite dans tout le pays pendant un, trois, cinq ou huit jours, une carte familiale, des tarifs spéciaux pour les groupes ou pour les jeunes, des tickets comprenant l'entrée d'une attraction touristique, la carte ferroviaire Benelux valable cinq jours (pas forcément consécutifs), etc.

Nederlandse Spoorwegen
Tél. 030 297 71 11, *www.ns.nl*
GVB
– Gare centrale, *Stationplein 1, tél. 0900 9292*
Ouvert du lundi au vendredi de 6 h à minuit, le samedi et le dimanche de 7 h à minuit.
– Renseignements pour les trains nationaux : *tél. 0900 9292*
– Renseignements pour les trains internationaux : *tél. 0900 9296*

EN VOITURE

La conduite se fait à droite, le port de la ceinture de sécurité est obligatoire, les limitations de vitesse sont de 50 km/h en ville, de 80 km/h sur des routes secondaires, de 100 km/h sur les nationales et de 120 km/h sur les autoroutes.

Faire attention aux deux-roues et notamment aux cyclistes, nombreux et qui circulent où bon leur semble, y compris en sens interdit – c'est légal.

En ville, tenir compte des tramways qui ont la priorité.

Assistance routière (ANWB)
Tél. 0800 0888

● Location de voiture
Les adresses suivantes sont toutes localisées à Amsterdam, mais les principales sociétés de location sont également présentes à l'aéroport de Schiphol.

Avis
Nassaukade 380, tél. (020) 683 60 61
AI Ansa International
Hobemakade 6-7, tél. (020) 664 82 52
Budget Rent a Car
Overtoom 121, tél. (020) 612 60 66
Diks Autohuur
General Vetterstraat 55, tél. (020) 617 85 05
Europcar
Overtoom 51-53, tél. (020) 683 21 23
Hertz
Overtoom 333, tél. (020) 612 24 41
Kuperus
Middenweg 175, tél. (020) 693 87 90

● **Location de camping-car**

Les réservations se font longtemps à l'avance. Les agences suivantes sont toutes localisées à Amsterdam.

ACCC
Haarlemmerstrwg 69a, tél. (020) 497 59 60
Braitman en Woudenberg
Droogbak 4, tél. (020) 221 168
HWH Europe
Jisperveldstr 596, tél. (020) 637 39 65

A BICYCLETTE

Douze millions de bicyclettes sont en circulation aux Pays-Bas et il existe environ 15 000 km de pistes cyclables (*fietspaden*). Elles sont équipées de feux de circulation au croisement avec les réseaux routiers. Bien que la circulation à vélo présente aux Pays-Bas plus de sécurité qu'ailleurs, il n'est pas inutile de se familiariser au préalable avec le rétropédalage. L'usage des cartes éditées par les offices du tourisme VVV est recommandé ; les pistes cyclables y sont clairement indiquées par des lignes noires en pointillé. Il n'y a pas de sens unique pour les vélos.

Il est inutile de prendre le train avec une bicyclette : il existe des loueurs dans toutes les gares importantes (compter environ 4,5 euros la journée). Il faut toutefois se méfier de certains loueurs qui peuvent exiger le règlement des réparations éventuelles ou le remboursement du prix de la bicyclette en cas de perte ou de vol : c'est illégal.

Quelques adresses où louer un vélo à Amsterdam :

Holland Rent-a-Bike
Damrak 247, tél. (020) 622 32 07
Mac Bike
Marnixstraat 220, tél. (020) 626 69 64
info@macbike.nl

TRANSPORTS URBAINS

Les *strippenkaarten* et les *dagkaarten* – dont on explique le fonctionnement ci-dessous – sont valables dans n'importe quelle ville des Pays-Bas. De même, les indications relatives aux taxis ci-dessous valent pour l'ensemble du pays.

SE DÉPLACER À AMSTERDAM

● **Bus, tramways, métro**

A Amsterdam, les bus empruntent généralement les grands axes. Il existe également trois lignes de métro. Mais ce sont surtout les tramways qui desservent le centre. On peut acheter des tickets à l'unité, par carnets, ou, solution plus avantageuse, une *strippenkaart* (carte à coupons détachables).

La ville est divisée en zones, et on utilise deux coupons par zone et par personne. Le cœur d'Amsterdam, où on circule la plupart du temps, constitue une seule et même zone. On peut également acheter une *dagkaart*, valable un ou plusieurs jours, et permettant un nombre illimité de trajets.

Ces titres de transport servent indifféremment pour tous les moyens de transport publics de la ville et doivent être dûment compostés, car les contrôles sont fréquents et les amendes coûteuses. Ils sont en vente au bureau des transports (GVB) de la gare, dans les bureaux de poste et les bureaux de tabac.

● **Taxis**

Les taxis sont assez chers mais très confortables. Il est conseillé de téléphoner à la centrale de taxis (*tél. 020 677 77 77* ou *020 330 32 00*) ou d'aller les chercher aux stations de taxis plutôt que de les héler directement.

● **Canaux**

Différents moyens de transport permettent de visiter Amsterdam par les canaux. Un service public et régulier, le Canal Bus, relie la Gare centrale et le Rijksmuseum (3 arrêts) ; le Museum Service, toujours au départ de la gare, dessert les principaux musées. Les tickets sont en vente à l'office du tourisme. Enfin, des compagnies proposent des promenades en bateau-mouche : leurs débarcadères se trouvent, pour la plupart, en face de la gare ou près du Rijksmuseum. Il est aussi possible de louer des pédalos à l'adresse suivante :

Canal Bike
Weteringschans 24, tél. (020) 626 55 74
info@canal.nl

● **Bac**

Le bac relie, toutes les 6 min, la gare centrale et Amsterdam Nord. Il ne transporte pas les voitures, seulement les vélos et les autobus.

POUR MIEUX CONNAÎTRE LES PAYS-BAS

GÉOGRAPHIE

Les Pays-Bas sont un petit pays, grand comme l'Aquitaine, d'une superficie de 41548 km^2 (dont près de 18 % d'eau et 1/5e sous le niveau de la mer). Ce chiffre augmente un peu chaque année grâce à la conquête de terres sur la mer. Le pays est limité à l'est par l'Allemagne, au sud par la Belgique et à l'ouest par la mer du Nord. Avec 15,8 millions d'habitants (soit 465 hab./km²), les Pays-Bas sont, de loin, le pays le plus densément peuplé d'Europe.

QUELQUES ÉLÉMENTS D'ÉCONOMIE NÉERLANDAISE

De leur position au bord de la mer du Nord et à l'embouchure de trois grands fleuves (l'Escaut, la Meuse et le Rhin), les Pays-Bas ont su tirer un avantage économique décisif, et cela depuis le Moyen Age. Pourtant cette nation de commerçants et de paysans, parvenue à son apogée vers 1650, a, pour parler schématiquement, raté le rendez-vous de la révolution industrielle de la première moitié du XIXe siècle.

Grâce au dynamisme des provinces du Sud, riches en charbon, le pays rattrapa son retard à la fin du XIXe siècle, profitant de sa neutralité pendant la Première Guerre mondiale pour intensifier ses efforts dans la métallurgie, le textile, la mécanique, la chimie, et pour se doter des premiers éléments de protection sociale.

Cette structure économique, dont les traits fondamentaux se sont renforcés dans les années de reprise de l'après-guerre, s'est, comme ses voisines, profondément transformée sous l'effet de la crise de mutation qu'elle a subie dans les années 1970 et 1980. Aujourd'hui, 63% de la population active travaille dans le secteur tertiaire (banques, assurances, services commerciaux et administration), 33% dans le secteur secondaire (industrie et extraction) et 3% dans l'agriculture, la pêche et l'horticulture. Ce dernier secteur fournit d'ailleurs, avec les produits chimiques et pétroliers et le gaz naturel, les principales exportations du pays, et expliquent son solde commercial excédentaire.

INSTITUTIONS

Aux termes de la Constitution, les Pays-Bas sont une monarchie constitutionnelle dotée d'un régime parlementaire. La couronne est héréditaire et transmissible par ordre de primogéniture. La personne du souverain, ou de la souveraine, est inviolable.

Outre un rôle d'ambassadeur extraordinaire des Pays-Bas, la Constitution confie au souverain la tâche de contribuer au maintien de la paix sur le plan international. Par nature au-dessus des partis, le monarque se doit également d'être un facteur de stabilité politique et le garant de l'unité du pays. Le roi, ou la reine,

joue d'autre part un rôle capital dans la formation des gouvernements. Agissant en négociateur neutre, il s'efforce de trouver une solution conforme aux équilibres sortis des urnes. Assisté du Conseil d'État (assemblée consultative qui examine les projets de loi et les traités internationaux), il exerce ses compétences en accord avec ses ministres, ceux-ci étant responsables devant le Parlement.

Le Parlement est composé de deux chambres. Dans la Première Chambre siègent 75 sénateurs élus pour six ans par les membres des États provinciaux. Les députés de la Seconde Chambre sont élus au scrutin proportionnel.

Les Pays-Bas se composent de douze provinces - et d'environ 900 communes -, administrées - dans la limite des compétences fixées par la Constitution - par les États provinciaux et par leur instance exécutive, les États députés. Les États provinciaux sont, comme les municipaux, désignés au scrutin proportionnel.

FÊTES, FESTIVALS ET MANIFESTATIONS

Pour retrouver un événement particulier, on pourra consulter, sur Internet, le site suivant : *www.hollandevenementen.nl.*

● Janvier
Leyde, durant la troisième semaine de janvier, la ville universitaire accueille un festival de jazz.
Rotterdam, de la fin janvier au début du mois de février se déroule le Festival international du film.

● Février
Pendant tout le mois et dans tout le pays – mais avec plus d'intensité dans le Brabant et le Limbourg –, le carnaval ressort ses fanfares, ses costumes, ses parades et son atmosphère de farces.
Amsterdam, le 25 février se tient la cérémonie commémorant la grève des dockers contre la déportation des juifs.
Rotterdam, à la fin du mois de février et début du mois de mars, se tiennent les Internationaux de tennis organisés par la banque ABN-Amro.

● Mars
Amsterdam, procession du miracle de l'Hostie ; festival de blues ; le Vendredi saint, le Concertgebouw Orchestra joue la *Passion selon saint Matthieu* de J. S. Bach.
Amsterdam, durant les premiers jours de mars, se tient la foire aux antiquités.

Maastricht, pendant la deuxième semaine du mois, la ville accueille une foire européenne d'antiquités, qui rassemble des centaines de professionnels et des milliers de visiteurs.

Lisse, du 22 mars au 24 mai le célèbre Tulip Park de Keukenhof ouvre ses portes au public pendant la floraison des fleurs à bulbe.

● Avril

Amsterdam, du 1er avril au 31 octobre (le temps de la saison touristique), la capitale rétablit l'éclairage de nuit des canaux ; durant le week-end national des musées, ceux-ci sont accessibles gratuitement, ou à des tarifs réduits.

Alkmaar, de la première semaine d'avril au 11 septembre, chaque vendredi, se tient le traditionnel marché aux fromages, avec les porteurs vêtus du costume de leur guilde.

La Haye, du 15 avril au 21 octobre, au Westbroekpark, on peut visiter le Salon international de la rose, où sont exposées 20 000 fleurs appartenant à 350 variétés.

Le 30 avril, tout le pays célèbre l'anniversaire de la reine. Amsterdam se transforme en un vaste marché libre de taxes, pour honorer la famille d'Orange, tout le monde porte un accessoire de cette couleur.

● Mai

Amsterdam, de mai à octobre, chaque dimanche, des marchés d'antiquités se tiennent sur le Waterlooplein ; le 5 mai, la capitale célèbre l'anniversaire de la Libération.

La Haye, de mai à juin, les magnifiques jardins japonais du Clingendael Park sont ouverts au public ; du 3 mai au 30 septembre, le marché d'antiquités de la ville s'installe le long de l'élégante Lange Voorhout, et dévoile ses trésors chaque jeudi (jusqu'à 21 h) et chaque dimanche (jusqu'à 18 h).

Scheveningen, le coloré Vlaggetjesdag marque l'ouverture de la saison du hareng. A cette occasion, tous les bateaux de pêche sont décorés de drapeaux, et un marché traditionnel s'y tient.

● Juin

Le principal événement du mois de juin est sans conteste le Festival de Hollande (musique, danse, théâtre), avec ses multiples spectacles répartis dans tout le pays.

Amsterdam, le bassin de l'Amsterdamse Bos, au sud de la capitale, reçoit une compétition internationale d'aviron, le Boosban ; du 3 juin au 2 septembre, dans le Vondelpark, se déroule la saison estivale de l'Open-Air Theatre, créé dans les années 1960.

La Haye, le deuxième week-end de juin, les amis des chevaux se donnent rendez-vous sur Lange Voorhout pour un grand événement équestre, le Paardendag.

Rotterdam, pendant quelques jours, vers la mi-juin, accueille le Poetry International, un festival international consacré à la poésie.

Scheveningen, généralement le troisième week-end de juin, l'International Fokker Kite Festival réunit, sur les plages des environs, tous les passionnés de cerfs-volants.

Assen reçoit le passionnant, mais très bruyant, Grand Prix international de moto des Pays-Bas.

● Juillet

Amsterdam accueille un tournoi international d'échecs avec quelques-uns des meilleurs grands maîtres ; le Festival international de ballet se tient au Muziektheatre.

La Haye, vers la mi-juillet, le temps d'un week-end, les grands noms du jazz se donnent rendez-vous au Congress Centre pour le Festival de jazz de la mer du Nord.

Noordwijck, à la fin du mois de juillet, se déroule l'Open de golf KLM.

Scheveningen, défilés et parades, accompagnés de concerts de jazz et de Dixieland, s'emparent du boulevard principal.

● Août

Rotterdam, vers la mi-août, la ville accueille un grand spectacle hippique.

Leersum, vers la mi-août également, présente une magnifique exposition florale.

Yerseke, le deuxième week-end d'août, réunit tous les gourmets pour la dégustation des premières moules de la saison.

Scheveningen, le dernier week-end, la ville tire un grand feu d'artifice à l'occasion du Festival international de pyrotechnie.

Zandvoort, à la fin du mois d'août, tous les amateurs de sport automobile connaissent le Grand Prix de formule 1 des Pays-Bas qui se déroule sur un fameux circuit tracé dans les dunes.

Amsterdam propose deux rendez-vous musicaux : les concerts du Prisengracht et le Festival de jazz (jusqu'en septembre) ; la dernière semaine d'août a lieu un événement unique : l'Uitmark, toutes les compagnies du pays (danse, musique) donnent dans la rue, et en avant-première, des extraits des spectacles de la saison à venir.

● Septembre

La Journée nationale des monuments, dont la date varie chaque année, concerne de nombreux sites historiques répartis dans tout le pays.

Amsterdam, au début du mois, on peut assister à la semaine musicale Gaudeamus ; au cours du mois se tiennent également le Festival du Jordaan, la Fête des Fleurs.

La Haye, le troisième mardi du mois, au Binnenhof, se tient la cérémonie d'ouverture du Parlement présidée par la reine Beatrix. L'événement donne lieu à des défilés colorés et panachés le long de Lange Voor.

Rotterdam offre, à la fin du mois, son festival international de jazz.

● **Octobre**

La Haye, au début du mois, à l'occasion du Dutch International Wine Festival, dégustation de vins du monde entier.

Delft, pendant la seconde quinzaine du mois, abrite une foire (antiquités, œuvres d'art).

● **Novembre**

Amsterdam, fin novembre, se tient une manifestation hippique, Jumping Amsterdam.

Entre la fin du mois de novembre et le début du mois de décembre, les jeunes Néerlandais guettent l'arrivée de saint Nicolas, Sinterklas, le saint patron des marchands, des marins et des enfants, en provenance d'Espagne. Dans tous les ports importants – l'événement a lieu le 6 décembre à Amsterdam – de vieux bateaux à vapeur accostent avec, à leur bord, un saint Nicolas dûment perché sur son cheval blanc et assisté de son compagnon mauresque, plus connu sous le nom de Zwarte Piet (une sorte de Père Fouettard).

● **Décembre**

Gouda, pendant les fêtes de fin d'année, le Markt est éclairé avec des chandelles, et l'illumination de l'arbre de Noël, accompagnée de chants et de carillons, attire toujours une foule émerveillée.

LA LANGUE

Le doublement de voyelles, comme aa, oo, uu et ee, marque un son long, exemple : *zee* se prononce zé, *jaar,* yâr. Oe se prononce toujours comme un «ou» français, exemple : *toerist* («touriste»). Ij et ei correspondent au son de soleil, exemple : *dijk* (dèïk). Ou et au se prononcent «ao», exemple : *oud* (aot). Ui possède le même son que dans œil. Ie est toujours prononcé comme un i long, exemple, *vrier* (vir). J équivaut à «ye»; g est guttural comme la *jota* espagnole, exemple : *goed* (rout); ch se prononce comme un «r» très dur, exemple: Maastricht (mâstrirt) ; sch équivaut à «sr» avec un r très dur, exemple : schip (srip).

Pour des raisons pratiques d'utilisation, l'ordre de ce lexique (français/néerlandais) est inversé quand il s'agit de mots souvent rencontrés par écrit.

FORMULES USUELLES

Oui : *ja*
Non : *nee*
S'il vous plaît : *graag*
Merci : *dank u*
Pardon : *pardon*
Bonjour : *goedendag*
Bonsoir : *goedenavond*
Au revoir : *dag*
Aujourd'hui : *vandaag*
Demain : *morgen*
Hier : *gisteren*
Je suis français(e) : *Ik ben Frans*
Je ne comprends pas : *Ik versta u niet*
Parlez-vous français ? : *Spreekt u Frans ?*
Pouvez-vous m'aider ? *: Kunt u me helpen ?*

Inlichting : information
Verboten : interdit
Gevaar : danger

LES CHIFFRES

Un : *een*
Deux : *twee*
Trois : *drie*
Quatre : *vier*
Cinq : *vijf*
Six : *zes*
Sept : *zeven*
Huit : *acht*
Neuf : *negen*
Dix : *tien*

LES JOURS DE LA SEMAINE

Maandag : lundi
Dinsdag : mardi
Woensdag : mercredi
Dondserdag : jeudi
Vrijdag : vendredi
Zaterdag : samedi
Zondag : dimanche

HÔTELS, CAFÉS, RESTAURANTS

Hôtel : *hotel*
Restaurant : *restaurant / eethuisje*
Café (bar) : *koffiehuis*
Café brun (bar) : *kroeg*
Chambre : *kamer*
Clef : *sleutel*

Drap : *laken*
Couverture : *deken*
Salle de bains : *badkamer*
WC : *toilet*
Petit déjeuner : *ontbijt*
Déjeuner : *lunch/koffietafel*
Dîner : *diner*
Menu (carte) : *menukaart*
Pain : *brood*
Sandwich : *broodje*
Uitsmijter : *croque-madame copieux*
Dagschotel : *plat du jour*
Hareng : *haring*
Moule : *mossel*
Fromage : *kaas*
Salade : *sla*
Légume : *groente*
Fruit : *fruit*
Appelgebak : *tarte aux pommes*
Pannekoek : *crêpe*
Rijsttafel : *spécialités indonésiennes*
Eau : *water*
Chocolat chaud : *chocolade*
Café : *koffie*
Thé : *thee*
Avec : *met*
Sans : *zonder*
Lait : *melk*
Sucre : *suiker*
Bière blonde : *pilsje*
Bière brune : *donker bier*
Vin : *wijn*
Vin rouge : *rode wijn*
Vin blanc : *witte wijn*
Genièvre : *jenever*
Verre : *glas*
Bouteille : *fles*
Garçon : *ober*
Puis-je avoir l'addition, s'il vous plaît ? : *Mag ik de rekening graag ?*

SE REPÉRER

Où est... ? : *waar is... ?*
Est-ce près ? : *is het dichtbij ?*
Est-ce loin ? : *Is het ver weg ?*
A gauche : *linksaf*
A droite : *rechtsaf*
Tout droit : *rechtdoor*
Sud : *zuid*
Nord : *noord*
Ouest : *west*
Est : *oost*

VOYAGER

Vertrek : *départ*
Aankomst : *arrivée*

Vertraging : *retard*
Agence de voyages : *reisbureau*
Avion : *vliegtuig*
Aéroport : *luchthaven*
Bateau : *ship*
Port : *haben*
Rederij : *compagnie maritime*
Train : *trein*
Gare : *station*
Consigne : *bagagedepot*
Station essence : *benzinestation*

Perron : quai
Spoor : voie

VISITER

Excursion en bateau : *rondvaart*
Visite : *bezoek*
Ouvert : *open*
Fermé : *gesloten*
Ingang : *entrée*
Uit(gang) : *sortie*
Guichet : *loket*
Billet/ticket : *kaartje*
Ville : *stad*
Quartier : *stadswijk*
Maison : *huis*
Jardin : *tuin*
Zoo : *dierentuin*
Moulin : *molen*
Église : *kerk*
Entrepôt : *pakhuis*
Théâtre : *schouwburg*
Cinéma : *bioscoop*
Musée : *museum*
Exposition : *tentoonstelling*
Galerie d'art : *kunstgalerij*
Bureau de douane : *douanekantoor*
Police : *politie*
Bureau de poste : *postkantoor*
Timbre-poste : *postzegel*
Hôpital : *ziekenhuis*

ACHATS

A louer : *te huur*
A vendre : *te koop*
Prix : *prijs*
Combien ça coûte ? : *wat kost dit ?*
Cher : *duur*
Bon marché : *goedkoop*
Uitverkoop : *soldes*
Marché : *markt*
Boulanger : *bakker*
Pâtisserie : *banketbakkerij*
Épicier : *kuidenier*
Boucher : *slager*

Charcuterie : *delicatessenzaak*
Pharmacie : *apotheek*
Fleuriste : *bloemist*
Magasin de photo : *fotozaak*
Tabac : *tabakswinkel*
Kiosque à journaux : *krantenkiosk*
Journal : *krant*
Librairie : *boekhandel*
Antiquaire : *antiekzaak*
Bijoutier : *juwelier*

TOPONYMIE

Canaux, ponts, digues, écluses, quais : la présen-ce de l'eau dans la plupart des villes néerlan-daises peut rendre difficile la lecture d'un plan à qui ne dispose pas des quelques traductions indispensables. En outre, en néerlandais les mots rue, place, canal, etc., entrent souvent dans la toponymie.

Brug : pont
Burgwallen : fortifications
Dijk : digue
Dwarsstraat : désigne une rue perpendiculaire à une rue principale (indiquée avant)
Gracht : canal
Kade : quai
Markt : place
Plein : place
Sluis : écluse
Straat : rue

ACTIVITÉS CULTURELLES

LES TAILLERIES DE DIAMANT

Amsterdam est un centre important de taille des diamants. On peut librement entrer dans plusieurs ateliers et observer les ouvriers en train de tailler les pierres sans se sentir obligé d'acheter. Visites guidées chez les diamantaires :
Amsterdam Diamond Center
Rokin 1-5
Coster Diamonds
Paulus Potterstraat 2-4
C'est là que fut taillé, en 1852, le Koh-i-noor, le fameux diamant de la couronne d'Angleterre.
Gassan Diamond House
Nieuwe Uilenburgstraat 173-175
Holshuysen-Stoeltie B.V.
Wagenstraat 13-17
Stoeltie Diamonds
Wagenstraat 13-17
Van Moppes
Albert Cuypstraat 2-6

MUSÉES ET GALERIES D'ART

On compte plus de 750 musées aux Pays-Bas, dont une grande partie est présentée dans le guide des activités culturelles qu'édite le VVV et, sur Internet, le site *www.hollandmuseums.nl* (en anglais et néerlandais). Les prix d'entrée varient généralement entre 0,4 euros et 9 euros. Certains sont gratuits. La plupart des établissements ouvrent de 9 h à 17 h, du mardi au dimanche. Un forfait disponible auprès des agences VVV donne accès à 350 musées à travers tout le pays.

● **Alkmaar**
Kaasmuseum (musée du Fromage)
Waagplein 2, tél. (072) 511 42 84,
www.kaasmuseum.nl
Tout savoir sur l'histoire de la fabrication du fromage. Ouvert d'avril à octobre, du lundi au samedi de 10 h à 16 h, et quelques jours pendant les fêtes de fin d'année.

● **Amersfoort**
Museum Flehite
Westsingel 50, tél. (033) 461 99 87,
www.museumflehite.nl
Archéologie et histoire de la ville. Ouvert du mardi au vendredi de 11 h à 17 h, le samedi et le dimanche de 13 h à 17 h.

● **Amsterdam**
Allard Pierson
Oude Turfmarkt 127, tél. (020) 525 25 56,
www.uba.uva.nl/apm
Les collections archéologiques de l'université d'Amsterdam. Ouvert du mardi au vendredi de 10 h à 17 h, le samedi, le dimanche et les jours fériés de 13 h à 17 h.
Amstelkring Museum
Oudezijds Voorburgwal 40, tél. (020) 624 66 04,
www.museumamstelkring.nl
Un musée installé dans une chapelle catholique clandestine du XVIIᵉ siècle. Ouvert du lundi au samedi de 10 h à 17 h, dimanche et jours fériés à partir de 13 h à 17 h.
Amsterdam Historical Museum
Oudezijds Voorburgwal 359,
tél. (020) 523 18 22, www.ahm.nl
Tableaux, plans, documents et objets relatifs à l'histoire d'Amsterdam. Du lundi au vendredi de 10 h à 17 h et le week-end de 11 h à 17 h.
Bijbels Museum
Herengracht 366, tél. (020) 624 24 36,
www.bijbelsmuseum.nl
Musée de la Bible installé dans une maison décorée avec fastes. Ouvert du lundi au samedi de 10 h à 17 h, le dimanche et les jours fériés de 13 h à 17 h. Fermé les 1ᵉʳ janvier et 30 avril.

Joods Historisch Museum
Jonas Daniel Meijerplein 2-4, tél. (020) 626 99 45,
www.jhm.nl
Tableaux, objets et documents relatifs à l'histoire de la communauté juive d'Amsterdam. Ouvert tous les jours de 11 h à 17 h, excepté le 1er janvier et lors de Yom Kippour.

Koninklijk Paleis
Dam, tél. (020) 620 40 60,
www.kon-paleisamsterdam.nl
L'ancien hôtel de ville transformé en palais royal par Louis Bonaparte. Ouvert l'été tous les jours de 10 h à 17 h et de façon plus irrégulière pendant l'année.

Maison de Anne Frank
Prinsengracht 263, tél. (020) 556 71 00,
www.annefrank.nl
Ouvert tous les jours de 9 h à 19 h, et du 1er avril au 1er septembre jusqu'à 21 h. Fermé lors de Yom Kippour. Les 1er janvier et 25 décembre, ouvert à partir de midi.

Musée de cire Madame Tussaud
Dam 20, tél. (020) 523 06 23
Ouvert tous les jours, de 10 h à 18 h 30, de janvier à juin puis de septembre à décembre et de 9 h 30 à 20 h 30 de mi-juillet à fin-août.

Musée du Cinéma
Vondelstraat 69, tél. (020) 589 14 35,
www.filmmuseum.nl
Ouvert du mardi au vendredi de 10 h à 17 h et le samedi de 11 h à 17 h. Fermé les dimanches et jours fériés.

Musée du Théâtre
Herengracht 168, tél. (0)20 551 33 00,
www.tin.nl
Il présente des costumes, des objets se rapportant à des réalisations et des photos d'artistes. Ouvert du mardi au vendredi de 11 h à 17 h, les samedis et dimanches de 13 h à 17 h, fermé le 29 avril et pendant les fêtes de fin d'année.

Jardin zoologique ARTIS
Plantage Kerklaan 38-40, tél. (020) 5233400,
www.artis.nl
Ouvert, en hiver, tous les jours de 9 h à 17 h, et l'été jusqu'à 18 h.

Nederlands Scheepvaart Museum
Kattenburgerplein 1, tél. (020) 52 32 222,
www.generali.nl/scheepvaartmuseum
Tableaux, maquettes et objets racontent l'épopée navale des Pays-Bas. Ouvert du mardi au dimanche de 10 h à 17 h, de mi-juin à mi-septembre, également ouvert le lundi.

NeMo
Oosterdok 2, tél. (020) 0900 919 11 00,
www.e-nemo.nl
Situé dans le port historique d'Amsterdam, le NeMo permet, aux adultes comme aux enfants, de découvrir de manière interactive le monde de la science et des technologies. Vue spectaculaire de la ville à partir du toit. Ouvert tous les jours de 10 h à 17 h pendant les vacances scolaires. En dehors de ces périodes, du mardi au dimanche de 10 h à 17 h. Fermé le 1er janvier, le 30 avril et le 25 décembre.

Rembrandthuis
Jodenbreestraat 4-6, tél. (020) 520 04 00,
www.rembrandthuis.nl
La demeure du peintre de 1639 à 1658 ; une très belle collection de dessins et d'eaux-fortes. Ouvert du lundi au samedi de 10 h à 17 h, dimanche et jours fériés de 13 h à 17 h.

Rijksmuseum
Stadhouderskade 42, tél. (020) 674 70 47,
www.rijksmuseum.nl
L'une des plus belles collections de peinture hollandaise qui soient : Rembrandt, Hals, Vermeer, Jan Steen, Pieter De Hooch, Ruysdael, mais aussi maîtres étrangers, histoire hollandaise, sculptures, faïences de Delft, arts asiatiques. Impossible de tout voir en une seule fois. Ouvert tous les jours de 10 h à 17 h, sauf les jours fériés.

Vincent Van Gogh Museum
Paulus Potterstraat 7, tél. (020) 570 52 00,
www.vangoghmuseum.nl
Plus de 200 tableaux et 500 dessins de Van Gogh. Également des œuvres d'amis et de contemporains du peintre (Gauguin, Toulouse-Lautrec...). Prévoyez d'attendre pour entrer, surtout le dimanche. Ouvert tous les jours de 10 h à 18 h.

Nationaal Luchtvaartmuseum Aviodome
Westelijke Randweg 1, Schiphol Airport,
tél. (020) 406 80 00, www.aviodome.nl
Du mardi au vendredi de 10 h à 17 h, le samedi et le dimanche de 12 h à 17 h. D'avril à fin septembre, tous les jours de 10 h à 17 h.

Stedelijk Museum
Paulus Potterstraat 13, tél. (020) 5732911,
www.stedelijk.nl
Musée municipal d'Art moderne, l'un des meilleurs du monde. Œuvres de Cézanne, Léger, et surtout de Mondrian, de Malevitch, du groupe Cobra et des grands Américains d'après-guerre. Nombreuses expositions temporaires d'artistes contemporains. Tous les jours de 11 h à 17 h.

Werf 't Kromhout Museum
Hoogte Kadijk 147, tél. (020) 627 67 77
Chantier de restauration de vieux bateaux. Ouvert du lundi au vendredi de 10 h à 16 h. Fermé durant les jours fériés.

Tropenmuseum
Linnaeusstraat 2, tél. (020) 56 88 215,
www.kit.nl/tropenmuseum
Objets, documents et gastronomie des pays tropicaux. Tous les jours de 10 h à 17 h. Fermé le 1er janvier, le 30 avril, le 5 mai et le 25 décembre. Les autres jours fériés, fermeture à 15 h.

Van Loonmuseum
Keizersgracht 672, tél. (020) 624 52 55,
www.musvloon.box.nl
La demeure magnifiquement décorée et meublée de la famille Van Loon, cofondatrice de la Compagnie des Indes orientales. Ouvert du vendredi au lundi de 11 h à 17 h, pour les groupes également sur rendez-vous.

Verzetsmuseum
Plantage.Kerklaan.61, tél. (020) 620.25.35,
www.verzetsmuseum.org
Une évocation sobre et poignante de la Résistance néerlandaise. Ouvert du mardi au vendredi, de 10 h à 17 h, le samedi, le dimanche et les jours fériés de 12 h à 17 h.

Willet-Holthuysen Museum
Herengracht 605, tél. (020) 523 18 22,
www.ahm.nl/willet
Une jolie maison du XVIIIe siècle, entourée d'un jardin. Ouvert du lundi au vendredi de 10 h à 17 h, le samedi et le dimanche de 11 h à 17 h.

● **Arnhem**
Rijksmuseum Kröller-Müller
Hoge Veluwe National Park,
tél. (031) 859 12 41,
www.kmm.nl
Un des plus beaux musées d'art moderne d'Europe. Près d'Arnhem (prendre le bus 12 à la gare d'Arnhem). Du mardi au dimanche de 10 h à 17 h, fermé le lundi et le 1er janvier.

● **Delft**
Konninklijke Porceleyne Fles
Rotterdamseweg 196, tél. (015) 251 20 30,
www.royaldelft.com
Exposition et vente de faïences de Delft. Ouvert du lundi au samedi de 9 h à 17 h, le dimanche et jours fériés à partir de 9 h 30. Du 2 janvier au 24 mars, fermé le dimanche et les jours fériés.

Koninklijk Nederlands Legermuseum
Korte Geer 1, tél. (015) 215 05 00,
www.legermuseum.nl
Le musée royal de la Guerre, consacré à l'histoire militaire des Pays-Bas. Ouvert du mardi au samedi de 10 h à 17 h, le dimanche et jours fériés de 13 h à 17 h.

Rijksmuseum Huis Lambert Van Meerten
Oude Delft 199, tél. (015) 260 23 58
Maison Renaissance et collection de faïences de Delft. Ouvert du mardi au samedi de 10 h à 17 h, le dimanche à partir de 13 h.

Stedelijk Museum Het Prinsenhof
Sint Agathaplein 1, tél. (015) 260 23 58
Le couvent de style gothique où Guillaume le Taciturne fut assassiné. Ouvert du mardi au samedi de 10 h à 17 h, le dimanche et jours fériés à partir de 13 h.

● **Dordrecht**
Dordrechts Museum
Museumstraat 40, tél. (078) 648 21 48,
www.museum.dordt.nl
Tableaux du XVIIe siècle. Ouvert du mardi au dimanche de 11 h à 17 h.

Grote Kerk
Grote Kerksplein, tél. (078) 614 46 60
La grande église de la ville. Ouverte d'avril à octobre, de 10 h 30 à 16 h 30 du mardi au samedi, et de 12 h à 16 h le dimanche.

Musée Simon Van Gijn
Nieuwe Haven 29, tél. (078) 613 37 93
Une demeure du XVIIIe siècle ; la collection d'objets et d'œuvres d'art d'un riche amateur. Ouvert du mardi au dimanche, de 11 h à 17 h.

Enkhuizen
Rijksmuseum Zuiderzeemuseum
Wierdijk 18, tél. (022) 831 01 22,
www.zuiderzeemuseum.nl
Le musée en plein air de l'ancienne Zuiderzee regroupe plusieurs édifices, équipés de l'ameublement d'époque, représentatifs de l'architecture traditionnelle de la région. Ouvert tous les jours de 10 h à 17 h. Fermé le 1er janvier.

● **Goes**
Musée du Sud et du Nord Beveland
Singelstraat 13, tél. (011) 322 88 83
Ouvert du mardi au vendredi de 10 h à 17 h, le samedi de 13 h à 16 h.

● **Gouda**
Museum De Moriaan
Westhaven 29, tél. (018) 258 84 44
Un magasin Renaissance ; une collection de pipes. Ouvert du lundi au vendredi de 10 h à 17 h, le samedi à partir de 13 h.

Stedelijk Museum Het Catharina Gasthuis
Achter de Kerk 14, tél. (018) 258 84 40,
www.catharinaconcerten.nl/gasthuis.htm
Le musée municipal ; tableaux, meubles et objets divers. Ouvert du lundi au samedi de 10 h à 17 h, le dimanche à partir de midi.

Sint Janskerk
Achter de Kerk, tél. (018) 251 26 84
L'église Saint-Jean. Ouvert du lundi au samedi, de 9 h à 17 h de mars à octobre et de 10 h à 16 h de novembre à février.

● **Haamstede**
Delta Expo
Oosterscheldedam sur la Neeltje Jans Island,
tél. (011) 165 27 02
Le musée des travaux du plan Delta. Ouvert de 10 h à 17 h, tous les jours d'avril à octobre, et uniquement du mercredi au dimanche de novembre à mars.

● **Haarlem**
Frans Hals Museum
Groot Heiligland 62, tél. (023) 516 42 00
Des tableaux de groupe de Frans Hals. Ouvert du lundi au samedi de 11 h à 17 h, le dimanche et jours fériés de 13 h à 17 h. Fermé le 1er janvier et le 21 décembre.

● **La Haye**
Clingendael
Wassenaarseweg
Parc de 55 ha et son jardin japonais. Le jardin japonais est ouvert tous les jours de mai à mi-juin.

Communicatie Museum
Zeestraat 82, tél. (070) 330 75 00,
www.muscom.nl
Ce musée interactif permet de découvrir les moyens de communication utilisés à travers les âges. Du lundi au vendredi de 10 h à 17 h, à partir de 12 h les samedis, dimanches et jours fériés.

Haags Gemeentemuseum
Stadhouderslaan 41, tél. (070) 338 11 11,
www.gemeentemuseum.nl
Costumes, tableaux, arts décoratifs et grande collection du peintre Mondrian. Ouvert du mardi au dimanche de 11 h à 17 h.

Haags Historisch Museum
Korte Vijverberg 7, tél. (070) 364 69 40,
www.haagshistorischmuseum.nl
Musée d'histoire locale. Ouvert du mardi au samedi de 12 h à 16 h.

Madurodam
George Maduroplein 1, tél. (070) 355 39 00,
www.madurodam.nl
Ville miniature (voir p. 329). Ouvert tous les jours du 1er septembre à la mi-mars de 9 h à 18 h, de la mi-mars à fin juin jusqu'à 20 h et du 1er juillet au 31 août jusqu'à 22 h. Les caisses ferment une heure avant les heures de fermeture.

Mauritshuis
Korte Vijverberg 8, tél. (070) 302 34 56,
www.mauritshuis.nl
Le grand musée de peinture de La Haye. Ouvert du mardi au samedi de 10 h à 17 h, le dimanche et jours fériés de 11 h à 17 h.

Museon
Stadhouderslaan 41, tél. (070) 338 13 38,
www.museon.nl
Un musée des sciences. Ouvert du mardi à dimanche de 11 h à 17 h.

Omniversum
President Kennedylaan 5, tél. (0900) 666 48 37,
www.omniversum.nl
Films projetés sur une coupole géante (le système planétaire, les dauphins, l'Egypte, etc.). Ouvert le lundi de 13 h à 18 h, le mardi et mercredi de 11 h à 18 h et du jeudi dimanche et pendant les vacances scolaires de 11 h à 23 h.

Panorama Mesdag
Zeestraat 65 B, tél. (070) 364 45 44,
www.mesdag.nl
Une vue fascinante sur le vieux village de pêcheurs de Scheveningen en 1880. Ouvert du lundi au samedi de 10 h à 17 h, le dimanche et jours fériés à partir de 12 h.

Ridderzaal
Binnenhof 8a, tél. (070) 364 61 44
La salle des Chevaliers, bâtie au XIIIe siècle, au cœur du Binnenhof, centre de la vie politique de La Haye à travers les siècles. Ouvert du lundi au samedi de 10 h à 16 h. Fermé les 17 et 18 septembre.

Rijksmuseum Meermanno-Westreenianum
Prinsessegracht 30, tél. (070) 346 27 00,
info@meermanno.nl
Manuscrits et collection d'antiquités. Ouvert du mardi à vendredi de 11 h à 17 h. Samedis, dimanches et jours fériés à partir de 12 h.

Schilderjengalerie Prins Willem V
Buitenhof 35, tél. (070) 362 44 44,
www.mauritshuis.nl
Peintres mineurs des XVIIe et XVIIIe siècles. Ouvert du mardi au dimanche de 11 h à 16 h.

Vredespaleis
Carnegieplein, tél. (070) 302 41 37,
carnegie-foundation-peacepalace@wxs.nl
Le palais de la Paix abrite la Cour permanente d'arbitrage. Ouvert du lundi au vendredi de 10 h à 16 h, et d'octobre à mai jusqu'à 15 h. Le samedi, uniquement accessible aux groupes.

● **Leyde**
Hortus Botanicus der Rijcksuniversiteit Leiden
Rapenburg 73, tél. (071) 527 72 49,
www.hortus.leidenuniv.nl
Le jardin botanique de la plus vieille université des Pays-Bas. Ouvert tous les jours de 10 h à 18 h de fin mars à fin octobre ; jusqu'à 16 h le reste de l'année. Fermé le samedi. Entrée gratuite. Visites guidées sur demande.

Leiden Pilgrim Collectie
Beschuitstg 9, tél. (071) 512 24 13,
www.pilgrimhall.org/LeidenMuseum.htm
Musée consacré aux pères pèlerins qui s'embarquèrent pour l'Amérique, en 1620. Ouvert du mercredi au samedi de 13 h à 17 h.

Molenmuseum De Valk
Tweede Binnenvestgracht 1, tél. (071) 516 53 53
Le musée du moulin. Ouvert du mardi au samedi de 10 h à 17 h, le dimanche à partir de 13 h.

Naturalis Nationaal Natuurhistorisch Museum
Darwinweg 2, tél. (071) 568 76 00,
www.naturalis.nl
Musée d'histoire naturelle. Ouvert du mardi au dimanche et les jours fériés de 10 h à 18 h. Fermé le 25 décembre et le 1er janvier.

Rijksmuseum het Koninklijk Penningkabinet
Rapenburg 26, tél. (071) 516 09 99,
www.penningkabinet.nl
Le musée national de la Monnaie. Ouvert du mardi au vendredi de 10 h à 17 h, le samedi, le dimanche et jours fériés à partir de 12 h. Fermé le 1er janvier, le 3 octobre et le 25 décembre.

Rijksmuseum van Oudheden
Rapenburg 28, tél. (071) 516 31 63,
www.rmo.nl
Collections d'archéologie. Ouvert du mardi au vendredi de 10 h à 17 h, le samedi, le dimanche et jours fériés à partir de 12 h. Fermé le 1er janvier, le 3 octobre et le 25 décembre.

Rijksmuseum voor Volkenkunde
Steenstraat 1, tél. (071) 516 88 00,
www.rmv.nl
Musée d'ethnologie. Ouvert du mardi au dimanche et jours fériés de 10 h à 17 h.

Stedelijk Museum De Lakenhal
Oude Singel 28-32, tél. (071) 516 53 60,
www.lakenhal.nl
Musée de peinture, de sculpture et des arts décoratifs. Ouvert du mardi au vendredi de 10 h à 17 h, les samedis, dimanches et jours fériés à partir de 12 h.

● **Middelburg**
Vleeshal
Lange Noordstraat 8, tél. (011) 865 22 00,
www.vleeshal.nl
Musée d'art contemporain. Ouvert du mardi au dimanche de 13 h à 17 h.

● **Oudewater**
Heksenwaag
Leeuweringerstraat 2, tél. (034) 856 34 00
Musée de la Sorcellerie. Ouvert d'avril à octobre, du mardi au samedi de 10 h à 17 h, le dimanche à partir de 12 h.

● **Rotterdam**
Musée Boymans-Van Beuningen
Museumpark 18-20, tél. (010) 441 94 00,
www.boijmans.rotterdam.nl
Un magnifique musée de peinture et de sculpture, du XVe siècle à nos jours. Ouvert du mardi au samedi de 10 h à 17 h, le dimanche et jours fériés de 11 h à 17 h. Fermé le 1er janvier, 30 avril et 25 décembre.

De Dubbelde Palmboom
Voorhaven 10-12, tél. (010) 476 15 33,
www.hmr.rotterdam.nl
Ouvert du mardi au vendredi de 10 h à 17 h, le samedis, dimanches et jours fériés de 11 h à 17 h.

Euromast
Parkhaven 20, tél. (010) 436 48 11,
www.euromast.com

La plus haute tour de la ville. Ouvert tous les jours. D'octobre à mars de 10 h à 17 h, d'avril à septembre jusqu'à 19 h, et en juillet et août jusqu'à 22 h 30 du mardi au samedi.

Historisch Museum Schielandshuis
Korte Hoogstraat 31, tél. (010) 217 67 67,
www.hmr.rotterdam.nl
Tableaux et documents sur des thèmes historiques. Ouvert du mardi au vendredi de 10 h à 17 h, les samedis, dimanches et jours fériés de 11 h à 17 h.

Kijk Kubus
Overblaak 70, tél. (010) 414 22 85
Maison-test cubique dans le quartier du vieux port. Ouvert tous les jours de 11 h à 17 h et de janvier à février du vendredi au dimanche ou sur rendez-vous.

Musée maritime Prins Hendrik
Leuvehaven 1, tél. (010) 413 26 80,
www.maritiemmuseum.nl
Ouvert du mardi au samedi de 10 h à 17 h, le dimanche à partir de 11 h.

Nationaal School Museum
Nieuwenmarkt 1a, tél. (010) 404 54 25,
www.schoolmuseum.nl
Le musée national de l'histoire de l'éducation au Pays-Bas. Ouvert du mardi au samedi de 10 à 17 h et le dimanche à partir de 13 h.

Wereldmuseum Rotterdam
Willemskade 25, tél. (010) 270 71 72,
www.wereldmuseum.rotterdam.nl
Musée ethnographique. Ouvert du mardi au dimanche et jours fériés de 10 h à 17 h. Fermé le 1er janvier, le 30 avril et le 25 décembre.

● **Utrecht**
Centraal Museum
Nicolaaskerkhof 10, tél. (030) 236 23 62,
www.centraalmuseum.nl
Musée consacré à l'histoire locale du Moyen Age à nos jours. Ouvert du mardi au dimanche de 11 h à 17 h.

Domtoren
Domplein 21, tél. (030) 233 30 36
La tour de la cathédrale. Du lundi au samedi de 10 h à 16 h et, le dimanche à partir de 12 h.

Nationaal museum van Speelklok tot Pierement
Buurkerkhof 10, tél. (030) 231 27 89,
www.museumspeelklok.nl
Très belle collection d'instruments de musique mécaniques. Ouvert du mardi au samedi de 10 h à 17 h, le dimanche et jours fériés de 12 h à 17 h.

Nederlands Spoorwegmuseum
Maliebaanstation, tél. (030) 230 62 06,
www.spoorwegmuseum.nl
Musée du Chemin de fer. Ouvert du mardi au vendredi de 10 h à 17 h, les samedis, dimanches et certains jours fériés de 11 h 30 à 17 h.

Maison de Rietveld-Schroder
Prins Hendriklaan 50, tél. (030) 236 23 10,
www.centraalmuseum.nl
Maison réalisée par l'architecte Rietveld selon
les principes De Stijl. Visites guidées uniquement. Ouvert du mercredi au samedi de 11 h à
17 h et les dimanches et jours fériés à partir de
12 h 30.

Rijksmuseum het Catharijneconvent
Lange Nieuwstraat 38, tél. (030) 231 72 96,
www.catharijneconvent.nl
Musée d'Histoire des religions et d'Art cultuel.
Ouvert du mardi au vendredi de 10 h à 17 h, les
samedis, dimanches et jours fériés de 11 h à 17 h.

Slot Zuylen
Tournooiveld à Oud Zuilen, tél. (030) 244 02 55,
www.slotzuylen.com
Très beau château transformé en musée. Visites
guidées uniquement. Ouvert de la mi-mars à la
mi-novembre, du 15 mai au 15 novembre du
mardi au jeudi. Du 15 mars au 15 mai, ouvert
uniquement le week-end.

● **Vlissingen**
Musée municipal
Bellamypark 21, tél. (011) 841 24 98
Ouvert en semaine de 10 h à 17 h, le samedi et
le dimanche de 13 h à 15 h.

● **Zierikzee**
Musée maritime
Mol 25, tél. (011) 141 31 51
Ouvert du lundi au samedi de 10 h à 17 h et le
dimanche à partir de 12 h, d'avril à octobre.

EXCURSIONS

AMSTERDAM

● **Excursions**
Les agences de voyages organisent des tours de
la ville en autocar, des tours des canaux en
vedette et des excursions en dehors de la ville.
Le tour des canaux en bateaux (*rondvaart*),
dure de 1 h à 1 h 30, et permet de voir plus facilement certains sites intéressants, en particulier
les entrepôts de l'Est. Le soir, il est possible de
dîner à bord.
   La ligne 20 (Circle Tram) des tramways permet également de faire le tour des principaux
sites.
   Pour des excursions en autocar dans
Amsterdam et ses environs se renseigner auprès
des tour-opérateurs suivants :
Holland International
tél. (020) 622 77 88

Lindbergh
Damrak 26, tél. (020) 622 27 66

EXCURSIONS EN BATEAU ET TRAINS À VAPEUR

● **Amsterdam**
Rederij d'Amstel
Face à la brasserie Heineken
Nicolaas Witsenkade 1 a,
1017 ZS, tél. (020) 626 56 36
75 min.
Holland International
Face à Centraal Station
P/A 54 Rokin, 1012 KV, tél. (020) 622 77 88
60 min.
Rederij P Kooij BV
Près de Spui
Rokin en face du 125, 1012 KK,
tél. (020) 623 38 10
60 min.
Rederij Lovers BV
Prins Hendrikkade en face du 25-27, 1000 AV,
tél. (020) 622 21 81
Accessible aux handicapés. 60 min.
Meijers Rondvaarten
Damrak, embarcadère 4-5,
96 Apollolaan, 1077 BE, tél. (020) 623 42 08
60 min.
Rederij Noord Zuid
Face au Parkhotel
Stadhouderskade 25, 1071 ZD,
tél. (020) 679 13 70
90 min.

● **Province du Nord de la Hollande**
Hoorn-Medemblik
tél. (022) 921 48 62,
www.museumstoomtram.nl
Escapade à bord d'un ancien train à vapeur
dans la campagne hollandaise ponctuée de
ravissants villages. Ouvert d'avril à octobre.

● **Province du Nord-Brabant**
Lage Zwaluwef
Biesboschtours
Biesboschweg 7, tél. (016) 848 22 50,
www.biesboschtours.nl
Magnifique excursion en bateau. Tous les jours
du 15 juillet au 15 août, le reste de l'année sur
demande.

MUSIQUE ET SPECTACLES

Utiles pour connaître les programmes des
concerts et des spectacles, deux publications dis-
tribuées gratuitement par l'office du tourisme : la

revue mensuelle de l'Uitburo, l'*Uitkrant*, et la publication hebdomadaire de l'office du tourisme, *Amsterdam this Week*.

● **Musique**
Pour la plupart des concerts, on peut réserver des places à l'Uit Buro d'Amsterdam sur Leidseplein (*tél. 0900 01 91*) ou au Theater Bespreek Buro du VVV. Le temple de la musique classique est le Concertgebouw (Museumplein, *tél. 020 671 83 45*).

Le Muziektheater (*tél. 020 623 34 62*), donnant sur l'Amstel et Waterlooplein, peut accueillir 1 600 spectateurs. Le ballet national et l'orchestre national des Pays-Bas y résident à demeure.

L'Openluchtheater (*tél. 020 523 77 90*) du Vondelpark accueille régulièrement des concerts de musique rock. On peut entendre de la musique contemporaine au Stedelijk Museum le samedi à 15 h, de septembre à mai. Mais la grande manifestation de l'année est le festival de Hollande, qui se déroule en été.

● **Théâtre**
La plupart des pièces jouées à Amsterdam sont en néerlandais. Cependant, quelques théâtres donnent également des productions internationales : le Carré (*Amstel 115-125, tél. 020 622 52 25*), le Muziektheater (*Waterlooplein 22, tél. 020 551 81 17*) ou le Toomler (*Breitnerstraat 2, tél. 020 670 74 00*). Il est prudent de se renseigner à l'avance.

● **Cinéma**
Il y a une cinquantaine de salles de cinéma à Amsterdam. Les films sont donnés en version originale sous-titrée en néerlandais. On peut généralement consulter les programmes dans les cafés et les bars. Le plus beau cinéma de la ville est le Tuschin-ski (*Reguliersbreestraat 26, tél. 0900 14 58*), de style Art déco. Appartenant au même groupe, deux autres cinémas sont aussi prisés : le Pathé De Munt (*Vijzelstraat 15, tél. 0900 1458*) et le City (*Kleine Gartmanplantsoen 15-19, tél. 020 623 45 79*).

Pour les films anciens ou d'avant-garde, il y a le Desmet (*tél. 020 627 34 34*), également de style Art déco, et le Film-museum/Cinemateek (*Vondelpark 3, tél. 020 589 14 00*).

SHOPPING

Amsterdam n'est pas la ville des bonnes affaires car les prix sont élevés. Mais il y a beaucoup de choses amusantes à voir, surtout en matière d'antiquités. Les grandes artères commerçantes sont Kalverstraat et Nieuwendijk, les boutiques plus élégantes se trouvent dans P. C. Hoofstraat et Van Baerlerstraat. Les magasins moins conventionnels se trouvent dans le Jordaan, le quartier des artistes.

L'office de tourisme fournit des cartes et des fascicules fort utiles qui indiquent les boutiques spécialisées et répondent à tous les besoins : antiquités, marchés en plein air, mode. Certains magasins du centre sont ouverts le dimanche.

● **Les marchés d'Amsterdam**
Pour tout renseignement sur les marchés d'Amsterdam, contacter le numéro suivant : *Tél. (020) 682 36 55*

Marché aux fleurs
Singel, tél. (020) 682 36 55
Le plus célèbre. Un enchantement de couleurs et de parfums même au cœur de l'hiver. Du lundi au samedi de 9 h à 17 h.

Produits de la ferme
Noordermarkt, tél. (051) 648 19 87
Le samedi de 10 h à 17 h.

Marché aux livres et aux gravures
Oudemanhuispoort
Livres et gravures de collection. Du lundi au samedi, de 13 h à 16 h.

Marché du timbre
NZ Voorburgwal
Timbres et pièces de monnaie. Ouvert les mercredis et samedis après-midi.

Marché aux plantes et aux fleurs
Amstelveld
En été. Le lundi de 9 h à 12 h 30.

Antiquités
Nieuwmarkt, tél. (020) 682 36 55
De mai à septembre, le dimanche de 10 h à 16 h.

Marché aux puces
Waterlooplein, tél. (020) 627 27 98
Du lundi au samedi, de 9 h à 17 h.

Brocante
De Looier 109, Elandsgracht, tél. (020) 624 00 68
Marché couvert. Du samedi au jeudi de 11 h à 17 h.

Tissus
Noordermarkt/Westerstraat, tél. (020) 682 36 55
Le lundi de 9 h à 13 h.

Marché aux oiseaux
Noordermarkt, tél. 0800 13 00
Le samedi matin.

Marché d'art
Thorbeckeplein, tél. (075) 670 30 30
Le dimanche de midi à 18 h, de mi-mars à fin novembre.

Grands marchés
Albert Cuypstraat, tél. (020) 662 60 76
Du lundi au samedi de 9 h à 16 h.

● **La Haye**

Grote Marktstraat est la principale artère commerçante de la ville. A voir, autant pour son architecture que pour ses produits, le grand magasin De Bijenkorf. Les amateurs de petites boutiques apprécieront les ruelles à arcades qui se trouvent derrière. Pour les objets d'art et les antiquités, se rendre dans Noordeinde.

● **Rotterdam**

En matière de shopping, Rotterdam offre plutôt moins que d'autres villes néerlandaises. Les boutiques les plus intéressantes se trouvent autour de Winkel Promenade, Lijnbaan et Binnenweigplein. Un des plus importants marchés des Pays-Bas, le Centrummarkt, a lieu tous les mardis et samedis au Binnenrotteterrein de 9 h à 17 h.

SPORTS

● **Amsterdam**

– Golf

Les deux terrains les plus proches du centre-ville sont l'Amsterdamse Golf Club (*Zwarte Laantje 4, tél. 020 694 36 50*) et le Golf Club Olympus (*Abcouderstraat 46, tél. 029 428 12 41*).
Fédération néerlandaise de golf
Rijnzathe 8, 3454 PV De Meern,
tél. (030) 662 18 88, www.golfinfo.nl

– Natation

Ceux qui ont la chance de descendre à l'Amstel ou à l'Europe pourront profiter de leur piscine privée. Sinon, la piscine la plus moderne d'Amsterdam est De Mirandabad (*De Mirandalaan 9*), avec un bassin couvert, un bassin à ciel ouvert, des vagues artificielles et des toboggans. Marnixbad (*Marnixplein 5*), à proximité du Jordaan, a un bassin couvert avec des cloisons coulissantes pour l'été. Zuiderbad (*Hobbemastraat 26*) est située près des musées.

– Patin à glace

S'il fait assez froid, toute la Hollande patine sur les canaux. Sinon, il y a la patinoire officielle d'Amsterdam, ouverte toute l'année, le Jaap Edenbaan (*Radioweg 64, tél. 020 694 96 52*).

– Sports nautiques

On peut faire de l'aviron, louer des canoës et des planches à voile à l'Amsterdamse Bos, à Gaasperplas (*tél. 020 696 86 62*, au S.-E., métro Gaasperplas) et à Het Twiske (au nord, départ de Centraal Station). A Het Twiske, le matériel se loue au Haven De Roemer (*tél. (075) 684 48 90,*

fermé du 1er octobre au 15 avril). Pour louer un *grachtenfiets* (sorte de pédalo), le plus simple est de contacter Canal Bike (voir p. 310). Le VVV publie un petit livret sur les sports nautiques. On peut aussi contacter la Fédération royale de sports nautiques à l'adresse suivante :
Runnenburg 12, 3981 AZ Bunnik,
tél. (030) 656 65 50, www.knwv.nl
Association néerlandaise de canoë
Postbus 1160, 3800 BD Amersfoort,
tél. (033) 462 23 41, www.nkb.nl

Squash

Des courts sont disponibles au Sportcentrum Borchland (*Borchlandweg 12, tél. 020 563 33 33*) ou au Squash City Amsterdam (*Ketelmakerstraat 6, tél. 020 622 35 75*).

● **Associations sportives**

– Pêche

La Fédération néerlandaise de pêche édite un petit livret disponible auprès des agences du VVV.
NNVS
Postbus 288, 3800 AG Amersfoort,
tél. (033) 463 49 24

– Équitation

Une brochure est disponible auprès du VVV. Pour contacter la fédération :
NHS
Postbus 456, 3744 MA Baarn,
tél. (035) 548 36 00, www.nhs.nl

OÙ SE RESTAURER

A l'exception de certaines régions méridionales, les Néerlandais n'ont aucune prétention en matière de gastronomie. Ils concoctent une cuisine saine, à base de produits simples (hareng, viande rouge, saucisses, pommes de terre et légumes) et se contentent souvent d'un repas de tartines (*boterham*).

A midi, dans les villes, on déjeune rapidement d'un sandwich (*broodje*) composé d'un petit pain rond fourré de jambon, de viande froide, de saucisse fumée ou, le plus délicieux, de crevettes, ou encore d'un hareng cru (*maatje*) servi avec des oignons hachés, que l'on achète dans des kiosques en pleine rue, avec, parfois, un cornet de frites à la mayonnaise. Pour quelques pièces, on peut sortir un plat chaud d'un distributeur encastré dans la façade d'une maison. Cela s'appelle *uit de muur eeten* («manger ce qui sort du mur»). Si l'on s'assoit dans un café, le plat le plus répandu est l'*uitsmijter*, sorte de croque-monsieur ouvert et surmonté d'un œuf au plat.

Le dîner se prend entre 18 h et 20 h. Les meilleurs plats sont les soupes et les ragoûts traditionnels (surtout la savoureuse soupe au lard et aux pois, ou *erwtensoep*), l'anguille fumée et l'incomparable *biefstuk*. Les restaurants affichant *Nederland Dis* servent ces spécialités. Mais de nos jours, à Amsterdam, on peut trouver toutes sortes de restaurants, de l'indonésien, qui sert le fameux *rijsttafel*, à l'italien en passant par le chinois et l'argentin. En général, les restaurants français sont chers.

Le service de 15 % étant compris dans l'addition, il n'est absolument pas indispensable de laisser un pourboire.

Attention, beaucoup d'établissements n'acceptent pas les cartes de crédit.

Restaurants

● Amsterdam

– Grand luxe
Ciel Bleu
Okura Hotel
Ferdinand Bolstraat 333, tél. (020) 678 71 11
Excellent restaurant français situé au 23e étage de l'hôtel. Le soir uniquement.

La Rive
Amstel Hotel
Professor Tulpplein 1, tél. (020) 622 60 60
Cuisine française. Ambiance intime dans un cadre élégant, service irréprochable. Le soir uniquement.

Yam Yam
Frederik Hendrikstraat 90, tél. (020) 681 50 97
A l'ouest d'Amsterdam, les plats sont cuisinés dans un four à bois traditionnel.

Yamazato
Okura Hotel
Ferdinand Bolstraat 333, tél. (020) 678 71 11
Le meilleur restaurant japonais de Hollande.

– Cher
Dorrius
NZ Voorburgwal 5, tél. (020) 420 22 24
Restaurant typiquement hollandais : serveurs en tablier blanc, murs lambrissés, cuisine traditionnelle. Cher et plutôt élégant. Le soir uniquement. Fréquenté par les touristes.

Dynasty
Reguliersdwarsstraat 30, tél. (020) 626 84 00
Délicieux plats chinois, thaïlandais et indonésiens. Décor oriental. Tenue formelle et réservation indispensables. Fermé le mardi et de fin décembre à fin janvier. Le soir uniquement.

Tout Court
Runstraat 17, tél. (020) 625 86 37
Petit restaurant français très couru. Savante combinaison de cuisine traditionnelle et de nouvelle cuisine. Fermé à midi et le samedi.

d'Vijff Vlieghen
Spuistraat 294-302, tél. (020) 624 83 69
Lieu très pittoresque (poutres apparentes dans les sept petits salons, bougies sur les tables) bien que trop touristique. Authentique cuisine hollandaise. Le soir uniquement.

– Modéré
Die Port van Cleve
Dijk 74-78, à Enkhuizen, tél. (022) 831 25 10
Hôtel-restaurant. Très bonne adresse pour le déjeuner.

Golden Temple
Utrechtsestraat 126, tél. (020) 626 85 60
Excellent petit restaurant végétarien.

Indonesia
K. Leidsedwstraat 18, tél. (020) 623 20 35
L'un des meilleurs endroits pour goûter la cuisine indonésienne. Ancienne maison patricienne au décor grandiose. Vue sur le marché aux fleurs.

Sama Sebo
P. C. Hoofstraat 27, tél. (020) 662 81 46
Autre excellent restaurant indonésien d'Amsterdam, proche des musées et des magasins. Réservation vivement conseillée. Fermé le dimanche et les deux dernières semaines du mois de juillet.

Sluizer
Utrechtsestraat 43-45, tél. (020) 622 63 76
Restaurant traditionnel hollandais. Excellent établissement très recherché.

Umeno
Agamemnonstraat 27, tél. (020) 676 60 89
Bon restaurant de cuisine japonaise fréquenté par les hommes d'affaires. Proche du Centre des expositions RAI. Fermé le mercredi.

– Bon marché
Bojo
Lange Leidsedwarsstraat 51, tél. (020) 622 74 34
Cuisine indonésienne. Bon rapport qualité/prix. Ouvert jusqu'à 2 h.

La Brasa Steak Restaurant
Harlemmerdijk 16, tél. (020) 625 44 38
Spécialités de viandes grillées.

De Blauwe Hollander
Liedsekruisstraat 28, tél. (020) 623 30 14
Cuisine hollandaise simple et authentique dans un cadre agréable. Dîner uniquement.

Pianeta Terra
Beulingstraat 7, tél. (020) 626 19 12
Spécialités végétariennes.

Speciaal
Nieuwe Leliestraat 144, tél. (020) 624 97 06
Situé dans une rue quelconque de Jordaan District, ce bon restaurant indonésien sert un excellent *rijsttafel* dans un décor presque tropical.

● **La Haye**
Aubergerie
Nieuwe Schoolstraat 19, tél. (070) 364 80 70
Style bistrot. Copieux plats de fruits de mer. Fermé le lundi et le dimanche.
Corona
Corona Hotel
Buitenhof 39-42, tél. (070) 363 79 30
Cuisine française très raffinée.
Kandinsky
Kurhaus Hotel
Gevers Deynootplein 30,
Sheveningen, tél. (070) 416 26 34
Plats de poisson façon nouvelle cuisine.
Da Roberto
Noordeinde 196, tél. (070) 346 49 77
Pâtes maison et nouvelle cuisine à l'italienne.
Djawa
Mallemolen 12 a, tél. (070) 363 57 63
Un des restaurants indonésiens les plus réputés d'Europe et certainement de La Haye.
Le Haricot vert
Molenstraat 9 a, tél. (070) 365 22 78
Bistro familial. Cuisine française.
It Rains Fishes
Noordeinde 123, tél. (070) 365 25 98
Spécialités de poissons et heureux mélange de cuisine thaïe et française.
Saur
Lange Voorhout 47, tél. (070) 346 25 65
Restaurant de poisson et de fruits de mer très réputé. Fermé le dimanche.
Auberge de Kieviet
Stoeplein 27, Wassenaar, tél. (070) 511 92 32
En dehors de la ville, dans un cadre champêtre. Cuisine française imaginative.

● **Rotterdam**
Dewi Sri
Westerkade 20-22, tél. (010) 436 02 63
Atmosphère coloniale, excellent *rijsttafel*.
Café Restaurant Loos
Westplein 1, tél. (010) 411 77 23
Dans le quartier maritime de la ville.
Old Dutch
Rochussenstraat 20, tél. (010) 436 03 44
Cuisine hollandaise traditionnelle. Luxueux.
Parkheuvel
Heuvellaan 21, tél. (010) 436 05 30
Édifice de style Bauhaus situé dans Het Park. Vue sur le port. L'été, dîner en terrasse.

Hong Kong
Westersingel 15, tél. (010) 436 64 63
Authentique cuisine cantonaise.

CAFÉS ET BARS

Les Hollandais sont de grands amateurs de café et de bière (les Pays-Bas sont le premier pays producteur de bière du monde, Heineken étant la brasserie la plus connue). La bière locale est servie dans des chopes de 25 cl. On trouve de nombreuses variétés de bières étrangères, mais elles coûtent plus cher. Le gin hollandais, moins fort que le gin anglais, est appelé *jenever*. On le boit cul sec dans un petit verre en forme de tulipe, ou en alternance avec un verre de bière. Les variétés sont nombreuses, mais on distingue essentiellement entre l'*oude* (vieux), plus moelleux, et le *jonge* (jeune), plus raide.

Les cafés bruns (*kroeg*), à l'ambiance chaleureuse et enfumée, sont parfaits pour boire une bonne bière. On peut y prendre un plat du jour (moins cher que dans les restaurants), mais rien n'empêche de paresser deux heures devant un verre, en lisant le journal, par un après-midi pluvieux. Pour déguster un verre de *jenever*, il faut se rendre dans un *proeflokaal*. Il existe aussi une génération de cafés modernes, ultrapropres, design, qui servent des cocktails sophistiqués. Les *coffee-shops* sont des cafés snacks où l'on peut parfois acheter et consommer des drogues douces.

Quelques adresses de cafés à Amsterdam :

Américain
American Hotel
Leidseplein 28
Splendide café Art nouveau avec vue sur Leidseplein. L'un des plus fréquentés parmi les lieux à la mode. Mata Hari y fêta son mariage.
De Jaren
Nieuwe Doelenstraat 20-22
Intérieur tendance et terrasse sur deux niveaux donnant sur l'Amstel.
Eylders
Korte Leidsedwarsstraat
Proche de Leidseplein. Ancien lieu de rencontre d'écrivains. Expositions d'art moderne temporaires.
Havana
Reguliersdwarsstraat 17-19
Clientèle branchée et gay.
Het Hok
Lange Leidsedwarsstraat 134
Jeux d'échecs, de dames et de backgammon.
Hoppe
Spui 20
Café toujours bondé et très enfumé.

Jan Heuvel
Prinsengracht 568
Traditionnel café brun proche du Rijksmuseum.
De Prins
Prinsengracht 124
Charmante maison du XVIIIᵉ siècle donnant sur
un canal. On peut y boire un verre, prendre un
copieux petit déjeuner, y déjeuner ou y dîner.
Schiller
Rembrandtsplein 26
A pour unique attrait un bel intérieur Art déco.
Wijnand Fockink
Pijlsteeg 31
Bar pittoresque situé dans une ravissante mai-
son proche du Dam. Alcools et liqueurs.

OÙ LOGER

Aux Pays-Bas, la qualité des logements est, en
règle générale, assez haut de gamme, et les prix
sont fixés en conséquence. Ceux-ci peuvent
varier de 30 à 50 % selon la saison, à condition
cependant de demander une réduction (que l'on
n'obtient pas systématiquement). Le petit déjeuner est, le plus souvent, compris dans le prix de la
chambre. En haute saison, il est conseillé de
réserver. Ce conseil vaut tout spécialement pour
Amsterdam, dont les hôtels bien situés affichent
complet bien avant le début de la saison. Il est
très simple de réserver par téléphone (en anglais)
mais on peut aussi contacter la centrale de réservation. Le VVV publie un guide fort utile.
Attention, seules les agences VVV signalées par
la mention *i Nederland* font des réservations.

La majorité des hôtels d'Amsterdam appartiennent à la catégorie luxe ou quatre étoiles. Il
existe cependant des établissements un peu
moins chers, mieux situés et à l'ambiance plus
chaleureuse, aménagés le plus souvent dans
d'anciennes maisons donnant sur un canal (avec
pour inconvénients l'exiguïté des chambres et la
présence d'escaliers abrupts). Les différentes
catégories d'hôtels sont symbolisées de la façon
suivante :

Luxe	****L
Grand confort	****
Confortable	***
Bon marché	**

Centrale de réservation
Tél./fax 7000 888,
reservations@amsterdamtourist.nl
Les services sont gratuits et couvrent tout le
pays. Indiquer le lieu, les dates, le prix souhaité,
le nombre de chambres, en prenant soin de pré-
ciser si la salle de bains doit être individuelle.

HÔTELS

● **Amsterdam**

Amstel Mercure **** **L**
Professor Tulpplein 1, 1018 GX,
tél. (020) 622 60 60
Cet hôtel du XIXᵉ siècle, magnifiquement meublé,
est situé sur les rives de l'Amstel, à 20 min à pied
du centre. Fréquenté par les célébrités. Excellent
restaurant. Chambres et suites somptueuses, service parfait, très agréable terrasse en été.
Apollo Le Méridien **** **L**
Apollolaan 2, 1077 BA,
tél. (020) 673 59 22, www.meridien.nl
Moderne et luxueux, au bord de l'eau, cet hôtel
est situé à 3 km au sud du centre. Deux restaurants avec terrasses. Grand buffet pour le petit
déjeuner.
Europe **** **L**
Nieuwe Doelenstraat 2-8, 1012 CP,
tél. (020) 531 17 77, www.leurope.nl
Splendide palace du XIXᵉ siècle offrant une belle
vue sur l'Amstel. Piscine, terrasse, deux restaurants, dont l'Excelsior, accessible en péniche.
Golden Tulip Barbizon Palace **** **L**
Prins Hendrikkade 59-72, 1012 AD,
tél. (020) 556 45 64,
www.goldentuliphotels.nl/gtbpalace
Ensemble de maisons du XIXᵉ siècle réaména-
gées en un luxueux hôtel donnant sur la Gare
centrale. Décor inspiré des styles post-modernes
hollandais et français. Nombreuses prestations,
notamment salles de réunion, centre de remise
en forme avec sauna et plusieurs salles de gym-
nastique.
Okura Amsterdam **** **L**
Ferdinand Bolstraat 333, 1072 LH,
tél. (020) 678 71 11, sales@okura.nl
Les hommes d'affaires étrangers constituent
l'essentiel de la clientèle de cet hôtel de
23 étages avec parking, bar... Deux excellents
restaurants : Ciel bleu (cuisine française) et
Yamazato (cuisine japonaise).
Sonesta **** **L**
Kattengat 1, 1012 SZ, tél. (020) 212 223
Grand hôtel luxueux situé à proximité de la
Gare centrale (et de certaines rues sordides) et
en face de l'église luthérienne (où ont lieu
conférences et concerts). Nombreuses prestations : centre de remise en forme, boîte de nuit,
café hollandais. Possède également une belle
collection d'art moderne.
American Hotel ****
Leidsekade 97, 1017 PN, tél. (020) 556 30 00,
www.interconti.com
Remarquable édifice Art déco, classé patrimoine historique, situé dans le quartier animé de

Leidseplein. Son café est célèbre et fréquenté par une clientèle pittoresque. Bar et terrasse.

Krasnapolsky ****
Dam 9, 1012 JS, tél. (020) 554 91 11
En face du Palais Royal. Chambres spacieuses et confortables.

Pulitzer Sheraton ****
Prinsengracht 315-331, 1016 GZ,
tél. (020) 523 52 35, www.pulitzer.nl
Cette maison en brique des XVIIe et XVIIIe siècles a été reconvertie en un charmant hôtel. Poutres apparentes, bel ameublement ancien. Proche des résidences et des entrepôts des rives du canal.

Ambassade ***
Herengracht 335-353, 1016 AZ,
tél. (020) 555 02 22, www.ambassade-hotel.nl
Le long de l'Herengracht et du Singel, dix maisons patriciennes des XVIIe et XVIIIe siècles ont aménagées en chambres d'hôtes au luxe digne d'un palace : chambres et salons décorés de meubles anciens et de tableaux, dans le style du Siècle d'or, escaliers en colimaçon, salles de bain en marbre, bibliothèque… Accueillant et très fréquenté. Réservation indispensable.

Atlas ***
Van Eeghenstraat 64, 1071 GK,
tél. (020) 676 63 36
Charmant petit hôtel de style Art nouveau situé au calme, dans le quartier résidentiel proche du Vondelpark.

Canal House ***
Keizersgracht 148, 1015 CX, tél. (020) 622 51 82
www.canalhouse.nl
Situé le long d'un paisible canal, cet hôtel de luxe occupe d'anciennes maisons de commerçants admirablement rénovées. Belles chambres aux motifs fleuris et couleurs pastel. Mobilier ancien. Le petit déjeuner est servi dans un salon bourgeois donnant sur le jardin intérieur.

Estherea ***
Singel 303-309, 1012 WJ, tél. (020) 624 51 46
Maison du XVIIe siècle située sur les rives du canal, à 2 min à pied du Dam. L'escalier est très raide, mais il y a un ascenseur.

Jan Luyken ***
Jan Luykenstraat 58, 1071 CS,
tél. (020) 573 07 30, info@janluyken.nl
Immeuble du XIXe siècle situé à proximité des principaux musées d'art, du Concertgebouw et du Théâtre municipal. Calme. Salon, bar et patio.

Owl ***
Roemer Visscherstraat 1-3, 1054 EV,
tél. (020) 618 94 84
Proche du Vondelpark, à 5 min de Leidseplein. Accueillant et calme. Chambres petites mais plaisantes.

Prinsen ***
Vondelstraat 36-38, 1054 GE,
tél. (020) 616 23 23, www.prinsenhotel.nl
Maisons du XIXe siècle bien rénovées, situées dans une rue calme, près de Leidseplein.

Terdam ***
Tesselschadestraat 23, 1054 ET,
tél. (020) 612 68 76
Le meilleur hôtel de la chaîne AMS. A 5 min à pied de Leidseplein.

Acro **
Jan Luykenstraat 44, 1071 CR,
tél. (020) 662 55 38
L'un des meilleurs établissements bon marché. A proximité des musées et du Vondelpark. Ameublement moderne et soigné.

Cok Business Class **
Koninginneweg 34-36, 1075 CZ,
tél. (020) 664 61 11
Grand hôtel moderne et auberge proches du Vondelpark et des stations de tram menant au centre-ville. Salles de jeu, boîte de nuit et boutiques.

Quentin **
Leidsekade 89, 1017 PN, tél. (020) 626 21 87
Charmant petit hôtel bien tenu, situé sur un large canal près de Leidseplein. Très fréquenté.

Van Ostade Bicycle Hotel
Van Ostadestraat 123, tél. 679 34 52,
www.etrade.nl/bicycle_hotel
Destiné aux cyclistes : location de vélo et garage couvert, cartes… Paiement en espèces ou chèques de voyage.

Wijnnobel **
Vossiusstraat 9, 1071 AB, tél. (020) 662 22 98
Bon rapport qualité/prix. Chaleureux. Vue sur le Vondelpark. Salles de bains communes.

● **Arcen**
De Oude Hoeve **
Raadhuisplein 6, 5944 AH, tél. (077) 473 20 98

● **Arnhem**
Golden Tulip Rijn Hotel ****
Onderlangs 10, 6812 CG, tél. (026) 443 46 42,
www.rijnhotel.nl

● **Bergen op Zoom**
Elzenhof ***
Dorpsstraat 78, 1861 KZ, tél. (072) 581 24 01,
elzenhof@compuserve.com

Zee Bergen ***
Wilhelminalaan 11, 1861 LR,
tél. (072) 589 72 41

● **Delft**
Museum Best Western ****
Oude Delft 189, 2611 HD, tél. (015) 214 09 30

Leeuwenbrug ***
Koornmarkt 16, 2611 EE, tél. (015) 214 77 41

● **Den Bosch**
Eurohotel Best Western ***
Hinthamerstraat 63, 5211 MG, tél. (073) 613 77 77
Golden Tulip Central ****
Burg Loeffplein 98, 5211 RX,
tél. (073) 692 69 26, www.hotel-central.nl

● **Enkhuizen**
Die Port van Cleve ***
Dyk 74-76, 1601 GK, tél. (022) 831 25 10
Het Wapen van Enkhuizen **
Breedstraat 59, 1601 KB, tél. (0228) 831 34 34

● **Groningue**
De Doelen ***
Grote Markt 36, 9711 LV, tél. (050) 312 70 41

● **Haarlem**
Golden Tulip ****
Burg van Alphenstraat 63, 2041 KG Zandvoort,
tél. (023) 576 07 60, www.goldentuliphotels.nl
Carlton Square **
Baan 7, 2012 DB, tél. (023) 531 90 91,
www.carlton.nl

● **La Haye**
Des Indes Intercontinental *****
Lange Voorhuit 54-56, 2514 EG,
tél. (070) 361 23 45
Ce palace, édifié en 1850, fut l'un des lieux favoris de Mata Hari.
Kurhaus *****
Gevers Deynootplein 30,
2586 CK, Scheveningen, tél. (070) 416 26 36
Magnifique architecture et splendide vue sur la mer pour cet établissement de la station balnéaire de Scheveningen (banlieue de La Haye). Réductions sensibles hors saison.
Corona ****
Buitenhof 39-42, 2513 AH s' Gravenhage,
tél. (070) 363 79 30
Luxueux hôtel situé sur une place calme. Meubles de style, restaurant très renommé.
Esquire ***
Van Aerssenstraat 65, 2582 JG,
tél. (070) 352 23 41
Petit hôtel confortable. Bon restaurant.

● **Harlingen**
Anna Casparii ***
Noorderhaven 67, 8861 AL, tél. (051) 741 20 65

● **Leeuwarden**
Eurohotel ***
Europaplein 20, 8915 CL, tél. (058) 213 11 13

● **Leyde**
Holiday Inn ****
Haagse Schouwweg 10,
2332 KG, tél. (071) 535 55 55
Bon marché pour un week-end.
Nieuw Minerva **
Boommarkt 23, 2311 EA, tél. (071) 512 63 58
Meubles d'époque pour cet hôtel sans prétention situé dans un quartier d'immeubles anciens le long d'un paisible affluent du Rhin.

● **Maastricht**
Hotel Derlon ***
Onze Lieve Vrouweplein 6, 6211 HD,
tél. (043) 321 67 70
Charmant hôtel situé dans un vieux quartier construit sur des fondations romaines.
De La Bourse **
Markt 37, 6211 CK, tél. (043) 321 81 12
Bien situé. Ambiance chaleureuse.
La Colombe **
Markt 30, 6211 CK,
tél. (043) 321 57 74, www.hotellacolombe.nl
Restaurant et bar très corrects.

● **Rotterdam**
Atlanta Golden Tulip ****
Aert von Nesstraat 4, 3012 CA, tél. (010) 206 78 00
Central, accueillant.
Hilton International ****
Weena 10, 3012 CM, tél. (010) 710 80 00
Situé dans le centre des affaires de Rotterdam, très animé, de jour comme de nuit.
Parkhotel ****
Westersingel 70, 3015 LB, tél. (010) 436 36 11
Remarquable hôtel de style Art déco avec jardin, galerie d'art et centre de remise en forme.
De Beer ***
Europaweg 210, 3198 LD, tél. (018) 126 23 77
Sur le port. Salles de réunion.

● **Utrecht**
Holiday Inn ****
Jaarbeursplein 24, 3521 AR, tél. (030) 297 79 77,
www.hiutrecht.nl
Près du Centre des expositions. Sauna, piscine.
Malie Hotel ***
Maliestraat 2, 3581 SL, tél. (030) 231 64 24,
www.maliehotel.nl
Accueillant et calme.

● **Zwolle**
Bilderberg Grand Hotel Wientjes ****
Stationsweg 7, 8011 CZ, tél. (038) 425 42 54,
www.bilderberg.nl
Bel hôtel et bon restaurant. Fermé de la fin décembre à début janvier.

MAISONS D'HÔTE

Les offices du tourisme VVV ont des listes de particuliers qui accueillent les touristes chez eux. D'autres organisations se chargent également de réserver une chambre chez l'habitant :

Bed & Breakfast Holland
Th. De Bockstraat 3, 1058 TV Amsterdam, tél. (020) 615 75 27

AUBERGES DE JEUNESSE

Les auberges de jeunesse publiques (NJHC) demandent un supplément par nuitée aux non-adhérents. Les établissements privés sont réservés aux voyageurs âgés de 18 à 35 ans. Les établissements suivants sont situés à Amsterdam :

City Hostel Stadsdoelen NJHC
Kloveniersburgwal 97, tél. 624 68 32
City Hostel Vondelpark NJHC
Zandpad 5, tél. 589 89 99,
www.njhc.org./vondelpark
The Flying Pig Downtown
Nieuwendijk 100, tél. 420 68 22
www.flyingpig.nl
The Flying Pig Palace
Vossiusstraat 46, tél. 400 41 87,
www.flyingpig.nl

VIE NOCTURNE

● **Amsterdam**

– **Boîtes de nuit**
Bamboo Bar
Lange Leidsedwarsstraat 64
Orchestres de jazz et de blues.
BIMhuis
Oudeschans 73-77
Excellente musique jazz (moderne et classique).
Escape
Rembrandtsplein 11
Les plus courues des soirées house et techno ; célébrités locales et internationales aux platines.
Mazzo
Rozengracht 114
Musiques *trance*, *drum'n'bass*, techno…
Melkweg
Lijnbaansgracht 243 A
Près de Leidseplein. Cet ancien point de ralliement hippie abrite une salle de concert et une boîte de nuit et accueille des expositions d'art et des pièces de théâtre expérimentales.

More
Rozengracht 144
Musique branchée dans un endroit tendance.
Odeon
Singel 460
Élégante maison du XVIIe siècle réaménagée en boîte de nuit et café. Très chic.
Paradiso
Weteringschans 6-8
A côté de Leidseplein. L'église désaffectée est devenue le haut lieu du rock, du reggae et des concerts pop et techno.
Richter
Reguliersdwarsstraat 36
Musique soul.
Trance Buddha
Oude Zijds Voorburgwal 216
Clientèle jeune et branchée.

● **La Haye**
Pour connaître les événements du mois, consulter le journal *Den Haag-Scheveningen*, disponible dans les hôtels et auprès du VVV. Outre le festival de jazz, la vie nocturne se concentre dans les bars avec orchestre et dans certains cafés :

De Paap
Papestraat 32
La Valetts
Nieuwe Schoolstraat 13 A

● **Rotterdam**
Consulter le magazine *R'Uit*, disponible dans les hôtels et auprès du VVV. Le jazz est fréquemment à l'honneur dans cette ville ; un festival lui est consacré, en septembre, et plusieurs bars accueillent des formations :

Jazzcafé Dizzy
s'Gravendijkwal 127
Breakaway
Karel Doormanstraat 1
Baja Beach Club
Karel Doormanstraat 12
Ambiance de boîte de nuit.

ANNEXES

ENFANTS

Promenades en tramway, en bateau ou en pédalo, orgues de Barbarie, mimes, jongleurs dans les rues… Amsterdam offre amplement de quoi distraire les petits. La Hollande est d'ailleurs l'un des pays d'Europe où les pouvoirs publics sont vraiment concernés par la question des enfants.

Le **Vondelpark** possède des terrains de jeux et des étangs à canards et propose des activités gratuites. On peut faire des promenades en poney dans l'**Amstelpark**, qui abrite en outre un labyrinthe, et pratiquer bon nombre d'activités sportives dans l'**Amsterdamse Bos** (voir p. 322 la rubrique «Sports nautiques»). En ville, le **musée de cire de Madame Tussaud**, le **Spaarpotten Museum** (musée des Tirelires), le **Kindermuseum TM Junior** (section du Tropen Museum), l'**Artis Zoo**, avec sa ferme spéciale (*kinderboerderij*), le **NeMo** (musée des sciences), et le **musée d'Histoire maritime** sont particulièrement intéressants pour les jeunes visiteurs. Attention : il est conseillé de vérifier si les poussettes sont acceptées. Le **Kinder Film Theatre Kriterion** (*Roeterstraat 170, tél. 020 623 17 08*) ainsi que le **Musée du Cinéma au Vondelpark** (*tél. 020 589 14 00*) projettent des films pour les jeunes.

Lors d'excursions en dehors d'Amsterdam, à La Haye, par exemple (à moins d'une heure d'Amsterdam), il y a de quoi faire : la ville miniature de **Madurodam**, entièrement reconstituée avec ses fermes, ses églises, son port et ses châteaux ; la **plage de Scheveningen** et le **parc d'attractions Duinrell** à Wassenaar (*tél. 070 515 52 56, www.duinrell.nl*), ou celui d'**Efteling** à Kaatsheuvel, à l'est de Rotterdam, près de 's Hertogenbosch (*tél. 041 628 81 11, www.efteling.nl*). A une heure de train d'Amsterdam, la petite ville d'Enkhuizen possède un musée exceptionnel, le **Zuiderzee Museum**, où sont reconstituées les rues de ports disparus de la mer intérieure.

Pour les adresses, se reporter à la rubrique «Musées et galeries d'art» (p. 315).

ÉTUDIANTS

Les étudiants peuvent bénéficier de réductions sur présentation de la carte International Student Identity Card (pour plus de renseignements : *tél. 020 421 28 00, www.istc.org*). Les offices de tourisme VVV délivrent gratuitement une brochure, que l'on trouve aussi dans les auberges de jeunesse, avec tous les renseignements sur les chambres, bars, restaurants et discothèques bon marché.

Les restaurants universitaires locaux, Mensas, sont ouverts à tous pour le déjeuner en semaine.

GAYS

Amsterdam est la première ville gay d'Europe. Se renseigner auprès de la Pink Point of Presence (*Westermarkt*) et sur le site Internet *www.gayamsterdam.com*.

HANDICAPÉS

Il ne faut pas oublier qu'Amsterdam, avec ses petites rues pavées, sa circulation dense et ses escaliers escarpés, n'est pas toujours très praticable. Dans la plupart des brochures, le symbole international d'accessibilité (ITS) permet de repérer les établissements accessibles en fauteuil roulant de façon autonome. D'autres établissements, non signalés par ce symbole international, peuvent cependant être équipés pour accueillir les handicapés. Pour tout renseignement :

NIZW
Tél. (030) 230 66 03
Stichting Dienstverleners Gehandicapten
Tél. (030) 276 99 70

ADRESSES UTILES

Les ambassades sont à La Haye, la capitale, mais beaucoup de pays ont un consulat à Amsterdam.

● **Consulats aux Pays-Bas**
France
Eerste Weteringdwarsstraat 107, Amsterdam, tél. (020) 530 69 69
Belgique
Lange Vijverberg 12, 2513 AC La Haye, tél. (070) 312 34 56
Suisse
Lange Voorhout 42, 2514 EE La Haye, tél. (070) 364 28 31
Canada
Sophialaan 7, 2514 JP La Haye, tél. (070) 311 16 00

● **Compagnies aériennes à Amsterdam**
Air France
Aéroport de Schiphol : *tél. (020) 654 57 20*
KLM
Leidestraat 103-109, tél. (020) 474 77 47

BIBLIOGRAPHIE

● **Généralités**
Boyer (J.-C.), *Amsterdam, la plus petite des grandes métropoles*, L'Harmattan, 2000.
Braure (M.), *Nous partons pour les Pays-Bas*, Paris, PUF, 1977.
Sarramon (C.), *L'Art de vivre à Amsterdam*, Paris, Flammarion, 1992.
Méchoulan (H.), *Amsterdam au XVIIᵉ siècle*, Paris, Autrement, 1993.

● **Histoire**

Braure (M.), *Histoire des Pays-Bas, 1918-1958*, Paris, PUF, coll. Que sais-je?, 1974.

De Voogd (C.), *Histoire des Pays-Bas*, Paris, Hatier, 1992.

Kaplan (Y.) *Les nouveaux juifs d'Amsterdam : essais sur l'histoire sociale et intellectuelle du judaïsme séfarade au XVIIᵉ siècle*, Chandeigne, 1999.

● **Histoire de l'art**

Alpers (Svetlana), *L'Atelier de Rembrandt - La liberté, la peinture et l'argent*, Paris, Gallimard, coll. «NRF Essais», 1991.

Bonafoux (Pascal), *Rembrandt, le clair, l'obscur*, Paris, Gallimard, coll. «Découvertes».

Bonafoux (Pascal), *Van Gogh, le soleil en face*, Paris, Gallimard, coll. «Découvertes».

Fromentin (Eugène), *Maîtres d'autrefois*, Livre de Poche illustré, 1965.

Descargues (Pierre), *Rembrandt et Saskia à Amsterdam*, Payot, 1965.

Faure (Elie), *Histoire de l'art*, Gallimard, coll. «Folio».

Les Trésors du Rijksmuseum d'Amsterdam, Paris, éd. Scala, 1985.

Malraux (André), *Les Voix du silence*, Paris, Gallimard.

Van Rooy (M.), *Le Langage de la brique,* in *L'Art de vivre à Amsterdam*, Paris, Flammarion, 1992.

● **Littérature**

Camus (Albert), *La Chute*, Paris, Gallimard, coll. «Folio».

Fernandez (Dominique), *Amsterdam*, Le Seuil, coll. «Petite Planète», 1977.

Forrester (Viviane), *Amsterdam*, éd. Autrement, coll. «L'Europe des villes rêvées».

Frank (Anne), *Journal*, Le Livre de Poche. Calmann-Lévy a publié en 1989, sous le titre : *Les Journaux d'Anne Frank*, ses deux manuscrits et une troisième version révisée par son père.

Van Gogh (Vincent), *Lettres à son frère Théo*, Gallimard, coll. «L'Imaginaire» et «Biblos».

Méchoulan (Henry), *Amsterdam au temps de Spinoza, argent et liberté*, Paris, PUF.

Mulisch (Harry), *L'Attentat*, Paris, Calmann-Lévy. Roman sur l'occupation et les stigmates de l'après-guerre, par un des grands romanciers hollandais contemporains.

Noteboom (C.), *Rituels*, Paris, Calmann-Lévy, 1985.

Schama (Simon), *L'Embarras de richesses*, Gallimard, «Bibliothèque illustrée des Histoires».

Van de Wetering (Jan), *Sale Temps* (R/N 30), *L'Autre Fils de Dieu* (R/N 33), *Un vautour dans la ville* (R/N 53), *Mort d'un colporteur* (R/N 59) : excellents romans policiers édités par Rivages, illustrant les aspects marginaux d'Amsterdam.

Zumthor (P.), *La Vie quotidienne en Hollande au temps de Rembrandt*, Paris, Hachette, 1960.

CRÉDITS PHOTOGRAPHIQUES

Illustration de couverture	*Noordwijkerhout*, © G. Guittot/DIAF
pp. 32-33, 35, 43, 46, 103, 141	Musée historique d'Amsterdam
38, 50, 51, 52 d, 54, 175	Rijksmuseum
40, 71, 76, 83, 91, 93, 108-109, 157, 168, 169, 173, 277, 278, 279	Bodo Bondzio
29	Bogaard/Hollandse Hoogte
14-15, 16-17, 22, 24-25, 27, 30, 66, 68-69, 82, 101, 106-107, 111, 113, 118-119, 127, 153, 159, 189, 191, 196, 219, 230, 239, 241, 247, 252 d, 253, 255, 256, 257, 258, 270-271, 275, 276, 280-281, 291, 297	Dirk Buwalda
26, 240	Foster/Apa Photo Agency
39, 161	Musée Frans Hals, Haarlem
142	Gottschalk/Apa Photo Agency
3, 129, 154-155, 163, 206, 207, 208, 232, 233, 244, 250, 262	Han Hartzuiker
116-117, 264	Sharon Hartzuiker
52 g, 87, 88, 97, 98-99, 102, 104, 114-115, 162, 164, 180, 181, 267	Lyle Lawson
36	Hans Höfer
286	Malherbe/Hollandse Hoogte
249	Nealeman/Hollandse Hoogte
135, 177, 178 d, 179, 192, 210-211, 227, 251, 288, 290	Office du tourisme néerlandais
96, 100, 182, 209, 231	Christine Osborne
9, 34, 42, 44, 47, 72, 73, 75, 80-81, 84, 85, 89, 90, 95, 110, 112, 128, 147, 150, 160, 165, 166-167, 171, 172, 174, 178 g, 184-185, 186, 187, 190, 193, 197, 202, 203, 204 g, 214, 215, 216, 217, 218, 226, 228, 229 g, 229 d, 234, 235, 236, 242-243, 245, 246, 254, 260-261, 263, 265, 268, 269, 282, 283, 284, 285, 287, 289, 292-293, 294, 295, 296, 298, 299, 300, 301, 302-303,	Eddy Posthuma de Boer
18-19, 31, 48-49, 70, 77, 86, 94, 105, 130, 134, 136, 140, 143, 144, 145, 149, 151, 152, 176, 183, 204 d, 205, 237, 238, 252 g, 259, 274, 304	Paul Van Riel
28, 55, 56-57, 58, 59, 60, 61, 62, 63, 64, 65, 67, 78, 79, 139, 266	Spaarnestad Fotoarchief
224-225	Simijchlova/Hollandse Hoogte
248	Thermae 2000
194, 195, 212, 213	Topham Picture Library
223	Wallrafen/Hollandse Hoogte
21, 74, 124-125, 131, 132, 133, 137, 138, 148, 221	George Wright
Cartes	Berndtson & Berndtson
Avec la collaboration de	V. Barl

INDEX